鲁迅上海生活志

上海鲁迅纪念馆 编

上海辞书出版社

《鲁迅上海生活志》编委名单

主编

郑　亚

副主编

李　浩（执行）

编委（以姓氏笔画为序）

王　璐　王晓东　仇志琴　包明吉

乔丽华　向敏艳　李　荣　李　浩

杨　琳　邹晏清　张　阳　郑　亚

施晓燕　高方英　郭家玉　詹秋洁

编审

乔丽华

责任编委

施晓燕

图片

邢　魁

引言

李浩

上海鲁迅纪念馆从1950年春开始建制筹备，于1951年1月8日正式对公众开放，成为中华人民共和国成立后第一个对社会公众开放的人物性纪念馆。上海鲁迅纪念馆建立伊始，许广平与周海婴将鲁迅在上海时期所使用的部分生活用品、部分藏书和鲁迅收藏的中国现代版画捐赠给上海鲁迅纪念馆。这些藏品成为上海鲁迅纪念馆馆藏文物的基础，它们与上海鲁迅纪念馆新征集的文物文献资料一起成为上海鲁迅纪念馆鲁迅生平介绍和上海鲁迅故居复原陈列的基础。当这些文物文献成为展品时，为向观众说明这些展品，这些说明构成的叙述文字是上海鲁迅纪念馆第一部鲁迅生平陈列大纲的主要内容，是以文物文献构建鲁迅生平的最初文本。但这部生平陈列大纲当时未有完好保存，目前只能从朱沫编，高孟焕装帧，顾廷康、李鹤龄绘图，上海青锋书店1951年12月初版的《鲁迅纪念馆》和上海鲁迅纪念馆编，上海晨光出版公司1952年10月初版的《鲁迅纪念馆》两种画册的文本中看到大致面貌。建馆70多年来，上海鲁迅纪念馆以弘扬鲁迅精神为己任，多次修改鲁迅生平陈列大纲。每次修改所厘定的新的叙述，不仅纳入鲁迅生平的研究成果，更融合了馆藏文物文献的研究成果。在这过程中，研究馆藏文物文献以及鲁迅日常生活，成为上海鲁迅纪念馆的一项日常学术工作项目。

“鲁迅上海生活志”这个题目基于上海鲁迅纪念馆既有的学术研究成果，从鲁迅的日常生活出发，记录鲁迅及其家人在上海的生活概貌，展示鲁迅生命的最后十年融入在上海的生活风采。而通过这个题目的研究，上海鲁迅纪念馆也可加强对馆藏文物的研究工作，更深入更全面地把伟人鲁迅的日常形象展示给公众。经过请示馆领导同意，与同事交换意见后立即开始了组稿工作。现在，终于有机会可以向各位读者展示这一项目阶段性的研究成果。由“生活志”这个路径研究文物文献，这一创意来自上海鲁迅纪念馆数十年来的学术积累。这正是本书附录《上海鲁迅研究》（《纪念与研究》）所刊相关文章目录的用意所在，上海鲁迅纪念馆所编辑的《上海鲁迅研究》(《纪念与研究》)自1979年第一辑出版以来，至今已经出版100多辑，其中基于文物文献的鲁迅日常生活相关研究文章（包括年表）有150余篇，这些文章大部分是本馆职工的研究成果，这些成果显示了上海鲁迅纪念馆学术研究本位核心化与社会资源开放利用的统一，是上海鲁迅纪念馆作为鲁迅研究学术交流平台的体现。

“鲁迅上海生活志”，是以文物文献为基础的研究，是以日常生活研究以及物质文化史研究为基础的研究，最终是要进入到鲁迅文化研究以及中国现代文化研究层面的。它以弘扬鲁迅精神为主干，试图更为全面地呈现鲁迅精神文化遗产的中国性、时代性、民众性、现代性，从而成为今天社会文化生活发展的资源。

鲁迅先生生前使用过的各种生活、工作器具，看似很平常，与当时人们使用的日常器具并无不同。但通过不断深入的研究，我们却可发现，这些寻常之物，往往也蕴含着鲁迅作为伟大的思想家与文学家的不凡之处。以鲁迅日常用的毛笔“金不换”来说，鲁迅在《答杨邨人先生公开信的公开信》中曾唯一一次在公开文章中提及此种毛笔，并赋予了比较强烈的自我期许。在《论毛笔之类》中，鲁迅提及毛笔的不便之处：“我自己是先在私塾里用毛笔，后在学校里用钢笔，后来回到乡下又用毛笔的人，却以为假如我们能够悠悠然，洋洋焉，拂砚伸纸，磨墨挥毫的话，那么，羊毫和松烟当然也很不坏。不过事情要做得快，字要写得多，可就不成功了，这就是说，它敌不过钢笔和墨水。”文中没有提及“金不换”毛笔。从目前所见的鲁迅手稿来看，鲁迅的钢笔手稿比较少见，他的著译、书信和古文献辑校等基本都是用毛笔完成的，这不由得让人感叹鲁迅使用毛笔的圆熟——连鲁迅自己也认为毛笔不如钢笔便捷，但他却用毛笔给我们留下如此丰富的创作、翻译、古籍辑校、书信作品等，更重要的是目前所见的鲁迅手稿中所呈现的，他的字迹都不失传统毛笔书写的笔法，几乎没有难以辨认的字迹。这样，鲁迅所使用过的毛笔自然成为重要的叙述对象之一，相关叙述呈现了历史的演进特征：

1951年12月初版的《鲁迅纪念馆》（上海晨光出版公司）中，介绍“金不换”文字为：

> 先生写稿时常用这叫“金不换”的一种毛笔，这种笔的名称，很足以代表先生不妥协的精神。

1996年9月初版的《上海鲁迅纪念馆藏文物珍品集》（上海古籍出版社）中介绍“金不换”的文字为：

> 鲁迅童年常用这种软硬适度的毛笔影描书籍插画，晚年写作时仍托亲友从绍兴采购此笔。他在文章中说：“我并无大刀，只有一枝笔，名曰‘金

不换'"，"是我从小用惯，每枝五分的便宜笔。"

2018年11月初版的《上海鲁迅纪念馆藏品选》（上海辞书出版社）中介绍"金不换"文字为：

> 笔杆竹质，长14厘米；笔套铜质，长5.8厘米。笔杆烙印"绍兴卜鹤汀双料金不换"字样。民国产品，鲁迅晚年写作所用。
>
> "卜鹤汀"系清同治四年(1865)卜氏在绍兴大街水澄桥创办的笔庄。"金不换"又名"本京水"，笔头内里用冬季所采黄鼬尾毫为主要原料，外层辅以江苏句容所产野兔毫及羊毫，配上芙蓉花皮等制成；笔杆采用余杭出产细竹。色泽光润，刚柔相济，价廉物美。鲁迅在《答杨邨人先生公开信的公开信》中说："我并无大刀，只有一枝笔，名曰'金不换'。……是我从小用惯，每枝五分的便宜笔。"
>
> 许广平于20世纪50年代捐赠。

从30余字，到70余字，到200余字，三个历史阶段的三段对同一种文物的说明性叙述，显示了三位撰写者的不同侧重点，以及对不同阶段的传播要求。总之，对文物本身的描述愈加全面而细致的叙述，是来源于上海鲁迅纪念馆研究者对文物的愈加重视和研究这一驱动。这种对于文物愈加重视的驱动表现是多方面的，比如对《鲁迅家用菜谱》的研究，这部手写稿菜谱，全文整理稿刊发于1995年出版的《上海鲁迅研究》上，同时刊发了整理者的《鲁迅生活的真切记录——关于〈鲁迅家用菜谱〉的说明》。直至2010年后，社会上对鲁迅作品和生平事迹的关注再次高涨，《鲁迅家用菜谱》再次进入人们的视野，成为构建日常鲁迅的重要叙述依据。《上海鲁迅研究》先后刊发《〈鲁迅家用菜谱〉年代疑云》和《〈鲁迅家用菜谱〉再研究》两文，对于《鲁迅家用菜谱》进行了细致地考证和研究，取得了很重要的学术成果，使我们准确叙述这份菜谱有了比较合理的依据。鉴于社会上多不恰当地以这份短期的"包饭作"菜谱作为叙述鲁迅饮食习惯的重要依据，《上海鲁迅研究》刊发《鲁迅居住上海时期与亲友互赠食物考》等同类文章，试图给予读者更全面的、更接近历史原貌的叙述。当然，要扭转社会上对鲁迅的某些刻板印象，靠一两篇文章是难以扭转的，准确叙述鲁迅的文学创作和思想成就是一项长期的工作。对于上海鲁迅纪念馆的研究者来说，第一是坚定履行弘扬鲁迅精神事业的信心，第二是长期地多样式地传播自己的研究成果，第三就是遵循鲁迅的教导："巨大的建筑，总是一木一石叠起来的，我们何妨做做这一木一石呢？"（1935年6月29日鲁迅致赖少麒信）发扬"一木一石"精神，进行长期的韧性的全面而严谨的探索和研究，这正是激励我们不断精进鲁迅研究的一个重要动力。

物的研究，当然包括其他类型的研究，研究者的切入点很重要。还是说“金不换”毛笔，如果由毛笔而到书法，则可以成为鲁迅手稿书法研究的一个重要出发点。如果由毛笔到文章到社会影响力，则是作品研究、鲁迅思想研究。如果以《论毛笔之类》这篇文章为基点，那么可以进行鲁迅文化思想方面的探讨，如鲁迅在文中所说的“改造自己，总比禁止别人来得难”，就是一个文化方面的可继续探讨的题目。其实，鲁迅很多文章对我们今天进行物的研究以及日常生活研究是有示范作用的，经典的如《看镜有感》《说胡须》《论照相之类》等，而《鲁迅上海生活志》的研究就是以此为目标，在以物的叙述构建鲁迅精神文化的学术路途上，一个侧面是希望通过馆藏的文物来呈现鲁迅当年的生活物质场景进而为呈现当年的文化场景做准备。以这些场景为基础，从一个侧面回答鲁迅及其战友当年为何如此说、为何如此做、为何如此坚持，并试图能使当代人与当时人达成某种程度上的共情，以减少不同时代所造成的隔离感，以及因这种隔离感所产生的对鲁迅的一些误解。

解决以上问题，就要借用“现场”这一概念，即通过历史文化研究以及文学研究以“再现”研究对象所生活的历史时代、所置身的社会文化经济等日常的场域，以在尽量减少理解偏差前提下进行研究和阐述并正确地进行当代性的叙述。就鲁迅（包括其他中国现代文学作家）的研究而言，近年来对物和文献的叙述、再梳理日益成为重要研究内容，这是时代巨变后的必然现象。改革开放40多年来，中国社会已经发生了巨大的变化，今天的人们已经很难如20世纪80年代及以前的读者和研究者那样，很容易进入鲁迅当年日常生活的“现场”——尤其是鲁迅曾生活过的绍兴、北京、上海等城市的读者和研究者，对于他们来说，由于生活习惯、日常物品变化不是很剧烈，他们很容易理解鲁迅话语的物质前提，而直接进入鲁迅的文学和精神世界。在社会经济、科技巨大进步、生活已进入巨变后的今天，虽然有不经“现场”而直达鲁迅文学和精神世界的具有天分的读者和研究者，但普通读者和研究者则需要经过物的“现场”才能更好地理解鲁迅的文学创作和思想成就，否则很容易产生理解方面的偏差。近年来，越来越多的读者和研究者自觉于此，认识到到达“现场”对理解鲁迅等中国文学前贤的重要性和迫切性：“从文学中复原和呈现历史的现场感和氛围感，已成为研究工作中一种重要而共通的学术取向。文学是一种主观与客观之间相互依存、相互制约的行为，它从来不是自足自为的，而是始终处于与政治、社会和思想的角力之中。只有将文学文本放置于历史现场，考察文学外部的多重力量对于文本的作用，以及文本对于历史的建构，才能真正理解文学作品蕴藏的丰富内涵，并且全方位揭示历史的多元本相。”（陈莜烨：《回到文学的历史现场——〈文史哲〉杂志举办第三期青年学者工作坊》，《文史哲》2023 年第 4 期）于是有越来越多的读者和研究者开始进入博物馆、图书馆、档案馆，越来越多以文献史料为基础撰写的书得到出版，相关的学术课题也越来越多。去年，上海鲁迅纪念馆举办以馆藏文物文献为展品主体，专题叙述鲁迅在上海时期居所的迁移和房屋状况、家庭饮食和饭局往来、日常穿着及交通出行、工作情况及创作成果的“十年居上海——鲁迅之日常”展，此展为观众到达“现场”提供了便捷的方式，获得社会广泛关注。从这个方面来说，本书的策划与出版也是顺时而为的结果。

鲁迅曾说：“鼎在周朝，恰如碗之在现代，我们的碗，无整年不洗之理，所以鼎在当时，一定是干干净净，金光灿烂的。”（鲁迅《“题未定”草·七》）按照现行《中华人民共和国文物保护法》，我们无法将馆藏鲁迅遗物还原到鲁迅当年使用时的状态（据笔者所了解，各国文物保护的通行法则大致都有维护文物现状规定），但请读者到达“现场”时一定要注意，鲁迅所看的电影，大荧幕图像是稳定的，鲁迅听到的唱机放出的音乐并没有很多杂音，鲁迅所读的书的纸并非如现在这样页页泛黄，鲁迅所使用的那些物品并非是如现在这样沉静而富有历史感。

回到历史“现场”是为了发挥上海鲁迅纪念馆以馆藏文物文献资源以物证史、以物载文、以史增信、以文化人的独特优势，通过学术研究，帮助人们更好地理解鲁迅的文学创作和思想成就，更好地叙述鲁迅生平和传承鲁迅精神文化遗产，彰显鲁迅所言的“文艺是国民精神所发的火光，同时也是引导国民精神的前途的灯火”（鲁迅《论睁了眼看》），让鲁迅的丰富遗产高质量地服务于当代社会，弘扬鲁迅精神于中国特色社会主义文化的建设之中。

目录

书房一隅

由印章探究鲁迅的世界

郑亚

一、鲁迅印章综述

关于鲁迅先生的印章，在1991年鲁迅诞辰110周年之际，上海鲁迅纪念馆曾编印《鲁迅遗印》一书，内收鲁迅遗印58方，其中现存原章者50方，另有存印鉴者8方。鲁迅遗印实物主要由北京鲁迅博物馆、上海鲁迅纪念馆和周海婴等收藏。

根据朱嘉栋先生对鲁迅遗印的扼要统计，这些印章大致分为个人名章：周、周氏、周豫才、周树人、周树、鲁迅、俟堂、洛文、旅隼等；藏书章：会稽周氏、周氏所藏、会稽周氏藏本等；书评章：随喜、善、伪、翻、完、赠本；其他章：周信、生病等四大类。此外，鲁迅还珍藏有瞿秋白自刻笔名章何凝、萧参各一方。朱嘉栋很明确地指出“绿杉野屋”和“莽原社”是鲁迅收藏的团体印章。虽然这样的分类表述还有可以商榷和专业细化的空间，但从用途来研究鲁迅印章无疑也是一种思路，至少让后人从这些印章的分类用途上，就可以一窥鲁迅作为作家所用笔名之多，作为收藏家鉴赏兴趣之浓，作为普通人工作社交之繁，作为知己可托之诚，作为组织者责任心之强。

二、绍兴结缘与南京立志之印章

一般公认鲁迅与印章结缘，始于其堂叔祖周芹侯刻赠的“只有梅花是知己”与“绿杉野屋”两枚印章。“只有梅花是知己”为石章，高49毫米，印面呈不规则状，朱文印。“绿杉野屋”也是石章，高72毫米，印面方正，为白文印。查《鲁迅年谱》，1896年鲁迅15岁在三味书屋读书，大约在此期间，周芹侯为其篆刻这两方印。周作人在《鲁迅的故家》一书中写道：“又有一回不记何年，中房芹侯在往调马场舟中，为鲁迅篆刻一印，文曰‘只有梅花是知己’，石是不圆不方的自然形，文字排列也颇好，不知怎地钤印出来不大好看。这印是朱文的，此外还有一块白文方印，也是他所刻，文曰‘绿杉野屋’，似乎刻得不差……”

“只有梅花是知己”或说明了鲁迅赏梅爱梅的心性，也或是亲族长辈眼中少年鲁迅流露出的孤傲高洁的写照。而“绿杉野屋”主人为周树人、周作人、周建人三兄弟，寄托了兄弟三人共同的文化情怀。从目前可见的材料看，这两枚印章几乎都没有被鲁迅实际使用过，但历经几十年鲁迅始终加以珍藏，足见这两枚印章对鲁迅而言之特别，它们既是绍兴故里年少时代的见证，也是鲁迅钟情印章的肇始。这两枚印章均收藏于北京鲁迅博物馆。

及至“戎马书生”等印章，则是进入青年时期的鲁迅在南京求学“走异地”阶段中，刚毅果敢的性格形成的一个很好诠释。1898 年，鲁迅 18 岁，5 月，考取江南水师学堂试习生，三个月后补为三班正式生。同年 9 月戊戌变法失败后，受到堂叔祖周椒生的严苛“教诲”，又遇新职员到校，短短数天，鲁迅和多位同学被连续记过。10 月投考江南陆师学堂新附设的矿务铁路学堂，简称“矿路学堂”。约在这年，自取别号“戛剑生”，并刻下两枚印章，一枚“文章误我”，一枚“戛剑生”。1899 年鲁迅在陆师矿路学堂学习期间，课余好骑马，“每天总要跑它一两点钟的”。常常骑马至明故宫一带，并敢于与附近旗人兵营子弟比赛，也不惧怕从马上摔下。他曾自号“戎马书生”，亦刻有印章。

“文章误我”自有一股不平之气；而“戛剑生”之“戛”实为古代兵器，类似于长戈；至于“戎马书生”则充满了文武兼备的豪情。从三枚印章的关联印文来看，持兵搏杀投笔从戎的意味相当鲜明，也与鲁迅这一阶段孤身在外求学进一步独立奋争的成长轨迹相对应。1898 年 2 月，鲁迅从绍兴到杭州，探望在牢狱中的祖父。在杭州逗留期间，他在中报馆派报售书处，购《徐霞客游记》《春融堂笔记》《唐人合集》等书。在北京鲁迅博物馆存鲁迅此次所购《徐霞客游记》第一册内盖有“戎马书生”印鉴。目前“戎马书生”一印亦存北京鲁迅博物馆，其余两枚在鲁迅的生活辗转中佚失。

三、归国初期绍兴工作印章

经过南京刻苦的学习与磨炼，1902 年鲁迅由江南督练公所派赴日本留学，开始长约 7 年的留学生涯，为其坚实的学养、开阔的眼界、先进的思想奠定了基础。1909 年 8 月，鲁迅结束日本留学归国，在好友许寿裳的推荐下，赴杭州的浙江两级师范学堂任生理学、化学教员。经历过教学风波之后，1910 年 7 月，鲁迅辞去此处教职，并于同年 8 月前往绍兴府中学堂任监学与博物学教员。1911

年 10 月 10 日，湖北新军在武昌起义，辛亥革命爆发。11 月，绍兴光复，鲁迅任浙江省山会初级师范学堂监学。比对现存三枚“周树人印”信息，这个阶段，鲁迅所用印章应为上海鲁迅纪念馆所藏青田石材质，高约 33 毫米的这枚印面略小的白文名印，此印曾钤于“浙江省山会初级师范学堂”学生修业证书上。此外，鲁迅在其 1913 年的日记中有其为自己绍兴府中学堂考入北京大学预科的学生童亚镇、韩寿晋“托为保证”而借用名章的记录。由此可见，在回国初期浙江这段以教学管理为主的职业生涯中，30 岁前后的鲁迅，呈现出专业严谨的职业面貌，印章主要作为工作用途的凭信。

四、北京时期凸显文博功能的印章

1912 年 5 月，鲁迅跟随民国临时政府教育部迁往北京，后任教育部社会教育司第一科科长、佥事，直到 1926 年 8 月离开北京，鲁迅居住北京长达 14 年。在这 14 年中，他一度参与在教育部社会教育司的工作，致力于民众教育，也与博物馆、图案馆、美术馆多有关联；兼任北京大学、北京高等师范学校、北京师范大学、北京女子高等师范学校、世界语专门学校讲师；他发表了《狂人日记》《孔乙己》《药》《一件小事》《故乡》《阿 Q 正传》《祝福》《伤逝》《论“费厄泼赖”应该缓行》《记念刘和珍君》》等一系列脍炙人口的作品，出版《爱罗先珂童话集》《呐喊》《中国小说史略》《现代日本小说集》《彷徨》等译作和著作。教育官员、文博学者、名校教师、知名作家等多种身份交织叠加，但其中与文博工作关联的调查收购古物，工作之余自行抄校、辑录古籍，研究金石、碑帖、拓片等，在这个时期他的印章中也留下了深刻印迹。

一枚“周树人”木章，高 29 毫米，印面狭长，朱文无边，有恭敬肃穆之气，为鲁迅在北洋政府教育部任职时用章。一枚“周信”木章，高 30 毫米，印面较小而椭圆，朱文，中规中矩，为鲁迅在北京收信时用章。两枚“莽原社”章，1925 年 4 月，鲁迅等在北京发起成立的文学社团用章。其中一枚为木章，高 29 毫米，印面方正，字体雄阔，朱文印；另一枚石章，高 18 毫米，印面较小，字体古拙，朱文印。

在北京期间，鲁迅与在教育部共事的陈师曾（即陈衡恪，陈寅恪之兄）因曾在南京矿路学堂与日本东京弘文学院都是同窗，且兴趣相投，时常一起结伴访友探肆。陈师曾有很高的传统书画造诣，作印古拙纯朴，极合鲁迅心意。陈师曾为鲁迅先后刻制且保留实物的印章有“周树”、“会稽周氏收藏”（鲁迅藏书《颖韵》

钤印)、“会稽周氏”（鲁迅藏书《碑别字》钤印)、“周树所藏”（鲁迅藏书《金石苑》钤印)、“俟堂”石章（鲁迅藏书《越中金石记目录》等钤印）5 枚。另有陈师曾所书，由其请琉璃厂同古堂刻印名手张樾丞刻制的紫檀木章“会稽周氏藏本”（鲁迅藏书《汉碑释本》钤印）与木章“俟堂石墨”（鲁迅藏书《六朝造像目录》钤印）两枚。如果再加上《鲁迅日记》中提及“师曾遗小铜印一枚，文曰‘周’”和根据鲁迅藏拓片《孔彪碑额》印鉴复刻的“周作”原章无存的两枚，源自陈师曾的鲁迅印章有 9 枚。就这些印章的印文和所钤印之古碑金石造像藏书，鲁迅作为文博学者对古物的痴迷可见一斑。

这些印章中，“俟堂”一印印文特别，信息颇多。《鲁迅日记》1916 年 11 月 30 日记载有“师曾贻印章一方，文曰‘俟堂。’”据许寿裳回忆，当时陈师曾问鲁迅刻何内容，鲁迅便说:“你叫做槐堂，我就叫俟堂罢。”此语出自《中庸》“故君子居易以俟命”，包含了鲁迅对当时恶劣环境以及自己可能会被排挤的安静等待不惧不畏的沉着心态，也折射出鲁迅在教育部任职的甚多不易，寄情古物古籍既是个人兴趣所在，也多少因环境使然。

因对张樾丞所刻“会稽周氏藏本”“俟堂石墨”虽为木章却具金石味甚是满意，此后鲁迅与张樾丞也渐渐相熟，并托同古堂治印。《鲁迅日记》1918 年 4 月 11 日记载：“下午同陈师曾往留黎厂同古堂代季市刻印，又自购木印五枚，买印石一枚。”4 月 19 日又记:“晚往留黎厂取季市印及所表字联，又取自刻木印五枚。”这五枚木印应为:“随喜”（鲁迅藏书《张思伯造像记》钤印)、“善”（鲁迅藏拓片《白石神君碑》钤印)、“伪”（鲁迅藏拓片《黄百庆造像》钤印)、“翻”（鲁迅藏拓片《张敬造石柱一枚释迦像十八区》钤印)、“完”，皆用于鲁迅对藏品的鉴赏评定。《鲁迅日记》1918 年 8 月 5 日又记：“午后往留黎厂同古堂取所刻印章二枚。”此两印印文皆为“周”字，一为方形，一为椭圆形。同年 10 月 16 日记：“午后往琉璃厂定刻印，计‘周氏’二字”，也是鲁迅藏书《古籀拾遗》上的钤印。就此，鲁迅在同古堂刻制的印章可计作 10 枚，印文内容简白，突出鉴赏收藏实用功能。

上述这批印章由北京鲁迅博物馆收藏。

五、厦门广州感情见证之印章

1926 年 8 月，鲁迅离北京前往厦门，任厦门大学文科教授。1927 年 1 月，鲁迅至广州，任中山大学文学系主任兼教务主任。“四一二”反革命政变后，鲁迅坚决辞去中山大学一切职务，同年 10 月抵达上海，并与许广平共同生活，由此开始了上海岁月。

在厦门、广州短暂却局促的时光里，鲁迅与许广平频频通信，互相慰藉。1926年11月17日许广平写给鲁迅的信中提及:“兹寄上图章一个,夹在绒背心内,但外面则写围巾一条。你打开时小心些，图章落地易碎的……”11月27日许广平在信中又提醒：“但我十七又寄一包裹并一信——说明所寄的物件，并叫你小心开拆，勿打碎图章。图章并不是贵重品，不过颇别致耳，即使打碎，也勿介介。现必收到了罢？收到就通知我一声。”12月2日，鲁迅回信说明收到，“印章很好，没有打破，我想这大概就是称为‘金星石’的，并不是玻璃。我已经写信到上海去买印泥，因为盒内的一点油太多，印在书上是不合式（适）的”。

金星石治印确乎少见，这方高约29毫米的石章，印文为白文“鲁迅”，且与很小一块印泥一起嵌装在内镶丝绒的金属盒中。其见证了许广平对“迅师”的用心深厚，也见证了鲁迅对“广平兄”的珍惜依恋。

六、上海时期更具契约意识与诗书气质的印章

从1927年10月抵达上海到1936年10月在上海大陆新村9号逝世，这是鲁迅生命中最后的岁月。他主编《语丝》《奔流》《前哨》等杂志，发表诸多犀利尖锐的批判性文章，出版多部杂文集，组织朝花社印制文艺书籍和木刻集，不断推进中国新兴版画发展，大力从事国外先进文艺理论的研究和介绍，并进行大量翻译工作，编印中国传统笺谱，完成历史小说集《故事新编》，还积极发起或参与中国自由运动大同盟、中国左翼作家联盟、中国民权保障同盟等进步组织，进行各种文化斗争。在这个阶段，鲁迅的大部分工作和出版发生密切关系，而出版所得成了他收入的主要部分。除却日常生活所需，出版收入也是鲁迅开展各种社会活动、扶持青年作家、版画家的重要经济来源。这点在他这一时期使用的印章上也有所体现。此外，或许因为职业身份的转变，鲁迅在上海的社会交往呈现出更为多元与相对随性的状态，应约题诗增多，而诗文墨迹后的钤印也较多。

现藏上海鲁迅纪念馆的8枚鲁迅印章，除刻制于1910年的“周树人印”用于学生学业证书外，余下7枚都是这段上海生活的见证。

1. 鲁迅名印“鲁迅”，制作年代为1928年，橡皮材质朱文印，曾钤于鲁迅1929年翻译的《壁下译丛》版权页印证等。2. 鲁迅名印“周树人印”，刻制于1931年，寿山石材质，曾钤于鲁迅墨迹《钱起归雁》。3. 鲁迅名印“洛文”，刻制于1931年，青田石材质朱文印，边款为“辛未四月寿伯制于万石楼”，鲁迅墨迹《赠瞿秋白》

及书籍《毁灭》版权页印证，均钤此印。4. 鲁迅名印“鲁迅”，疑刻制于 1931 年，此印应是根据西泠印社吴德光所刻青石章印鉴制成锌版后加方形铅块而成，钤于鲁迅 1932 年出版的《三闲集》版权页印证等。原章顶款“德光”，现存北京鲁迅博物馆。陶寿伯与吴德光分别制作的这两枚印章，在 1931 年 6 月 7 日的《鲁迅日记》中记有：“同三弟往西泠印社买石章二，托吴德元（光）、顾（陶）寿伯各刻其一，共用泉四元五角。”5. 鲁迅名印“鲁迅”，刻制于 1932 年，红玛瑙材质。1932 年 6 月 29 日《鲁迅日记》载：“秉中遣人持赠名印一方”，即此印。边款为“李秉中持赠”，鲁迅钤于诗稿《所闻》等手迹。6. 鲁迅名印“鲁迅”，刻制于 1936 年，黄杨木长方形，未能见更多材料。7.“生病”，刻制于 1936 年，木章，晚年病重时用章。

鲁迅印章“周树人”

鲁迅印章“周树人”

鲁迅印章“洛文”

鲁迅上海时期的印章收藏于北京鲁迅博物馆的，则有以下几枚尤其值得关注：一枚“周豫才”，朱文木章，三字竖排字体规范，高为 29 毫米，为上海北新书局版税收据钤印。一枚“鲁迅”，朱文木章，两字竖排略带楷书笔意，高为 27 毫米，亦为上海北新书局版税收据钤印。一枚“鲁迅”，朱文木章，印面较小，两字竖排近隶书，高 34 毫米，为鲁迅 1931 年诗稿《湘灵歌钤》钤印。1934 年 9 月 2 日，郑振铎拜会鲁迅，并带来其嘱托自己的学生刘淑度为鲁迅刻制的“鲁迅”“旅隼”一白一朱两枚名章。刘淑度名师仪，毕业于北师大中文系，课余在齐白石门下学艺，颇得齐白石嘉许。鲁迅对这两枚印章也甚为喜欢，白文“鲁迅”印，钤鲁迅文稿《〈北平笺谱〉序》。在他晚年的《秋夜偶成》《题〈芥子园画谱三集〉赠许广平》等诗稿上还同时钤上“鲁迅”“旅隼”一白一朱两枚名章。

此外，还可就上海时期的“迅翁”“生病”两印再做些推论。“迅翁”一印为 1934 年 9 月 15 日徐诗荃刻赠。根据徐诗荃回忆，鲁迅当时认为“翁”字下半部分“羽”的笔脚刻得尖了些，不够合意；但就鲁迅当日日记中记载：“下午诗荃

鲁迅印章“鲁迅”

鲁迅印章“生病”

来并赠印一枚，文曰‘迅翁’，不可用也。”可见除了篆刻笔意之外，印文内容“迅翁”也让鲁迅觉得不妥，这两字固然学生晚辈可用以尊称鲁迅，但如果自用则并不合适，又或者鲁迅并不认为自己已是垂垂老“翁”。然而，大约两年后，楷书朱文“生病”一印却不得不发挥重要作用。周海婴在《重回上海忆童年》中写道：“这一枚‘生病’图章，是父亲在逝世之前的那一年请人刻制的。当时，他已病得很重（据《日记》从 1936 年 6 月 5 日—6 月 30 日，就‘艰于起坐’），连一向坚持的日记都不能写了，因而也就不能像过去那样，有信必复，有稿必看了。接到信件，不愿拖延时日，以免寄信人和寄稿人牵挂，就想出此法，在回执条上盖上‘生病’二字的图章，使寄件人见此回执，就能明白情况，不致再着急催促。这也是父亲对识与不识的朋友一种认真负责的态度。”在认真负责之外，这枚印章其实还显露出鲁迅做事细致周密，顾及他人换位思考的性格特点。

在鲁迅留下的众多文化艺术遗产中，其印章数量不多，且无名贵巨制，基本以普通的青田石、寿山石、木质为主，侧重实用功能，但在反复查找与学习的过程中，可以摸索出其中与鲁迅生平起落、身份地位、生活境况以及性格爱好相呼应的线索，应该是这些印章更为重要的价值所在。同时，这些印章也还存在着若干可以进一步探究的内容，比如鲁迅唯一留存的自刻印章白文草书单字“迅”一印，是什么时期出于什么原因鲁迅会自刻此印？与其他姓名印有所区别的主要用途是什么？比如两枚“周作”印，按周作人说：“师曾给鲁迅刻过好几块印章，其中刻‘俟堂’二字的白文石章最佳……”还说：“我也得到一方白文的印章，文曰‘周作’……”而陈师曾已为鲁迅刻制同样省略“人”字且艺术风格极为近似的“周树”一印，故而至少由陈师曾刻制一度被视作鲁迅印章的“周作”一印是否应为周作人印章？还有，鲁迅与瞿秋白为知己之交，他收藏瞿秋白自刻“何凝”与“萧参”两印，极为自然也是对牺牲好友最深的追念，但不知收藏与其交集不多的丰子恺印章又有何特别缘由？这些问题还需作进一步的考究才能得出结论。

鲁迅生前所使用的印章，目前大多分藏上海鲁迅纪念馆和北京鲁迅博物馆两地。颇为期待将两家馆藏的主要文物进一步汇聚作比较研究，让今人可以通过“印章”这个貌似微小的视角，连带其钤印的藏书、拓片、出版书籍与诗稿书法手迹等，梳理合拢更多历史信息，从而可以深入探究鲁迅丰富精彩的人生与深邃广博的精神世界。

鲁迅收藏的明信片

——李浩

明信片作为现代邮政通信的一种形式，是伴随着现代邮政而发展起来的。据考证，中国正式发行明信片“始于1897年之红色一分单片，是为第一次，同年又发行绿色一分单双片，是为第二次。1898年，又发行红色厚纸一分单双片，为第三次，均系直行中国式”。（李弗如《明信片姓名住址四字之变迁》）在《鲁迅全集》中，明信片又被鲁迅称为“画片”，不过，鲁迅所谓的“画片”并不单指明信片。据现存的《鲁迅日记》，1912年9月18日有收到日本相模屋书店明信片的记载。又据《鲁迅日记》，1914—1916年有频繁收寄明信片的记载，之后，相关记载逐渐减少。1925年12月26日，鲁迅曾获北京大学研究所赠的明信片12张。鲁迅书信中，广为人所知的明信片应该是他到厦门大学后，于1926年9月13日寄给许广平的那封了，此明信片正面为“从后面（南普陀）所照的厦门大学全景。前面是海，对面是鼓浪屿”。

文字记述中，鲁迅生前特地收集明信片的事很罕见，最有波折，却不专为明信片收集的大约是为孙用出版翻译著作裴多菲的《勇敢的约翰》的配图。鲁迅在介绍出版这部译著的时候，认为应该配匈牙利画家山陀尔·贝拉陀尔的12幅插画。鲁迅在请留学德国的徐诗荃代为收集的同时，也请孙用收集这些插画，经过相当长时间的等待后，孙用最终在朋友处获得了明信片形式的这12幅插画的彩色印刷品。类似的是，他于1936年7月23日写信给捷克作家普实克：“但对于捷克，我却有一种希望，就是：当作报酬，给我几幅捷克古今文学家的画像的复制品，或者版画（Graphik），因为这绍介到中国的时候，可以同时知道两个人：文学家和美术家。倘若这种画片难得，就给我一本捷克文的有名文学作品，要插画很多的本子，我可以作为纪念。我至今为止，还没有见过捷克文的书。”信中的“画片”也可能指明信片形式的单片绘画印刷品。目前，见诸文字的鲁迅专门请人收集明信片大约就一次。1934年7月30日，鲁迅在致日本友人山本初枝信中说：“在东京别无要事，神田区神保町二之一三号有一家叫‘科学社’的书店，据其广告，有俄国版画及明信片出售，便中请去看一下。倘有《引玉集》中那样的版画，请代为购买一些。如有绘画的明信片和复制的画片，亦请买一些，但不要风景或建筑物的照片。”当年9月，山本初枝应鲁迅之请寄赠明信片10幅。鲁迅收到后，在给山本初枝的信中如此说：“科学社复制的绘画及明信片亦已收到，并无特色的印刷品，以后不再搜集了。”在鲁迅生前，明信片也曾作为一种回礼品。1931年6月12日《鲁迅日记》记载：“午后斋藤女士、山本夫人及其孩子来，赠广平纱伞一柄，答以画片每人各二枚。”

据《鲁迅日记》和现有藏品，鲁迅曾获赠许多明信片。这些明信片是否受鲁迅委托收集或者是朋友赠送一时难以考证，毕竟鲁迅与明信片在鲁迅研究中是极其微小的题目。不过值得庆幸的是，2011年，北京鲁迅博物馆编辑了一套“鲁迅藏品丛书”，其中一本是由夏晓静编著的《鲁迅藏明信片》。书中介绍：“鲁迅藏品中的明信片大多是朋友所送、朋友代买，鲁迅很少自己购买明信片。从这些明信片使用情况上看可分为实寄片、收藏片两大类。实寄片共有31张，本书收有25张，现存李秉中寄给鲁迅的明信片5张，其中1925年寄给鲁迅的2张及此前友人致鲁迅的2张，田汉、史岩寄给鲁迅的明信片均收入《鲁迅藏同时代人书信》中……鲁迅藏明信片中的收藏片全部为美术明信片，共211张。其内容主要为欧洲古典木刻、欧洲绘画、苏联绘画、《勇敢的约翰》插图、日本雕塑、《元庆的画》和一些散片。”

上海鲁迅纪念馆所藏的明信片是20世纪50年代许广平所赠，约120张，其中果戈理肖像重复，另有几张被裁剪过。这些明信片的内容大致是苏联所出版的巡回画派（Peredvizhniki）及革命时代的美术作品，并有少量的日本明信片，还有三张是陆晶清给许广平的杭州西湖风景。这些明信片都不是实寄封，是鲁迅和许广平的收藏品。90年代，上海鲁迅纪念馆曾经以明信片的形式选印一部分，以作为文创产品。不过，当时只是翻印图片，未根据原明信片的相关信息进行著录说明。

本文从上海鲁迅纪念馆所藏的明信片中选取18张。同时，对这些明信片的画作、作者、出版者等已经明了的信息大致介绍如下：

1.《暗杀者》（1883），I.E.列宾（И. Е. Репин，1844—1930）作，苏联革命博物馆发行，国家货币发行总局1931年印制。作为俄国杰出的批判现实主义画家，巡回展览画派重要代表人物，列宾在他的创作生涯中一直在寻找新的技术和内容，以使作品更加丰满和深入，从他的作品中能够感受到时代精神以及他的

《暗杀者》(1883)，I.E. 列宾

《女革命者的审问》(亦译《审讯》，1904)，V.E. 马科夫斯基

个人品格。

2.《女革命者的审问》（亦译《审讯》，1904），V.E. 马科夫斯基（B.E. Маковскии，1846—1920）作，苏联革命博物馆发行，国家货币发行总局 1932 年印制。V.E. 马科夫斯基是莫斯科绘画、雕塑和建筑学院的创始人之一，他是画家康斯坦丁·马科夫斯基（К. Е. Маковскии，1839—1915）的兄弟，是巡回画派最活跃分子之一，几乎参加了该画派的所有展览。

3.《M.E. 萨尔蒂科夫·谢德林》（1876），I.N. 克拉姆斯柯依（И.Н.Крамскои，1837—1887）作，特列季亚科夫画廊藏，国家造型艺术出版社发行。I.N. 克拉姆斯柯依受到俄罗斯革命民主主义思想的影响，是巡回画派的主要创始人和思想家之一。他创作了一系列重要的俄罗斯作家、科学家、艺术家和公众人物肖像作品，对 19 世纪末期俄罗斯民主艺术和美学的发展产生了重要影响。萨尔蒂科夫·谢德林（M. E. Салтыков-Щедрин，1826—1889）是俄国现实主义作家，曾被列夫·托尔斯泰誉为俄罗斯社会思想的检察官，也被马克思文艺理论家称为“真正的革命者”。鲁迅曾翻译他的作品《饥馑》（又译《饥饿城》），是为他的代表作《一个城市的历史》中的一篇，并称从中可以窥见其“锋利的笔尖，深刻的观察”。（鲁迅《〈饥馑〉译者附记》）

4.《N.V. 果戈理》（1841），F.A. 莫勒（Ф.А.Моллер，1812—1875）（一说 1874 年 8 月 2 日去世）作，特列季亚科夫画廊藏，国家造型艺术出版社发行。F.A. 莫勒曾为海军军官，因喜爱绘画而退役，一度在意大利游学并创作。他是 N.V. 果戈理的好友，晚年在圣彼得堡从事教职和创作。N.V. 果戈理（Н. В. Гоголь，1809—1852），俄国批判主义作家。鲁迅早年在《摩罗诗力说》中称果戈理的作品“以不可见之泪痕悲色，振其邦人”，晚年翻译果戈理代表作《死魂灵》未竟。

《N.V. 果戈理》（1841），F.A. 莫勒

5.《换班》，K.I. 马克西莫夫（К. И. Максимов，1893—1939）

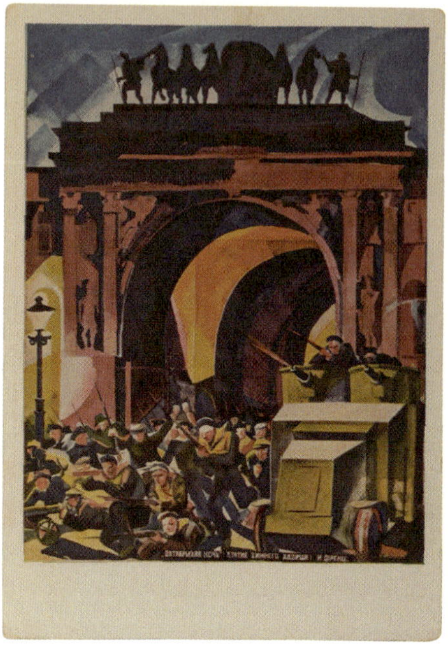

《1917 年 10 月 25 日（11 月 7 日）攻克冬宫》

作，苏联革命博物馆发行，国家货币发行总局印制（因该明信片背面有粘贴痕迹，发行年份不可查看）。画家生平不可考。画面上报纸名为“Смена”，与画题同，也可译为“改变”。

6.《1917 年 10 月 25 日（11 月 7 日）攻克冬宫》，R.R. 弗伦茨（P.P. Френц，1888—1956）作，苏联革命博物馆发行，国家货币发行总局 1928 年印制。R.R. 弗伦茨是俄罗斯和苏联的画家、平面艺术家和教师，列宁格勒艺术家联盟的成员，也是列宁格勒绘画学派的创始人之一，以创作战斗场面的绘画而著名。

7.《1917 年十月之夜在斯莫尔尼宫旁》，R.R. 弗伦茨作，苏联革命博物馆发行，国家货币发行总局 1929 年印制。

8.《列宁墓》，A.I. 克拉夫琴科（А. И. Кравченко，1889—1940）作，苏联革命博物馆 1932 年发行。A.I. 克拉夫琴科是苏联插画家和木版画家。戈宝权曾介绍说：“鲁迅早在《新俄画选》中就介绍过他的两幅有关列宁逝世和葬礼的木刻画，但当时没有认出这是克拉甫兼珂（克拉夫琴科）的作品，因此注为‘作者未详’。在《引玉集》中收有他的一幅木刻《墨斯科的列宁图书馆》，鲁迅说这是他用中国宣纸从莫斯科换来的。在《苏联版画集》中又收有他的 13 幅木刻，包括他的《尼泊尔水闸》、为拜伦的《神秘剧》以及为苏联作家肖洛霍夫的小说《静静的顿河》所作的插图。”（戈宝权：《苏联木刻画家传略》）

9.《马克思、恩格斯和列宁（革命博物馆将列宁主义传播到广大群众当中）》，革命博物馆之友协会发行。

10.《第一首民谣：我大大方方地爱着加里宁，我要通过广播电台向他表白》，A.E. 库拉科夫（A.E.Кулаков，1884—1949）作，苏联革命博物馆发行，国家货币发行总局 1928 年印制。A.E. 库拉科夫是苏联画家、戏剧艺术家、壁画家，苏联卢布卡学校的创建者，艺术家联盟成员。在 20 世纪二三十年代，他受国家出版社委托创作流行版画、日历等日常工艺品。画面上的民谣歌词应属于恰斯图什

《马克思、恩格斯和列宁（革命博物馆将列宁主义传播到广大群众当中）》

卡（Частушка），是一种诙谐幽默的俄罗斯民歌的形式。恰斯图什卡在20年代广泛流传，歌词多反映当时的社会生活。A.E. 库拉科夫会为同一首歌词创作不同风格的画。

11.《第二首民谣：老太太们已经年老，快要死了，而我们年轻的女代表们则当选了》，A.E. 库拉科夫作，苏联革命博物馆发行，国家货币发行总局1928年印制。

12.《第四首民谣：心上人烟抽得更厉害了，他用烟雾“招待”我》，A.E. 库拉科夫作，苏联革命博物馆发行，国家货币发行总局1928年印制。

13.《戴面巾（颜被）的波斯妇人》（18世纪波斯〔今伊朗〕的细画），格鲁吉亚苏维埃社会主义共和国文化及出版事业管理总局、梯弗里斯（现第比利斯）“艺术博物馆”发行，国家货币发行总局1935年印制。据《鲁迅日记》，1935年6月7日、24日，鲁迅先后收到萧三寄赠于波斯古画明信片9枚和12枚。这些波斯细密画明信片背后都有钢笔写的说明，目前还无法考证这是谁的笔迹。

14.《御物 十六罗汉图》，禅月（832—912）作，东京帝室博物馆发行，志村写真版印刷所制。禅月即贯休，唐末五代前蜀画僧、诗僧。俗姓姜，字德隐，婺州兰溪（今浙江兰溪市）人。唐天复间入蜀，被前蜀主王建封为“禅月大师”。

《戴面巾（颜被）的波斯妇人》

ПОЧТОВАЯ КАРТОЧКА POŠTA KARTO
МЕТЕХИ-МУЗЕЙ ИСКУССТВ ССРГ. ТИФЛИС.
МОСКВА 1935 ГОЗНАК
十八世纪的细画
戴面巾（颜被）的波斯妇人
Персидская миниатюра XVIII в. Персианка в чадре.

《国宝 二祖调心图》

鲁迅之《自题小像》诗句有借用贯休《侠客》诗“黄昏风雨黑如磐，别我不知何处去”者。据《鲁迅日记》，1913 年鲁迅曾收到钱稻孙所赠石刻贯休作《十六应真象》，之后鲁迅也买过该套画像的其他版本。1935 年 3 月 23 日鲁迅赠增田涉《贯休画罗汉像》一本，并附言是因为“只觉得有趣才送给你，别无他意”。同年 4 月鲁迅收到增田涉所赠明信片，此为其中之一。鲁迅在 4 月 30 日回信中说：“明信片与美术明信片也收到。关于贯休和尚的罗汉像，我认为倒是石拓的好，亲笔画似乎过于怪异，到极乐世界去时，如老遇到这种面孔的人，开始也许希奇，但不久就会感到不舒服了。石恪君的画我觉得不错。”本文所涉之石恪、文正等人画作明信片疑为增田涉所赠。

15.《国宝 二祖调心图》，石恪作，政法寺藏，东京帝室博物馆发行，志村写真版印刷所制。石恪，生卒年不详，字子专，成都郫县（今属四川省郫县）人，五代末宋初画家。石恪及梁楷的泼墨减笔禅画对日本绘画发展有着很大的影响。（松冈正刚《山水思想：“负”的想象力》）

16.《国宝 牡丹图》，传舜举作，高桐院藏，东京帝室博物馆发行，日本美术写真印刷所印。舜举即钱选，号玉潭，又号巽峰，别号清癯老人、习懒翁等。1235 年生，卒年不详。浙江湖州（今浙江吴兴）人，南宋景定（1260—1264）年间的进士，入元不仕，寄情山水，流连诗酒。他是一位技法全面的画家，时人有“老钱丹青当世无”的赞誉。其中鸟画成就最高，是元代继承宋代设色工笔花鸟画这一派中的代表人物。与赵孟頫、王子中、牟应龙、肖子中、陈天逸、陈仲信、姚式并称“吴兴八俊”。

17.《国宝 鸣鹤图》，文正作，相国寺藏，东京帝室博物馆发行，志村写真版印刷所制。文正，号泉石。明代洪武时期花鸟画家，善画鹤。日僧有马赖底之《禅僧的生涯》中记述了关于《鸣鹤图》的故事：日僧绝海中津（1336—1405）于1368年到中国求法，拜师“明代禅文学的巨匠”季谭（全室），参禅问学。其间，季谭赠予法号“绝海”。1377年，绝海中津等日僧受到明太祖召见，相互和诗。明太祖允许他们回日本，并赠以袈裟、钵盂等法器，及大量美术品，其中就有文正的《鸣鹤图》对画。回日本后，绝海将之带往他所主持的相国寺。当时幕府足利义教将军到相国寺时，指名鉴赏了这两幅《鸣鹤图》。《鸣鹤图》对画由此闻名于日本，被奉为国宝。

18. 西湖风景之一。明信片未说明风景地点名，应为西湖十景之一的曲院风荷。该明信片上有留言：“平兄：我寻遍了西子湖，都找不见你的旧迹。小鹿 七月三日。”据《鲁迅藏明信片》云：“‘小鹿’，即是陆晶清。谢冰莹、林语堂等熟悉陆晶清的人也多称她为‘小鹿’。她在《晨报》副刊等报刊上以小鹿笔名发表了不少诗作。《鲁迅日记》1926年7月10日载：‘得陆晶清从杭州所寄信片及照相。’”不过，据此明信片上所言“你的旧迹”，据目前资料，在1928年7月鲁迅与许广平同游西湖之前，许广平并没有游杭州西湖的记录。这张明信片（含其他2张）是何时寄给许广平的，还有进一步探讨的必要。

需要说明的是，上海鲁迅纪念馆所藏的鲁迅和许广平藏明信片，与北京鲁迅博物馆的收藏比较起来，有几张是重复的。如本书未收陶元庆作品《墓地》，则与北京鲁迅博物馆所藏的不同，没有印上说明文，应为打样稿。总之，将来如有机会将两家单位所藏明信片合并研究，对这些明信片的画面、作者做系统的梳理，必将会给予鲁迅艺术活动的研究增添重要的资料。

「海上笺谱」寻踪

——乔丽华

20世纪30年代鲁迅与郑振铎合编了一部《北平笺谱》，收录木刻套印彩笺300多幅，以他们的远见卓识抢救保护了这批艺术珍宝。在上海鲁迅纪念馆的藏品中，有一批鲁迅遗存的笺纸。检视这批鲁迅遗存的笺纸，数目可观，种类亦相当丰富。根据馆藏记录有以下6部分：

1. 九华堂宝记名笺：盒装，封面书“九华堂宝记名笺　诗孙”，钤印“诗孙”。内装23.1cm×13cm信笺66张，23cm×10cm信笺8张，计38种。

2. 九华堂宝记名笺：盒装，封面书“九华堂宝记名笺　诗孙”，钤印“诗孙”。内装信笺56张，计28种。

3. 其他鲁迅遗笺之一：用纸包装，120张，计62种，规格不一，品种也比较杂，既有北京琉璃厂笺纸，也有杭州、天津等地的笺纸。

4. 其他鲁迅遗笺之二：盒装，封面书“悲庵画佛笺　淳菁阁制　石雪题”，盒盖粘贴淳菁阁笺纸1张。内装笺纸20张，计10种。

5. 书简笺：盒装，封面书“书简笺”，下方印有厂家名称和地址：“北京东城江擦胡同四二号小柴印刷所 电话东局三〇三九号。”内装信笺25张，均为北京澄心堂制8行稿纸，均为同一品种。

江擦胡同，明代称江聪胡同，清乾隆时称礓嚓胡同，宣统时称江擦胡同，名称沿用至今。关于北京澄心堂及小柴印刷所的情况不详。

6. 日本笺纸：盒装，封面书：“きぬの纸”，内封书：“绢の纸书简笺”。内装信笺117张，计5种，每种图样有红色和浅色两种；信封54只，蓝白两色，贴有标签“绢の纸御文简”。另外，内有一张关于此种笺纸的日文说明，可知此种信笺由日本长野县小县郡丸子町钟渊纺绩株式会社丸子工厂制造。

以上5盒1包笺纸，统计下来共计140多种，多为当时寓居沪上的书画名家所作，如王一亭、吴昌硕、姚叔平、顾青瑶等，具有很高的艺术价值。此外还有杭州浣花斋笺纸、又梅画笺等，有可能是鲁迅为续编笺谱而搜集。从鲁迅给郑振铎的信中可知，他曾特意搜集过上海的笺纸："上海笺曾自搜数十种，皆不及北平；杭州、广州，则曾托友人搜过一通，亦不及北平，且劣于上海，有许多则即上海笺也，可笑，但此或因为搜集者外行所致，亦未可定。总之，除上海外，而冀其能俨然成集，盖难矣。"（1933 年 10 月 27 日鲁迅致郑振铎信）

当年鲁迅在编了《北平笺谱》后，还想进一步搜集其他地方的笺纸编定成集，可惜未能编成出版。本文对馆藏九华堂笺纸等加以梳理，或可一窥《海上笺谱》的部分面貌。

一、九华堂宝记名笺——风物笺

上海九华堂开设于清光绪十三年（1887），地址设在福州路，初名黄锦堂，1889 年更名为九华堂。1914 年重新分配股份，分为"宝记"、"厚记"（20 世纪 20 年代厚记又改名为九华堂裕记）。1956 年公私合营后与朵云轩合并。九华堂是一家以制作经营纸笺、印泥、扇面、名人书画及木板水印为主的字画店，其制作的笺纸更是名家、学者所爱之物。（顾音海《鲁迅与九华堂笺纸》）鲁迅曾用心搜集九华堂笺纸，《鲁迅日记》、书信中多次提到购买九华堂信笺或纸张，他在上海 10 年间给亲朋好友的书信，有些使用的就是九华堂笺纸。我们今天看鲁迅遗留下来的这批笺纸，也是以上海九华堂笺纸数量最多，且均为宝记出品。题材也丰富多样，包括山水、花卉虫鸟、花果、佛道人物等，有些明显是成套出品。为叙述方便，本节首先介绍九华堂宝记的花卉虫鸟等风物笺，这些笺纸皆有九华堂宝记钤印，无作者署名。

1. 梅花笺一套 4 枚，钤印"九华堂宝记"。没骨墨梅样式的折枝式红梅、绿梅、腊梅等 4 种，清淡高雅。

2. 花卉笺一套 4 枚，其中 3 枚钤印"九华宝记"，1 枚钤印"九华堂宝记印"。包括芭蕉、牡丹、寿桃等 4 种，色调清雅。

3. 花鸟昆虫笺 8 枚，钤印"九华宝记"。包括鸟雀、蝴蝶、蜘蛛、青蛙、蝉等 8 种，不确定是否成套，其中蜘蛛、青蛙、蝉、蝴蝶 4 种，笔触细致，十分生动。

4 . 祥云笺一套 4 枚，每张色泽不同，云的图案也不同。题款分别为"上海九华堂宝记祥云笺""上海九华堂宝记绛云笺""上海九华堂宝记庆云笺""上海九华堂宝记□云笺"。

5. 西湖景致其六至其十，5 枚。题款分别为"平湖秋月 西湖景致其六 九华堂宝记主人属""南屏晚钟 西湖景致其七 九华堂宝记主人属""三潭印月 西湖景

致其八 九华堂宝记主人属”“雷峰夕照 西湖景致其九 九华堂宝记主人属”“断桥残雪 西湖景致其十 九华堂宝记主人属”。钤印“宝记”。

6. 山水笺 4 种

其一题款为“百年寒山 李长蘅本 九华堂宝记”，钤印“宝”“记”。

李流芳（1575—1629），字长蘅，一字茂宰，号檀园、香海、古怀堂、沧庵，晚号慎娱居士、六浮道人，南直隶徽州歙县人，侨居嘉定（今上海市嘉定区），明代诗人、书画家。擅画山水，学吴镇、黄公望，峻爽流畅，为“画中九友”之一，亦工书法。

另 3 枚陈旧模糊，款识无法辨认，也是模仿之作。

二、九华堂宝记名笺——文人画笺

鸦片战争之后，上海是最早开放的通商口岸之一，经济的繁荣带动了艺术市场的兴盛，苏州、浙江一带的书画家纷纷来此地谋生，“自海禁一开，贸易之盛，无过于上海一隅，而以砚田为生者，亦皆踽踽而来，侨居卖画”。（张鸣珂《寒松阁谈艺琐录》）清末民初吴昌硕、王一亭等海派画家崛起，他们在各笺扇庄售卖书画，以此谋生，也因此声名鹊起。如 1926 年 5 月 6 日《申报》刊有一则《书画消息》，就反映了沪上书画家与上海各笺扇庄的合作关系：

> 俞法三君，所画山水人物佛像，苍浑工致，令人爱赏不置。沈有壬君，能于十六方扇面格中书十行蝇头小楷，笔法犹明秀遒劲。去腊俞沈两君合作，求者踵接，复经截止，颇多函询。兹得虞洽卿方椒伯两君商恳，重行减润续收，画以工细佛像，书以全部金刚经，长限三尺，每幅照两家订例派四十元，兹减收二十四元，祇收四十幅，又扇面画佛书金刚经，每页照例派二十五元，兹减收十六元，又工细山水人物，书普通行草加蝇头小楷，照例派十三元，兹减收九元，两种共收百页，收满不收，件交上海恒丰路崇德里六号，及北由西路德安里东四弄沪报馆，或山西路宝华堂、南京路有美堂、河南路九华堂宝记及朵云轩各扇庄云。

从这则消息可见当时九华堂等笺扇庄与海派画家们的密切关系。鲁迅收藏的九华堂笺纸中有不少文人诗画笺，多为当时寓居沪上的海派书画名家所作，无论诗、画、印章，皆值得玩味，有很高的艺术价值。这些文人画笺，以山水笺、蔬果笺、佛道人物为主，均有画家署名。

1. 姚叔平画笺 7 种

山水笺 4 枚（尺寸较小），题款为“山村读书 九华堂宝记属 叔平”“汉亭闲眺 九华堂宝记属 叔平”“云山一角 九华宝记主人属 叔平”；“清江帆影 甲寅五月 九华宝记主人属 叔平”。均钤印“叔平”。

山水题诗笺 3 枚，题款为“小桥流水曲通村 九华堂宝记属 叔平”“春江一曲抱村流 九华堂宝记主人属 叔平”“夜凉清露湿桧柏 九华堂宝记主人属 叔平”。均钤印“叔平”。

姚叔平（1882—1927）名钟葆，字叔平，江苏吴县人，寓居上海。其山水画风走“四王”（清初画坛的正统派，即王时敏、王鉴、王翚、王原祁）一路，又私淑海派早期画家胡公寿，曾印行两册石印画集《性安庐画谱》。

2. 金梦石画笺 5 种

蔬果笺 3 枚，分别为南瓜、石榴、枇杷，题款为“九华宝记主人属 梦石”，钤印“梦石”。

另二枚，一枚题款为“风和闻马嘶 九华宝记属 梦石”，钤印模糊难识；一枚题款为“九华宝记主人属 乙丑八月中秋节吴郡金梦石写”，钤印“梦石”。

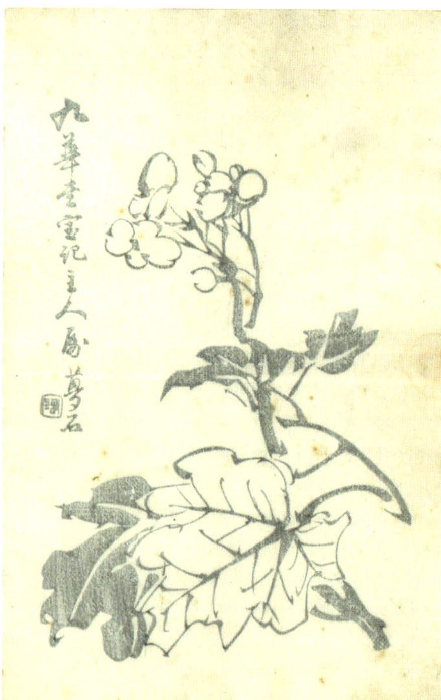

金梦石画笺

金梦石（1869—约 1952）名龢，字梦石，以字行，江苏吴县人。清末民初书画家，海上画派代表之一。工人物、花卉。写意类苍莽简率，笔意放达;工致类，形神毕肖。1952 年以 83 岁高龄作富贵大吉扇面、锦鳞翠羽立轴，此后不再作画，应在此年去世。

3. 朱偁画笺 4 种

金鱼笺一套 4 枚，写观鱼之乐，有老庄趣味。4 枚均钤“九华宝记”印章，题款分别为“依蒲在藻 九华主人属 朱偁”“知此中乐 九华属作 禾中梦庐”“九华属作 觉未逸史写”“濠梁乐趣 九华主人属 梦庐写”。

朱偁（1826—1899 或 1900）

朱偁画笺

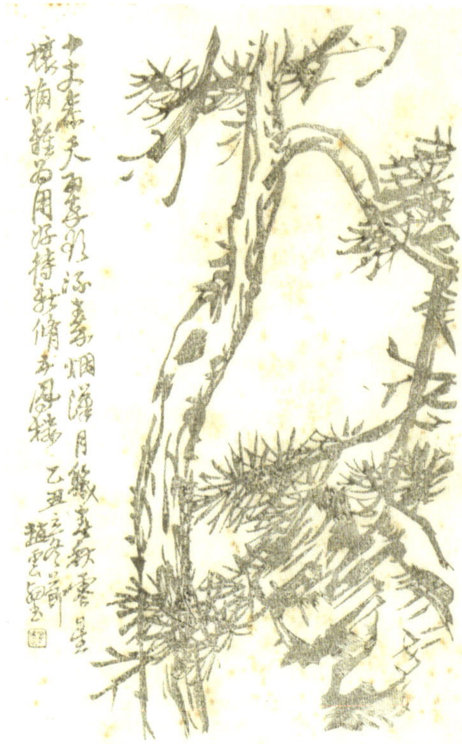

赵起（赵云壑）画笺

清代画家，浙江嘉兴人。原名朱琛，字梦庐，号觉未，别署鸳湖散人、玉溪外史、玉溪钓者、鸳湖画史、胥山樵叟等。他是朱熊的弟弟，早年学三熊，后学王礼，花鸟画尤其秀丽，在上海书画界享有盛誉。

4. 赵起（赵云壑）画笺 2 种

其一，题款为“十丈参天翠欲淡，秦烟汉月几春秋，零星欀桷难为用，好待新修五凤楼 赵云壑画”，钤印“梅泉”；其二，蔬果笺，题款为“琼玉山桃大如斗，仙人摘之以酿酒，一食可得千万寿，朱颜长如十八九 乙丑小春月之吉 赵云壑作于沪”，钤印“九华宝记”。

赵起（1874—1955）吴县人，字子云，号云壑，晚号梅泉老人。早年画学任薰，后入吴昌硕门下，常为吴代笔，人称缶庐第二。书画特点：淋漓润秀，笔墨洒逸。

5. 顾青瑶画笺 2 种

其一，题款为“秋江闲钓 青瑶”，钤印“九华宝记”；其二，题款为“乙丑中秋 青瑶女史”，钤印“九华宝记”。此枚与徐林、俞法三所作均落款乙丑秋或乙丑中秋，并钤印“九华宝记”，似为一套。

顾青瑶（1896—1978）现代女书画家、篆刻家。名申，字青瑶，别署灵妹，苏州人，居金门西石英钟子街。出身吴中望族，曾祖椒园，擅书法，祖父若波，善书画，为清末名家。1934 年她在上海与文友陈小翠、冯文凤、吴青霞、李秋君、杨雪玖、汪德祖、顾墨飞等创办中国女子书画会，代表作品有《仕女图》《嫦娥奔月》《李白观瀑图》《天平红叶》及书法篆籀、甲骨文等。1946 年被推为上海美术协会筹备会委员，旋又被选为理事。1949 年离开上海去香港，1972 年去加拿大直至谢世。

6. 曾熙画笺 1 种

题款为“乙丑秋八月为九华宝记制画笺 老冉”，钤印“俊卿之印”。

曾熙（1861—1930）初字嗣元，更字子缉、季子，晚号农髯、山海楼主人等。湖南衡阳人。清光绪二十九年（1903）进士，官兵部主事等，先后主讲衡阳石鼓书院、汉寿龙池书院，任湖南教育会长。1915 年始于上海鬻字，为海派书画领军人物。

7. 王震（王一亭）画笺 1 种

题款为“绝尘潇洒俗能医，蘸墨淋漓竹几枝，如此高怀谁赏识，敢云惟有石头知。 乙丑白龙山人写”，钤印“王震”。

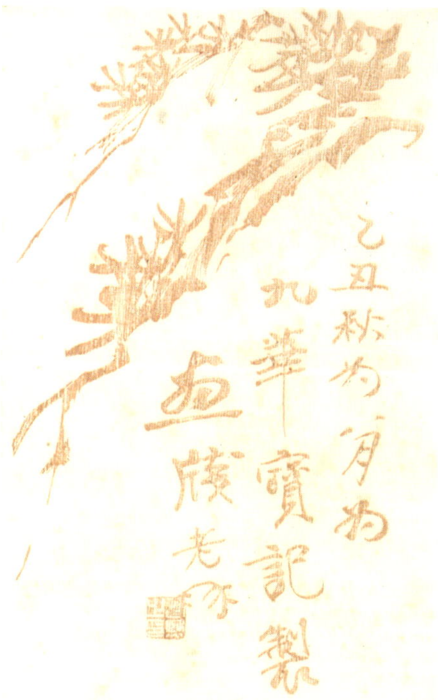

曾熙画笺

王震（1866—1938）字一亭，法号觉器。浙江湖州人。少年师承任伯年，中年画风近吴昌硕，晚号白龙山人。书画特点：笔墨雄健，色彩夺目。

8. 徐林画笺 1 种

题款为“乙丑秋仲 白下徐林”，钤印“九华宝记”。

徐林（1872—1928）字竹贤，号黄鹄道人，江苏江宁人。寓沪鬻画十余年，为清末海派书画大师。工画，人物、飞鸟、走兽，画虎尤神妙。

9. 俞法三画笺 1 种

题款为“山林策杖 乙丑秋 俞法三”，钤印“九华堂宝记”。

俞法三，生卒年月不详。名福

铨，字炳约，号一瓢。俞秋水堂兄，清末名初著名画家，活跃于上海、无锡等地，善画山水人物，所作苍秀雄浑，工写兼长，诗书并善。

10. 樊浩霖画笺 1 种

题款为“倪高士笔 樊浩霖”，钤印“九华宝记”。

樊浩霖（1885—1962）字少云，崇明人。早年学西画，后随陆恢学习山水画。山水受王蘘和石涛的影响，长于画云、烟雾和柳树等江南景致。又善昆曲，工琵琶。曾任苏州美专教授。1920 年前后在苏州创办冷江画会，后移居上海，以卖画为生。1949 年后任上海文史馆馆员、上海中国画院画师等职。

11. 汪琨画笺 1 种

题款为“抚孤松而盘桓 汪琨”，钤印“九华宝记”。

汪琨（1877—1946）字仲山，江西婺源人，居上海，为近代海派重要画家之一。善画山水，又工花卉，并能人物。1909 年参与发起成立以书画艺术补益于社会的豫园书画善会，设于豫园得月楼，有钱慧安、蒲华、吴昌硕、王一亭等 200 多名会员，该会活动延续 40 多年。1909 年他还加入了上海的宛米山房书画会，1910 年又成为上海书画研究会会员。1922 年集积年仿古之作 240 页编绘有《芥子园画谱》6 集。其传世作品至今不下千件。

12. 杏原老人画笺 1 种

题款为“梧桐月夜 乙丑小春月 杏原老人”，钤印“九华堂宝记”。

杏原老人，不详，待考。

13. 钱厓（瘦铁）画笺 2 种

其一，题款为“摹冬心先生本 金匮钱瘦铁”，钤印“九华宝记”。

题款为“金匮钱厓沐手敬绘”，钤印“九华堂宝记印”。

钱叔厓（1897—1967）名厓，一字叔厓，号瘦铁，出生于江苏无锡，上海美专教授，著名书画篆刻大师。曾侨居日本，并参与日本《书苑》杂志的创刊活动，出力颇多，名重日本艺界。篆刻曾得吴昌硕亲授，曾与苦铁（吴昌硕）、冰铁（王大炘）同誉为“江南三铁”。有《瘦铁印存》《钱瘦铁画集》等作品集。

14. 钱化佛画笺 1 种

题款为“化佛画”，钤印“九华宝记”。

钱化佛（1884—1964）本名苏汉，字玉斋，江苏武进人。早年留学日本，参加同盟会。宣统二年（1910）回国后创办补救社，响应辛亥革命。民国成立后在上海组织新剧社，创办影片公司，力谋改进社会教育，开始用化佛之名，专绘佛像，有“民国第一画佛高手”之誉。

15. 沈景乾（独庵）画笺 1 种

题款为“岁次乙丑秋仲古吴独庵画于海上九华堂宝记”，钤印“景乾”。

沈景乾，清末民初人，生卒年不详。号独庵、心禅居士，斋曰心佛庵。江苏苏州人。民国初以人物画享誉沪津之间，尤擅佛像。

16. 金榕画笺 1 种

题款为“无量寿佛 九华堂宝记主人属 吴郡金榕”。

金榕（1885—1928）字寿石，江苏吴县（今江苏苏州）人。画宗山阴任氏，人物、山水、花鸟、走兽皆工妙。居沪卖画年久，颇负时名。

17. 宋□画笺 1 种

题款为“筱泉 宋□”，钤印“九华宝记”。待考。

三、杭州浣花笺等其他零星笺纸

鲁迅曾托友人在杭州、广州等地搜购笺纸，如 1929 年 3 月 8 日《鲁迅日记》中记载：“得钦文信并信笺四十余种。”据鲁迅全集注释，信笺 40 多种，指委托许钦文自杭州浣花斋所购信笺。可见他此时已有意搜集北京以外的各地笺纸。现存鲁迅藏笺中，有杭州浣花斋制笺、清湘楼出品的笺纸，以及其他数种花卉笺及文人诗画笺等，虽较为零散，但不乏名家之作，计有以下几类。

（一）杭州浣花斋制笺

鲁迅遗笺中有两种钤印“浣花”，系浣花斋制品。浣花斋有着悠久的历史，1637 年始创于杭州府旗下大街（今解放路），以名人书画、文房四宝和宣纸深加工为主业。清末民初，浣花斋宣纸作为贡纸享誉天下，出产的浣花笺是当时文人墨客的喜爱之物。1929 年 3 月 8 日《鲁迅日记》中记载：

> 三月八日　晴。午后往内山书店买《ソヴエトロシア詩集》一本，七角。得钦文信并信笺四十余种。

据《鲁迅全集》注释，信笺 40 多种，指委托许钦文自杭州浣花斋所购信笺。目前鲁迅遗笺中仅存两种，分别为：

1. 荷花画笺，题款为“八十三老人张熊”，钤印“鸳湖老人”“浣花”。

张熊（1803—1886）又名张熊祥，字寿甫，亦作寿父，号子祥，晚号祥翁，别号鸳湖外史，鸳湖老人等。秀水（今浙江嘉兴）人。张熊青年时代就移居上海，参加各种美术活动。

2. 题款为“秋亭春望　巳初闰上巳　堂道人”，钤印“老□”“浣花”。堂道人的情况不详。

（二）又梅画笺

这一盒笺纸封面题“悲庵画佛笺 淳菁阁制”，实际里面并不是悲庵（赵之谦）的画笺。内装笺纸如下：

其一，盒盖内粘贴有一张梅花笺纸，题款为“时癸亥仲交 子易”，钤印，一枚无法辨识，一枚“淳菁”。关于子易的情况不详。

其二，落款为“又梅”的画笺 10 种，落款或钤印又写作“又某”“补某”“澹某”“玩止水斋”。“楳”，同梅，金文写作“某”。根据落款“又梅”“补某”“玩止水斋”等，推测这批画笺的主人为西泠印社早期社员李辅燿。

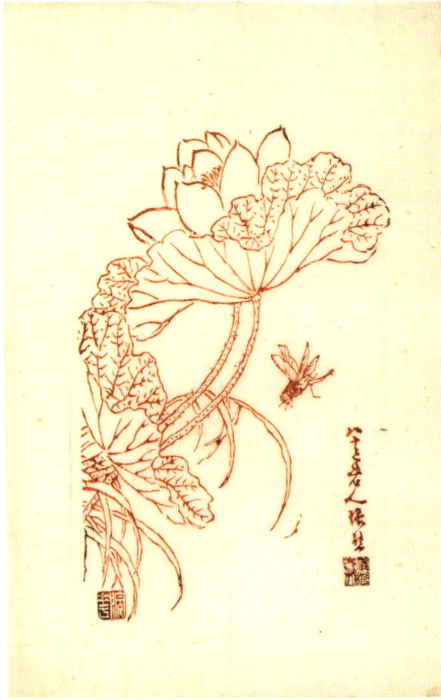

张熊画笺

李辅燿（1848—1916）字补孝，号幼梅，又号怀庐主人，晚年自号和定（一说号定叟），湖南湘阴人，为道咸名臣李星沅的长房长孙，江西布政使署巡抚李桓之子。光绪丙子副贡，浙江候补道，先后任杭嘉湖道、宁绍台道、省防军局总办、温州盐厘金局监理等职。诗书画印无所不精，曾于杭州孤山置地筑墅，取名“西泠寓斋”，即现在的西泠印社。有《读礼丛钞》《返魂词》《玩止水斋遗稿》等著作。如这批画笺为李辅燿所作，则可能购自杭州或上海笺扇庄制作，而非北京淳菁阁制品。

（三）清湘（缃）笺（计 6 种）

鲁迅遗笺中有 6 种笺纸系出自清湘楼。清湘楼纸店情况不详（疑为广州的出版印刷社），不过鲁迅写信多次用的是清湘楼的信笺。6 种笺纸均为单色，内容如下：

1. 蜘蛛画笺 1 种，题款为“风静月明闲结网，羡他满腹是经纶 清湘”。

2. 花草昆虫笺 2 种，其一题款为“清缃制笺”，其一题款为“清湘主人”。

3. 梅花笺 1 种，题款为“神仙眷侣林和靖，铁石心肠宋广平 清湘楼”。

宋广平，唐宋璟的别称。玄宗时名相，耿介有大节，以刚正不阿著称于世。因曾封广平郡公，故名。清余怀《板桥杂记 · 轶事》：“虽宋广平铁石心肠，不能不为梅花作赋也。”清赵翼《六哀诗·故相刘文正公》:“吾师表东海，间气出英伟。铁石宋广平，模楷李元礼。”

4. 牧童画笺 1 种，题款为“清湘制”。

5. 花枝笺，钤印“清缃”。

（四）利用笺（计 7 种）

鲁迅遗存的笺纸中，有 7 种钤印“利用笺”，计花卉 5 种，花鸟 2 种，印工十分精美，色彩淡雅，但具体是哪一家纸店出品还有待考查。

（五）其他零散诗笺（计 8 种）

鲁迅遗笺中有几种文人诗画笺，均为单色，颇有雅趣。可惜没有印出纸店名称，无法断定其产自何处。计有如下数种：

1. 洪绳伯画笺 1 种

竹画笺，题款为“清风徐来 洪绳伯”，钤印“绳伯”。

洪葆荣，字绳伯，钱塘人，擅书行楷，兼擅花卉兰竹，居沪。

2. 任薰（阜长）1 种

花卉笺，题款为“阜长写”，钤印“萧山阜长”。

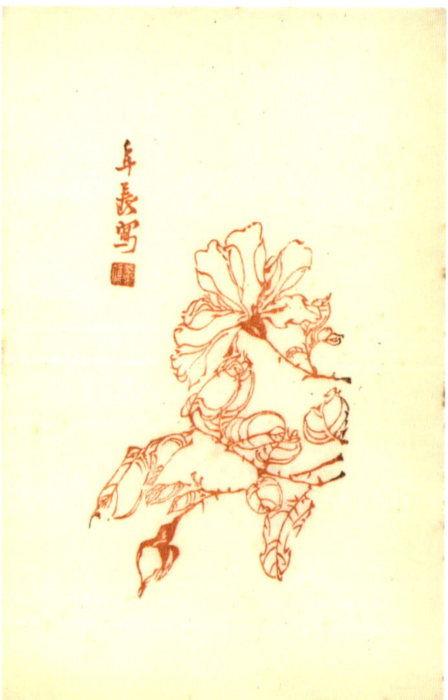

任阜长画笺

任薰（1835—1893）字舜琴、阜长。浙江山阴航坞山（今杭州市萧山区）人。其父任椿，兄任熊都是画家。少丧父，从兄学画，青年时在宁波卖画为生，1868 年与任颐去苏州，后寓居苏州、上海。工人物、花鸟、山水、肖像、仕女，画法博采众长，面貌多样，富有新意。与任熊、任颐时称“三任”，合任预为“四任”，并为海上画派代表画家之一。

3. 横云山人画笺 1 种

花果笺，题款为“横云山人”。关于横云山人的情况不详。康熙时工部尚书王鸿绪别号横云山人，不知是否为同一人。

4. 潘岚画笺 1 种

题款为“椒石潘岚”，钤印“椒石”。

潘岚，生卒年不详，字椒石，浙江绍兴人。画家潘骑省族孙，任熊（渭长）弟子。擅长花鸟、蔬果，所作诙诡野逸，章法颇奇。清光绪中叶北上，名震京都，深得翁同龢赞赏。当时李慈铭的诗文、潘椒石的绘画和王继香的书法，在北京是很有声望的，被称为“越中三绝”。

5. 万苍山人 1 种

梅花笺，题款为“己卯秋日 万苍山人笔”。关于万苍山人的情况不详。

另有梅花笺 1 幅，无题款。

结语

当年鲁迅在编选《北平笺谱》时，也想进一步搜集上海、杭州等地的笺纸编定成集，他在给郑振铎的信中提到此事，可惜数量和质量未达到预期，未能编辑成书。虽然由于种种原因编一部《海上笺谱》的心愿未能实现，但在鲁迅遗存的笺纸中可以寻觅到一些踪影，例如遗笺中近半数为九华堂笺纸，此外还有少量杭州等地笺纸，显然是鲁迅为续编笺谱而搜集。这些笺纸多数刻印精美，其中诸多品类如今已不多见，弥足珍贵。

鲁迅藏书简介

馆藏

——施晓燕

鲁迅酷爱书籍，他除了几十年一丝不苟记日记之外，每年都要在日记后面记书账，记录自己购买或受赠的书籍。1927年10月鲁迅定居上海，当时上海是全国的出版中心，搜购书籍视野更为广大，所藏书籍更多，鲁迅甚至专门在寓所之外租了溧阳路一个房间作为藏书室来保管书籍。中华人民共和国成立后，许广平将几乎所有的鲁迅藏书都运送到了北京，藏于北京鲁迅博物馆。

上海鲁迅纪念馆所存的鲁迅藏书有50多种，可分为中文书籍、外文书籍和辞典三类。

中文书籍中，有小说如《二十年目睹之怪现状》，年谱如《蒋径三年谱》，学术书如《心理学概论》，山水画册如《白岳凝烟》，杂志如《新苗》和《国际文学》的中文版，书籍目录册如《四部丛刊单行本目录》，版画集如MK木刻研究会所编《木刻画选集》手拓稿本和鲁迅编选出版的《引玉集》等。还有一类是特殊的中文书，即20世纪30年代由瞿秋白等人发起的新文字运动中所产生的作品，拉丁新文字版的《狂人日记》。

外文书籍中，大部分是日文书，政治类有《共产党宣言》的日文本，小说如巴尔扎克、惠特曼、司汤达、纪德等作家名著的日文译本，文学期刊《古东多万》别册，学术书《唯物辩证法和自然科学》，介绍版画的小册子等；其次是德文书，有鲁迅翻译果戈理小说《死魂灵》的德文依据本，《高尔基全集》德文本，《新俄纪行》德文本；俄文书最少，有期刊《我们的成就》及小说《第四十一》。

辞典类是许广平经选择后特意留在上海，她在《鲁迅手迹和藏书的经过》中说道："如广辞林、标准汉译外国人名地名表、新独和辞典、实用英汉汉英辞典、三省堂标准英日辞典、袖珍英日辞典等，则因陈列案头，经常为鲁迅日夕摩挲必不可缺的参考书，故仍留原处。"

中文书籍中，MK木刻研究会所编《木刻画选集》手拓稿本是非常珍贵的孤本。《木刻画选集》由上海MK木刻研究会编印，计收木刻16幅，作者为张望、

《引玉集》，日本东京洪洋社印，1935 年再版版本

陈普之、陈葆真、金逢孙等人，1934 年编成，包括了张望著名的作品《受伤的头》等。据金逢孙回忆，该集是基于 MK 木刻研究会 1933 年展进行编辑的，编成后他们将样本交鲁迅，请鲁迅作序。但未及印刷，制成的印版被巡捕抄去，终致无法出版，由此，鲁迅所藏该书样本成为孤本。

《引玉集》是鲁迅编选的苏联版画集，鲁迅将中国宣纸和日本纸寄请曹靖华转致苏联版画家，换取他们的原版手拓作品。1934 年鲁迅从所得 100 多幅作品中选出 59 幅，送日本东京洪洋社用玻璃板精印，书名“因为都是用白纸换来的，所以取‘抛砖引玉’之意，谓之《引玉集》”。（鲁迅《〈引玉集〉后记》）3 月出版，共印 300 部，50 部为纪念本不发售，250 部为流通本。1935 年 4 月，再版 215 部，15 部为赠送本，200 部为流通本。上海鲁迅纪念馆所藏这本《引玉集》，为 1935 年再版本。

《国际文学》，双月刊，国际革命作家联盟的机关刊物，原名《外国文学消息》，1930 年 11 月改称《世界革命文学》，1933 年改名为《国际文学》。该刊主要向苏联读者介绍外国文学，以俄、德、英、法四种文字在莫斯科出版，俄文版与其他三版内容不同。鲁迅与《国际文学》颇有渊源，1933 年鲁迅应萧三之邀为《国际文学》写关于十月革命影响的稿件，创作了《答国际文学社问》，由萧三亲自译成俄文，以《中国与十月》为题，发表于 1934 年俄文版《国际文学》第 3、4 期合刊上，后又转载于同年七月五日的《真理报》上，改题为《答国际文学社问》，收入《且介亭杂文》。1934 年 11 月鲁迅创作的《中国文坛上的鬼魅》译成英文后，刊登在《现代中国》（*China Today*）上，后来又由英文转译，载在德文和法文版的《国际文学》上。《鲁迅日记》中记载 1933 年和 1935 年收到德文版的《国际文学》。《国际文学》也出过中文版，鲁迅在 1933 年 11 月 25 日致曹靖华的信里提到中文版的事情："小三无信来，中文《文学》尚未见，不知已出版否。"信里的《文学》就是指《国际文学》，由此可知有关《国际文学》的中文版事宜早在 1933 年就开始考虑了，而上海鲁迅纪念馆收藏的《国际文学》是中文版的创刊号，出版于 1935 年 1 月，离商议出刊已过了一年多。

《四部丛刊单行本目录》、《缩本四部丛刊初编预约样本》（附缘起书目及预约简章），这两本都是鲁迅购买《四部丛刊》所用的导购册性质的本子。《四部丛刊》是商务印书馆编印的有关中国经史子集四大门类书籍的丛书，有初编、续编、三编等，1919 年、1934 年、1935 年由上海商务印书馆影印出版。1936 年商务印书馆又出版初编缩印本。上海鲁迅纪念馆收藏的《四部丛刊单行本目录》是 1932

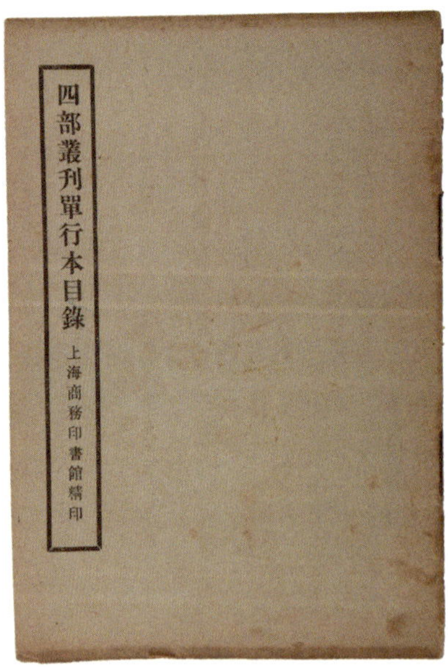

《四部丛刊单行本目录》，商务印书馆《四部丛刊》导购册（1932 年 11 月 1 日）

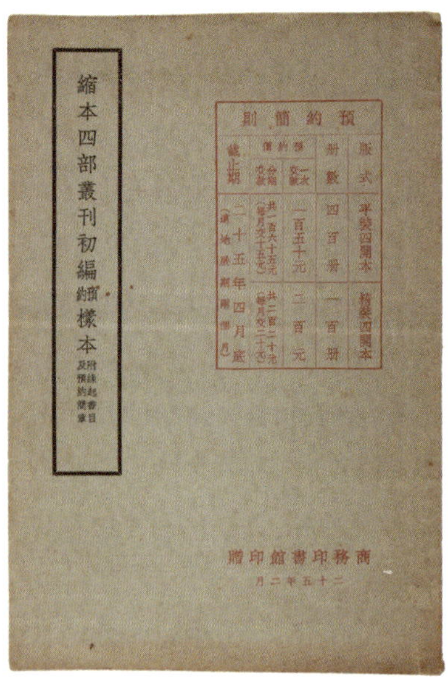

《缩本四部丛刊初编预约样本》（附缘起书目及预约简章），商务印书馆《缩本四部丛刊初编》导购册

年版，即是为读者购买四部丛刊所出的目录册。1934 年《四部丛刊》续编出版，鲁迅在 2 月份就立刻买书，2 月 3 日，“《四部丛刊》续编一部，百三十五元，取得八种”。三天后又托周建人带来《四部丛刊》续编三种共五本。1936 年，商务印书馆将出版初编缩印本，鲁迅所用的《缩本四部丛刊初编预约样本》（附缘起书目及预约简章）就是为购初编缩印本而用，从这个预约样本中可知，平装四开本四百册定价是 150 元，精装四开本一百册定价是 200 元，鲁迅 5 月 2 日日记中记载：“三弟来并为代定缩印本《四部丛刊》一部，百五十元。”这年的书账里写的也是“缩印本四部丛刊初编一百本 一五〇·〇〇”，这是平装本的价格，但到手的却是精装本，令人费解。

藏书中有两本书非常有意思，一本是鲁迅的《狂人日记》，一本是萧三的《几首诗》，这两本书都归在中文书籍里，但是它们非常特殊，前者全文用的是以拉丁字母为主的新文字，后者内容为俄文，封面却用了汉字、俄文、拉丁化新文字三种文字。

新文字是一种用拉丁字母写中国话的拼音文字，所以又叫作拉丁化中国字。它产生自苏联十月革命后的扫盲运动，这个运动在苏联从 1922 年一直进行到 1937 年，称为文字拉丁化运动。当时苏联远东地区有 10 万不识字的中国侨苏工人，成为扫盲运动的对象。1929 年 10 月，当时在苏联的瞿秋白写了一本《中国拉丁化的字母》，帮助中国工人扫盲。在瞿秋白回国后，在苏联的吴玉章、林伯渠在瞿氏方案上制定了中国北方话拉丁化新文字方案，1931 年 9 月，方案在海参崴（今俄罗斯符拉迪沃斯托克）召开的“中国文字拉丁化第一次代表大会”通过。（倪海曙《拉丁化新文字运动的始末和编年纪事》）在中国，很多进步学者认为，五四时期虽然提倡了白话文，但白话文仍用汉字书写，它的繁难阻碍大众学习，希望用拼音字母拼写口语的方法来加以改进。瞿秋白秉持着“中国现代普通话已经是多音节的语言，这种语言需要一种新的文字——用拼音方法写的文字，而且它本身已经是可以用拼音方法写的语言”的观点，受到很多人的认同，鲁迅等人大力支持。1934 年 6 月，为了对抗官方的“文言复兴运动”，陈望道等人掀起了“大众语”大讨论，在讨论的过程中，拉丁化新文字被提了出来。7 月吴玉章将中国北方话拉丁化新文字方案寄给鲁迅，7 月 25 日鲁迅转寄欧阳山（罗西），以便在新文字运动委员会中讨论。

上海鲁迅纪念馆所藏的这本新文字版《狂人日记》，1936 年由上海新文字书店出版，封面全部使用拉丁新文字，最上面是 Sin Wenz Cungshu，即新文字丛书；其下是 Wang Xian bianzi，即王弦编辑，王弦又名王益，是新文字书店的编辑；

《狂人日记》，拉丁新文字版，鲁迅著，史枕梅翻译，上海新文字书店 1936 年 6 月版

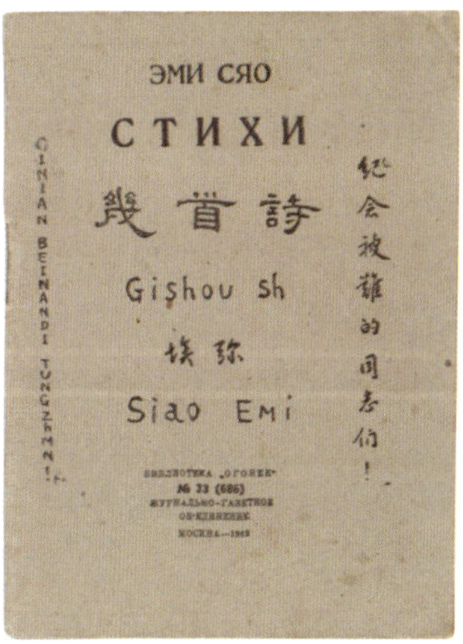

《几首诗》，萧三著，封面为俄文、中文、拉丁新文字，正文为俄文

正中是题目，Igo fungz di rhgi，即一个疯子的日记；在题目下面的括号里，写的是 duanpian siaoshuo，短篇小说。可以看到，只要认识这些字母，即能靠语音来拼出整句话，所以用于扫盲确实成果显著。据资料记载，苏联远东地区中国工人在新文字补习学校，读了一个月即能毕业的有 240 人。（倪海曙《拉丁化新文字运动的始末和编年纪事》）鲁迅的这本《狂人日记》，因为文言文不能由新文字表达，序和正文都由新文字写成，可以说是一种再创作。

《几首诗》，作者埃弥，1932 年出版。埃弥即萧三，萧三原名萧子暲，字爱梅，笔名萧三、埃弥、萧等。中国左联常驻莫斯科国际革命作家联盟代表。在苏期间，通过曹靖华介绍与鲁迅通信。1932 年，萧三代表“国际革命作家联盟”邀鲁迅赴苏参加十月革命 15 周年纪念并参观游览。

《几首诗》封面是三种文字，俄文、新文字、汉字。最上方两行是俄文，第三行是从左到右横排的汉字“几首诗”，其下是横排新文字“Gi Shou Sh”，再下面是横排汉字“埃弥”，其下是横排新文字“Siao EMi”，最下面五排俄文小字写此书的版权信息，封面左右两边还竖排有两列字，右边用汉字写着“纪念被难的同志们！”，左边用新文字写了相同的意思“GINIAN BEINANDI TUNGZhMN ！”。需要提及的是，该书正文为全部俄文，并不是三种文字对照版。此书未见鲁迅书账，1932 年萧三与鲁迅联系后，常将苏联新出版的书刊寄赠鲁迅，这本书可能就是萧三赠予鲁迅的新文字作品。

《共产党宣言》，日文版，日本尾崎庄太郎译，1933 年出版

日文书籍中，有一本颇为重要，即日文版《共产党宣言》。日文版《共产党宣言》，日本尾崎庄太郎译，1933 年出版。此书封面上，从右至左横排马克思和恩格斯头像，在头像中间，竖排并列有日文片假名“マルクス”（马克思）和“エンゲルス”（恩格斯），在名字下面，竖排有“起草 ××× 宣言”。在第一页的说明中，讲述这个宣言是马克思和恩格斯为共产主义者同盟执笔的党纲，因此封面的《××× 宣言》即《共产党宣言》。这个版本的《共产党宣言》对前面的其他译本有一些订正。

鲁迅在日本时期就已经接触过《共产党宣言》，据周作人回忆：1906 年，鲁迅在《平民新闻》社与宫崎寅藏会面，在那里见到了编辑发行日本最早专门研究社会主义理论的杂志《社会主义研究》的日本社会党成员堺利彦。“他们还出版有《社会主义研究》，一种杂志似的刊物，红色纸面，很是鲜艳，鲁迅当时买有一套，大概是六册，内容已记不清，只记得其中的一册是《共产党宣言》的日译本。这书在东京时一直保存着，但似不曾带回中国来”。(周遐寿《鲁迅与日本社会主义者》)根据资料，这一套《社会主义研究》应该是 5 册，第一期重新刊登了 1904 年《平民新闻》周刊登载过的《共产党宣言》的全文译文，在其他几期则有马克思和恩格斯的生平传记。所以鲁迅与《共产党宣言》的接触是非常早的。鲁迅回国后，陈望道回忆自己在 1920 年完成了《共产党宣言》中文全译本，并将之送给鲁迅。鲁迅到上海后，对无产阶级理论进行了深入的钻研。如果周作人的回忆无误，日译本《共产党宣言》未带回国，鲁迅在拥有中译本的情况下，又购买新出的日译本进行比对以便更好地理解是十分有可能的。上海鲁迅纪念馆收藏的这本日文版《共产党宣言》未见于鲁迅的日记和书账。

《古东多万》艺术月刊，佐藤春夫编。东京博雅那书房发行。1932 年 9 月版，别册。这本杂志由佐藤春夫等在 1931 年 9 月创刊，杂志名来自日本万叶假名，意即“美辞”。该刊多次登载鲁迅文章，据饭仓照平描述，佐藤春夫是看了鲁迅作品后决定在自己的杂志上刊登鲁迅文章：“佐藤春夫先前以为鲁迅是个不

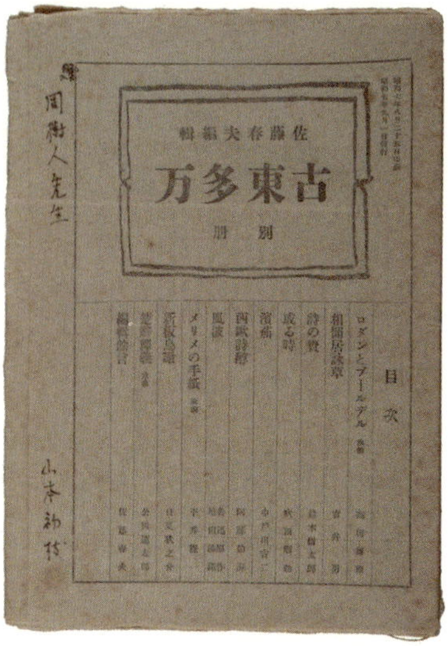

《古东多万》，艺术月刊，佐藤春夫编。东京博雅那书房发行，1932 年 9 月版，别册

胜迂愚地孤愤冷嘲着社会的人。他读了松浦的译著后，说自己‘感到了一种鲁迅的热，并把作品推荐给几个朋友看了’。随后，在他负责的介绍新书的《古东多万》杂志第二号（一九三一年十一月）上，刊登了鲁迅、增田涉合译的《鸭的喜剧》和鲁迅讲述增田涉译记的《上海文艺之一瞥》两篇作品，后一篇还同时登上了九月十七日增田涉的附记。”（饭仓照平《鲁迅生前日本对他的介绍和研究》）该刊 1932 年 4 月号曾转载鲁迅以三闲书屋名义自费出版的《梅斐尔德木刻士敏土之图》中的《工厂》《小红旗》《小组》三幅木刻。这本别册封面目录显示该刊译载有鲁迅的小说《风波》。在封面左上角，写有字迹“赠周树人先生”，落款为“山本初枝”。

《鲁迅日记》里 5 次提到的《古东多万》，都由山本初枝寄赠。山本初枝是日本歌人，日清汽船公司船长山本正雄之妻，侨居上海。1930 年经内山完造介绍认识鲁迅，之后常有往来。他们经常互相帮助，代对方购买书刊物品。1932 年 9 月 10 日,《鲁迅日记》记载:“下午得山本夫人寄赠之《古东多万》(别册）一本。”这天收到的《古东多万》别册，即是此书。

日文书里有一批是世界名著的日译本。鲁迅在杂文、日记、书信中都有提到外国作家，比如给胡风的信里提到翻译《草叶集》的事，收藏纪德的书如《アンドレ·ジイド全集》(《安德烈·纪德全集》)、《文芸评论》(ヂイド）(《文艺评论》)、《ドストエフスキー論》(《陀思妥耶夫斯基论》）等。

德文书里，鲁迅翻译果戈理小说《死魂灵》的德文依据本和《新俄纪行》都比较重要。《死魂灵》是俄国作家果戈理的小说, 1935 年 2 月, 鲁迅应郑振铎《世界文库》之约，以德译本为底本，参照日译本和英译本，开始翻译《死魂灵》，一直翻译到 1936 年 10 月。鲁迅 1935 年 5 月 17 日致胡风信里，就谈到自己参考德译本和日译本翻译《死魂灵》的事:“这几天因为赶译《死魂灵》, 弄得昏头昏脑，我以前太小看了ゴーコリ了，以为容易译的，不料很难，他的讽刺是千锤百炼的。其中虽无摩登名词（那时连电灯也没有), 却有十八世纪的菜单, 十八世纪的打牌，真是十分棘手。上田进的译本并不坏，但常有和德译本不同之处，细想起来，好

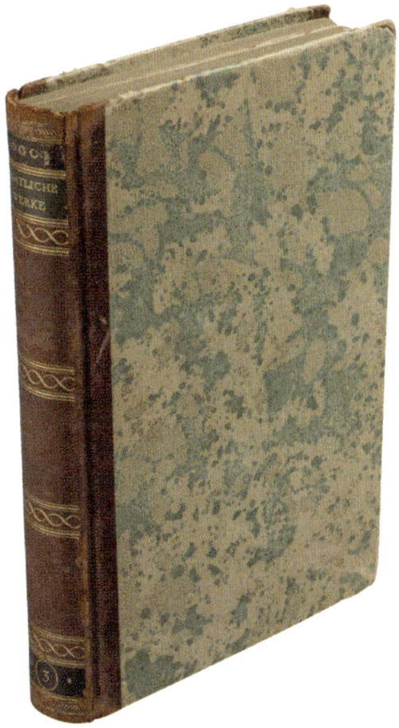

《死魂灵》德文本，鲁迅用于翻译果戈理小说《死魂灵》

像他错的居多，翻译真也不易。”

《新俄纪行》（*Reise durch Russland*），德国福格勒 - 沃尔普斯维德（Vogeler-Worpswede）著，附作者自作插图 32 幅。德累斯顿赖斯纳出版社出版。上海鲁迅纪念馆收藏的《新俄纪行》，扉页有鲁迅手迹，最右边为竖排，写有：鲁藏 三十年冬。左边为横排，写有：

转赠

镰田政一兄

鲁迅

三十二年夏

上海

从字面意思看，鲁迅在 1930 年收藏了该书，在 1932 年夏天将书赠镰田政一。查 1930 年《鲁迅日记》和书账中没有记载该书，1931 年 12 月 28 日日记有：“午后得诗荃所寄书籍两包，共计三本，皆画册。”当年书账有“Reise durch Russland 一本　诗荃寄来　十二月二十八日”，1932 年 5 月 7 日日记有“下午以重出之 Vogeler 绘《新俄纪行》一本赠政一君”。通过这些信息，至少可以知道 1931 年冬鲁迅收到徐诗荃寄来的《新俄纪行》，1932 年夏鲁迅将书赠出。这些信息与鲁迅的题签有一定出入，有两个可能：一是鲁迅在 1930 年冬得到了此书，1932 年夏赠给镰田政一；二是鲁迅写错了收藏的年份，他是在 1931 年冬从徐诗

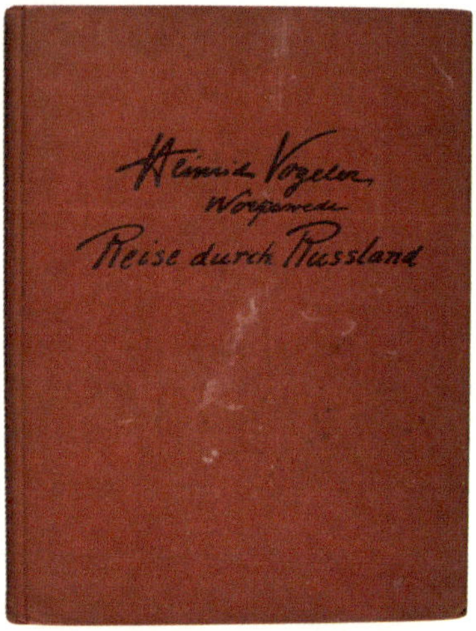

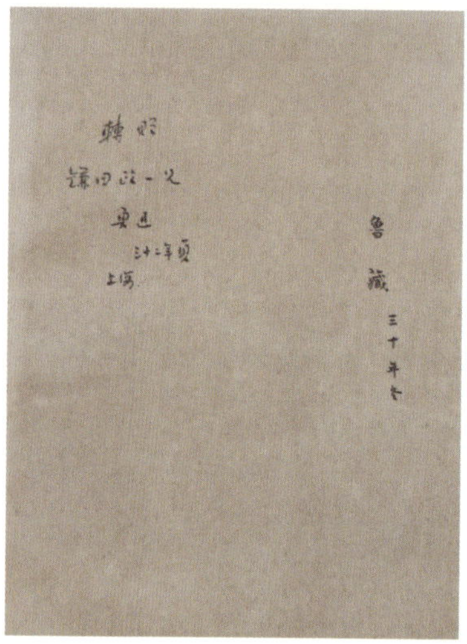

《新俄纪行》(*Reise durch Russland*)德国福格勒 - 沃尔普斯维德(Vogeler-Worpswede)著，附作者自作插图 32 幅。德累斯顿赖斯纳出版社出版

荃处得到书，1932 年夏赠出。后者的可能性更大，因为鲁迅写的是“转赠”，那就是别人赠送他之后他又送了出去。镰田政一又作镰田诚一，是内山书店店员，1934 年去世。内山书店店员将此书赠给许广平。1950 年，许广平又把它捐献给上海鲁迅纪念馆。

上海鲁迅纪念馆所存的鲁迅藏书数量不多，但仍然可以从中看出鲁迅的学术趣味、艺术审美和工作方向。比如拉丁新文字的作品，这是鲁迅致力于文字改革的一贯作风，它上承五四新文学运动，最终目的是为了让知识的主导权回到大众手中；《白岳凝烟》是中国古代山水版画作品，30 年代鲁迅力推新兴版画，但同时他也积极搜求中国古代版画，力求将中国版画的优点融入到新兴版画中。翻译外国优秀文学作品是他一直进行的工作，这些从《死魂灵》的德文本以及外国文学家作品的日文译本都可以看出来。在思想方面，鲁迅在日本就接触过共产主义思想，定居上海后，他对共产主义与社会主义的思想钻研进入了更深的层次，30 年代继续阅读新出版的日文版《共产党宣言》就是他研究共产主义的日常行为。

鲁迅使用的墨与砚

——高方英

一、鲁迅使用的墨

鲁迅曾经说："我自己是先在私塾里用毛笔，后在学校里用钢笔，后来回到乡下又用毛笔的人，却以为假如我们能够悠悠然，洋洋焉，拂砚伸纸，磨墨挥毫的话，那么，羊毫和松烟当然也很不坏。"（鲁迅《论毛笔之类》）羊毫指毛笔，松烟指墨，因古代制墨，多用松木烧出烟灰作原料，故名松烟墨。提及墨，鲁迅使用最常见的是胡开文的墨，如"亦政堂墨"，在上海鲁迅纪念馆馆藏中现存三块，然后是"黄山松烟"，这是徽州胡开文监制的墨。胡开文是清代乾隆时制墨名手，徽州绩溪县人，是徽墨行家，"胡开文"墨业创始人。至20世纪30年代，其经营范围几乎覆盖大江南北。

鲁迅在读书启蒙时接触的书写工具是毛笔，在私塾读书时，无论是习字还是私底下的影描，鲁迅使用的都是毛笔，需要安砚磨墨。据寿洙邻回忆："三味书屋门前，有小院落，靠西墙石条横案，上置盆石，簇种小花草，水缸一，供学生笔砚之用……"（寿洙邻《我也谈谈鲁迅的故事》）在周海婴《直面与正视：鲁迅与我七十年》中提及鲁迅胃病起因时说："他得胃病最早的起因是少年时代赶乡考……入场时间又在半夜，要在家里吃了晚饭赶去，随身还得带考篮，上面放着笔墨砚台和食物、小板凳之类。"在安砚磨墨而书写的少年时代，有个美好的梦幻般的故事一直活在鲁迅的心里。鲁迅在《狗·猫·鼠》这篇散文中提道：隐鼠"放在我的书桌上，则从容地游行，看见砚台便舐吃了研着的墨汁。这使我非常惊喜了。我听父亲说过的，中国有一种墨猴，只有拇指一般大，全身的毛是漆黑而且发亮的。它睡在笔筒里，一听到磨墨，便跳出来，等着，等到人写完字，套上笔，就舐尽了砚上的余墨，仍旧跳进笔筒里去了。……'慰情聊胜无'，这隐鼠总可以算是我的墨猴了罢，虽然它舐吃墨汁，并不一定肯等到我写完字"。鲁迅对墨猴的情结，使他寄情于舐吃墨汁的隐鼠，从而连带着对原本枯燥乏味的砚台和研磨都增添了几分遐想。这是否也是鲁迅一生坚持和习惯用毛笔书写的一种潜在精神依恋呢？

鲁迅在南京和去日本求学时已经用过钢笔，但北京时期抄写大量的古碑、整理古文献使用的却都是毛笔。一个可能是鲁迅做这种抄写工作的目的不在于速度。从其抄写整理的成品来看，也的确笔画清楚，不疾不徐，字型结构合理大方，篇幅整体布局松紧有致，修改极少。作品整体面貌给人一种为了练习书法或以此为乐的感觉。第二个可能是当时政治环境使然。据周遐寿《鲁迅的故家·抄碑的目的》回忆："北京文官大小一律受到注意，生恐他们反对或表示不服，以此人人设法逃避耳目，大约只要有一种嗜好，重的嫖赌续妾，轻则玩古董书画，也就多少可以放心。"许广平回忆文章中也提道："他留意于古代艺术，而这艺术之最真实的，石刻亦其中之一。在一九一五——一九二二年，国内先有袁世凯称帝，后有张勋复辟，政治不入轨道，侦探满布，公共场所，贴满'莫谈国事'的标语，真是大有'道路以目'，'属垣有耳'之慨。先生是热情而又正义感非常浓厚的，深维革命的实力尚未充备的北平，个人徒托空言，无补于事，所以退而搜集并研究金石拓本，关于造像及墓碑等，陆续搜辑到的不下数百种。"（许广平《关于汉唐石刻画像》）鲁迅因为政治形势的压力，钻进故纸堆，留意古代艺术，搜藏金石拓片，与这些行为相协调一致的无疑当属毛笔、墨、砚台。

因为是安砚磨墨书写，当然少不了毛笔。乔峰（即周建人）在《略讲关于鲁迅的事情》一书上讲道："笔老是用北狼毫或'金不换'，都是狼（黄鼠狼）毛做的小形的水笔。这种笔鲁迅先生差不多用了一世，我记不起看见他用过别种笔。"鲁迅用于书写的笔主要是毛笔，在上海鲁迅纪念馆馆藏中，鲁迅使用的毛笔以"金不换"最多。鲁迅曾说："我并无大刀，只有一枝笔，名曰'金不换'。"鲁迅所使用的毛笔"金不换"，是绍兴当地所产的每支 5 分钱的便宜毛笔，是清末民初绍兴百年老牌笔庄卜鹤汀所售。除此，鲁迅还使用胡开文的笔，如胡开文玉润、胡开文羊毫、老胡开文广户氏选小楷纯羊毫、胡开文纯羊毫大楷、胡开文小京水等。在北京时期的《鲁迅日记》中也多有买毛笔、赠毛笔的记载。如《鲁迅日记》1922 年 2 月 26 日记："上午李遐卿来，未见，留赠笔十二支。"又如《鲁迅日记》1923 年 7 月 15 日记："李遐卿携其长郎来，并赠越中所出笔十支。"李遐卿即李霞卿，原名仲侃，改名霞卿，字宗裕，《鲁迅日记》中又作李霞青、李遐卿，浙江绍兴人，鲁迅在绍兴府中学堂任教时的学生和同事，《越铎日报》的创办人和编辑，后与宋子佩等退出另办《民兴日报》。1915 年考入北京大学国文系，1918 年毕业。"越中所出笔"应是"金不换"毛笔。

鲁迅曾说："古人说，'非人磨墨墨磨人'，就在悲愤人生之消磨于纸墨中……"

（鲁迅《禁用和自造》）可见，鲁迅对于磨墨一事也是甚感不便和需要耐心的，也颇有浪费时间之感。他说："倘若安砚磨墨，展纸舔笔，则即以学生的抄讲义而论，速度恐怕总要比用墨水笔减少三分之一，他只好不抄，或者要教员讲得慢，也就是大家的时间，被白费了三分之一了。"（鲁迅《禁用和自造》）可见磨墨用毛笔写字相较于当时已经流行的钢笔的确要不方便些。那么鲁迅为什么能够坚持安砚磨墨，用毛笔写字创作呢？我想可能有以下几个原因：一是从小养成的习惯；二是梦幻的故事和对小动物的爱恋；三是北京时期抄古碑、描摹各种古代字体时毛笔使用得心应手；四是虽然鲁迅深深地体会到磨墨的费时费力，但在比较使用了当时的墨汁后，鲁迅还是选择了研墨。原因他也讲得很清楚："砚和墨可以不带，改用墨汁罢，墨汁也何尝有国货。而且据我的经验，墨汁也并非可以常用的东西，写过几千字，毛笔便被胶得不能施展。"（鲁迅《禁用和自造》）在许广平 1950 年捐献给上海鲁迅纪念馆的藏品中，还保存着鲁迅使用过的一个绿磁墨盆，留有已经干裂的残墨。这有可能是鲁迅使用墨汁书写时的容器，也可能是将在砚台中研好的墨汁倒入此墨盆中使用。据上海青锋书店 1951 年 12 月初版的《鲁迅纪念馆》记载，此绿磁墨盆是许广平从广州购来，供鲁迅先生写大字时所用。

二、鲁迅使用的砚台

北京时期，鲁迅特别钟爱一款砖砚。此砖砚是用梁武帝"大同十一年"砖制成。砖的一个侧面刻有铭文"大同十一年"，另有两个侧面刻有花纹。鲁迅在《俟堂专文杂集》目录中注："大同十一年专 已制为砚 商契衡持来 盖剡中物。""剡"即指浙江嵊县。商契衡（1891—约 1937）字颐芗，又字纯钧，号契衡。浙江嵊县人。鲁迅在绍兴府中学堂任教时的学生，北京大学毕业，所学为英文。曾任北京大学图书馆馆员。46 岁因阑尾炎去世。鲁迅与商契衡的交往在北京时期较密集，鲁迅曾借给商契衡在北京大学学习期间的学费。《鲁迅日记》载："晚商契衡来谈，言愿常借学费，允之，约年假百二十元，以三期付与，三月六十元，八月、十二月各三十元，今日适匮，先予十元。"《鲁迅日记》中关于商契衡的记载有 60 多处，最早的是 1912 年 8 月 25 日日记"上午许诗荃、商契衡来"的记载，此后还有关于通信、寄赠书籍、付与学费、为友作保、委托办事等记载。结合《俟堂专文杂集》和《鲁迅日记》可知，这块砖砚是商契衡于 1918 年制成后送给鲁迅的。

鲁迅对这款砖砚特别钟爱，他在《俟堂专文杂集》的题记中说："曩尝欲著《越中专录》，颇锐意蒐集乡邦专甓及拓本，而资力薄劣，俱不易致。以十余年之勤，所得仅古专二十余及杍本少许而已。迁徙以后，忽遭寇劫，孑身逭遁，止携大同十一年者一枚出，余悉委盗窟中。日月除矣，意兴亦尽，纂述之事，渺焉何期？聊集燹余，以为永念哉！”文中“止携大同十一年者一枚出”指的即是这块砖砚。与此相对应的，鲁迅 1924 年 6 月 11 日日记也有记载：“下午往八道湾宅取书及什器，比进西厢，启孟及其妻突出骂詈殴打……然终取书、器而出。”启孟，即周作人，器即包括此“大同十一年”砖。这块砖砚当时常放在西三条二十一号鲁迅住所“老虎尾巴”书桌的右上方，是鲁迅研墨书写必不可少的文房四宝之一。

厦门时期，鲁迅使用过一款歙砚。规矩形砚，长方形，纵 19.1 厘米，横 12.6 厘米，高 2.5 厘米。砚池小，砚堂大，砚池四周以浅浮雕雕饰四条龙，砚边浅浮雕雕饰回纹，装饰细腻精致，整体端庄厚朴。带木质底托加盖。砚身、底托、盖都没有文字，无从考证其制作年代。据祝文品教授《鲁迅在厦门大学使用的砚台收藏记》一文叙述，这款砚台是其老师郝昺衡先生赠送的。郝昺衡（1895—1978）名立权，字秉衡，又作昺蘅，江苏盐城人，1924 年北京大学毕业，1926 年间为厦门大学文科国文系讲师。鲁迅在厦门大学任教时，两人交往较密，鲁迅在日记中记为郝秉衡、郝昺蘅。郝昺衡即 1951 年向上海鲁迅纪念馆捐赠厦门大学全体教职员合影照片者，他是这张合影中人之一。这方歙砚是鲁迅在厦大时赠送给郝昺衡的。祝教授的文章中提到了赠砚的细节：“一天晚上，郝先生到鲁迅住处去聊天（见日记）。谈的都是鲁迅先生的家事。当鲁迅谈到周作人的日本籍夫人时，心情很不好，曾愤愤地说了一句‘我吃的草，挤的是奶’。这是郝先生第一次听到这句鲁迅名言。为了缓和气氛，另找话题，郝先生看见鲁迅书桌上有一方歙砚（就是现在保存的这方砚台），便称赞说这方砚台很好，随之拿起来把玩一会。当时鲁迅没有什么表示。想不到第二天鲁迅把那方歙砚用纸包好，亲自送到郝先生家里。”

鲁迅在上海时期所用的砚台主要是民国时期所制的青石砚。萧红在《回忆鲁迅先生》一文中记叙：“鲁迅先生的写字桌，铺了一张蓝格子的油漆布。四角都用图钉按着。桌子上有小砚台一方，墨一块，毛笔站在笔架上。笔架是烧瓷的，在我看来不很细致，是一个龟，龟背上带着好几个洞，笔就插在那洞里。鲁迅先生多半是用毛笔的，钢笔也不是没有，是放在抽屉里。桌上有一个方大的白瓷的烟灰盒，还有一个茶杯，杯子上戴着盖。”这里的砚台即为方形带盖青石砚。鲁迅在上海时期使用的砚台多为这种形状和材质的砚台。在上海鲁迅纪念馆馆藏中，现存三方这种民国时期的普通青石砚，这款方形青石砚材质普通，纹饰简单，整体朴素、大方，很实用。此款砚台也是当时的学生用砚。从萧红对鲁迅上海居住

鲁迅厦门时期使用过的歙砚

鲁迅上海时期使用过的砚台

期间书桌的回忆可知，鲁迅不仅坚持用毛笔书写，而且一贯坚持自己磨墨。

在鲁迅遗物中，有一款端砚也值得关注和研究。这款端砚带随形红木匣，匣盖上刻篆书，分别为中间大字：端砚 著手生香；右边小字：甲子中秋作“仿古”（刻印）；左边小字：梅花道人题“珍藏”（刻印）。里面是叶形瘦长砚，砚堂中心有楷书“端溪产”三字。

“梅花道人”最有名者是元代著名书画家吴镇的号。吴镇（1280—1354）字仲圭，与吴兴王蒙、常熟黄公望、无锡倪瓒并称为“元四家”。据推算，在 1280 年至 1354 年中的甲子年是 1324 年。元朝的起止时间是 1271 年至 1368 年。1324 年正是元朝泰定帝在位时期。

当然，也有可能此“梅花道人”不是吴镇，那么这款砚台极有可能是产自端砚石开坑的高潮期清代。明末清初著名诗人、戏曲家尤侗（1618—1704）字展成，一字同人，早年自号三中子，又号悔庵，晚号良斋、西堂老人、鹤栖老人、梅花道人等，苏州府长洲（今江苏省苏州市）人。他于康熙十八年（1679）举博学鸿儒，授翰林院检讨，尤侗也是位长寿者，在他的一生中出现两个甲子年，即公元 1624 年和公元 1684 年。如果是尤侗所有的砚台，那么这款砚台当是在康熙二十三年，即公元 1684 年，他 66 岁时所制。

端砚是中国四大名砚之一，与甘肃洮砚、安徽歙砚、山西澄泥砚齐名。它出产于唐代初期端州（今广东肇庆市东郊的端溪），故名端砚。肇庆石匠虽说是从唐代开始就采石制作端砚，但是元代的端砚存世很少，这与元代的统治者重武轻文有关。此一时期，不仅端砚存世很少，诗歌、书法和摩崖石刻等文物同样极为稀罕。观察这款砚，线条简洁明快，造型美观实用，四周装饰纹样合理运用，叶边的设计有着舔笔和防止墨汁外溢的作用。这些特征与清代制砚相吻合。当然，民国时期正是三大名坑开采技术和开采量比较好的时候，也是我国端砚制作的一

鲁迅收藏的端砚一

鲁迅收藏的端砚二

个高潮期，出现了一些制作优良、造型别致的仿古端砚。故而也不排除此款砚台是民国时期所制，那么应是 1924 年制作。

在鲁迅《中国小说史略》中，端溪砚也有浓重的一笔："西门庆即令书童将端溪砚研的墨浓浓的，拂下锦笺。这蔡御史终是状元之才，拈笔在手，文不加点，字走龙蛇，灯下一挥而就，作诗一首。"端溪砚与状元相配，足可见古人对端溪所产砚台的看重和珍视；亦由此可见鲁迅对端砚的欣赏和珍爱。

笔者未找到鲁迅使用过这款端砚的记载，此砚可能是鲁迅北京时期的收藏。

鲁迅一生主要用毛笔书写，坚持安砚磨墨。鲁迅身边之人耳濡目染，也意识到毛笔书写的优点。许广平就是一例，在北京上学时期，许广平用钢笔写字，所以在 1925 年 3 月 15 日给鲁迅的回信中说："草草的写出这些话，质直未加修饰，又是糊里糊涂用钢笔写，较之先生清清楚楚用毛笔详细恳切的长番半训半导的迷津指引，我是多么感谢！惭愧！"因为鲁迅的耳提面命，许广平也从习惯用钢笔写字渐渐练就了一手端庄的毛笔书法。鲁迅逝世后，许广平题写的"鲁迅夫子"挽辞具有鲜明的个性和艺术性，值得关注，这大概也是对鲁迅磨墨情怀的延续吧。

故居里的四张书桌

郑亚

位于山阴路132弄9号（原大陆新村）的上海鲁迅故居，作为鲁迅生命中最后三年半，即从1933年4月至1936年10月，生活、工作、社交、战斗的地方，故居中诸多用品所包含的历史信息是丰富而繁杂的，而这些实物见证往往更真实具体地说明了鲁迅的人生经历与价值取向。

故居中陈列有文物藏品400余件，绝大部分为许广平捐赠的原件，并根据其指导按当年实际使用状态高度还原摆放。其中桌、椅、床、橱、柜等家具类文物33件。这33件家具类文物，从文物等级看包括了二级文物1件、三级文物32件；从材质看柳桉木、松木、柏木等实木家具31件，藤质家具2件；从数量、质量看，在面积约222平方米的三层里弄住宅中，这些家具件数不多，材质一般，风格不一，其中虽有一套6件套的西式家具相对考究，却还被分放在二楼、三楼卧室及客房3处不同的房间。这些历史信息，应该也从一个侧面客观地说明鲁迅在上海的生活状况，即收入虽然不低，但真正用于自己个人和家庭生活的其实有限。

而就在这33件总体简朴随意的日常家具中，书桌却有4张之多。或许，这正是鲁迅这位“伟大的文学家、思想家、革命家”的另一种写照。

一、见证鲁迅与瞿秋白知己情谊的拉盖式实木七斗书桌

拉盖式实木七斗书桌。长122厘米，宽70.9厘米，高112厘米。西式，台面后侧设有小抽斗和隔层，可用于放置文件及小件物品；左右两侧有半圆形挡板。书桌上方有可供启闭之软木板，关闭时，可拉下软木板，将台面上的小抽斗、隔层连同整个台面如盒子般锁住。台面下方，左右各有三个抽斗；中间一个长抽斗。

瞿秋白寓居上海，租住紫霞路原68号3楼时，曾使用该书桌。1933年3月初，瞿秋白迁往山阴路东照里居住时，继续使用。瞿秋白在这张书桌上写下大量檄文，

一楼拉盖式七斗书桌

并翻译马克思、恩格斯、列宁等的文学理论及苏联文学作品。

1934 年 1 月，瞿秋白离开上海去江西中央革命根据地工作时，将这张书桌寄存在鲁迅寓所。他牺牲后，鲁迅将书桌作为对亡友的纪念一直保留。1950 年由许广平捐赠，陈列于鲁迅故居一楼客厅，为二级文物。

这张书桌样式特别、保存相当完好，且在底楼客厅西南角显眼处，此外在多张历史照片中，其上方悬挂了鲁迅的遗容照，可以说这也是一张见证了鲁迅与瞿秋白深厚情谊和共同信仰的书桌。

瞿秋白（1899—1935）江苏常州人。中国共产党早期领导人、作家、文艺理论家。1916 年入武昌外国语学校学习英语。次年赴北京，在北京大学旁听，后入俄文专修馆攻读。1919 年投身五四运动。次年加入李大钊等组织的“马克思主义学说研究会”。此后前往苏联并在1922年加入中国共产党。1923年1月回国，一度参加中共中央的领导工作。1931年初来到上海，在临时中央局宣传部工作。同年5月经冯雪峰联系与鲁迅开始交往。同年12月他与鲁迅就翻译问题探讨通信，后被鲁迅以《关于翻译的通信》为题编入《二心集》。1932年5月瞿秋白夫妇拜访鲁迅。9月1日，鲁迅与许广平回访。以后鲁迅和瞿秋白经常秘密往来，时有信札往还，共同探讨翻译问题，对“第三种人”展开批评，并一起领导“左联”的工作。1932年底上海临时中央局遭破坏，瞿秋白为避国民党的追捕，曾四次到鲁迅家避难。也就在这四次避难中，鲁迅与瞿秋白相知愈发深厚，成为莫逆之交。

第一次是1932年11月下旬至12月24日，其间瞿秋白曾于12月7日手书七绝两首并题赠鲁迅，12月9日赠周海婴“积铁成象”玩具一盒，12月10日与鲁迅、冯雪峰一起讨论《文学月报》所载署名芸生的《汉奸的供状》一诗所存问题，后由鲁迅写成《辱骂与恐吓决不是战斗》一文提出批评。鲁迅此文引发丘东平等人的撰文反向批评，瞿秋白写《慈善家的妈妈》和《鬼脸的辩护》两文，进一步阐明鲁迅的观点，批驳丘东平等人的错误。从时间和季节上判断，陈云按党组织部署，前往鲁迅当时所住拉摩斯公寓秘密接应转移瞿秋白夫妇应该是这次避难的结束。

第二次在鲁迅家中避难的时间为1933年2月上旬至3月上旬，其间瞿秋白接受鲁迅建议，从俄文翻译苏联卢那察尔斯基的《解放了的堂吉诃德》，并于2月17日与鲁迅、许广平、杨之华合编《萧伯纳在上海》，最后由瞿秋白以鲁迅笔名“乐雯”署名编定，由鲁迅作序，交由野草书屋出版。还和鲁迅合作撰写《王道诗话》《出卖灵魂的秘诀》等杂文。而鲁迅则为瞿秋白书写清人何瓦琴诗句“人生得一知己足矣，斯世当以同怀视之”。3月4日，瞿秋白搬往离鲁迅寓所不远的东照里12号，即将此联句挂于寓内。同时，瞿秋白开始编《鲁迅杂感选集》并作长序，序文中分析评价了鲁迅的生活道路、思想发展和其杂文的战斗作用，认为：“鲁迅从进化论进到阶级论，从绅士阶级的逆子贰臣进到无产阶级和劳动群众的真正的友人，以至于战士，他是经历了辛亥革命以前直到现在的四分之一世纪的战斗，从痛苦的经验和深刻的观察之中，带着宝贵的革命传统到新的阵营里来的。”“我们应当向他学习，我们应当同着他前进。”在东照里12号居住期间，瞿秋白还写有《伸冤》《迎头经》等杂文12篇，写作中都曾和鲁迅商议，并由鲁迅改定，请许广平重抄后以鲁迅笔名发表，后多数收入《伪自由书》和《准风月谈》。

1933年7月10日至8月初，瞿秋白和杨之华第三次到鲁迅家避难。此时，鲁迅已从拉摩斯公寓迁出，入住大陆新村。第四次避难则在同年8月底至9月初。

两次避难之间的间隔很短，既说明了当时上海白色恐怖的严重，瞿秋白的危险境地，也反映出瞿秋白对鲁迅的彻底信任，鲁迅对帮助共产党人的竭尽全力。

1933 年底，瞿秋白接到去江西瑞金革命根据地工作的通知，次年 1 月 4 日，瞿秋白到鲁迅寓所辞行。瞿秋白去苏区之后，鲁迅一直牵挂怀念，在和萧三、曹靖华等人的通信中对“它兄”“它嫂”念念不忘。瞿秋白在到瑞金后，曾任中华苏维埃工农民主政府教育部长、苏维埃大学校长等职。红军长征后，瞿秋白于 1935 年初转移至福建长汀时不幸被捕，同年 6 月 18 日英勇就义。瞿秋白被捕后，鲁迅曾多方设法营救。瞿秋白就义后，鲁迅极为哀痛和愤怒，在多封给友人的信中反复提及瞿秋白的才华与能力，对他的牺牲深表惋惜。鲁迅还不顾自己已在重病之中，募集资金，亲手编成瞿秋白的译文集《海上述林》（上下卷），以“诸夏怀霜社”名义出版，并撰写序言《且介亭杂文末编》和广告。鲁迅在多篇文章中提及瞿秋白，维护瞿秋白的形象和名声。

在许广平对瞿秋白与鲁迅的回忆中，她对这张书桌印象尤深。许广平回忆在 1932 年 9 月她和鲁迅带着孩子去拜访瞿秋白杨之华夫妇时，“地点就是紫霞路原六十八号三楼的一个房间。这是第二次的见面了，秋白同志坐在他的书桌旁边，看到我们来时，就无限喜悦地站起来表示欢迎。他的书桌，是一张特制的西式木桌，里面有书架可以放文件，下面抽斗也一样，只要把书桌上面的软木板拖下来，就可以像盒子一样，连抽斗也给锁起。据他说，这样一走开，写不完的文件只要一拉下木板就不会被别人乱翻了。做革命工作的人，这种桌子是比较方便的，后来他去苏区时，就把这张桌子搬到我们的住处大陆新村来，至今还保存在那里”。（许广平《瞿秋白与鲁迅》）

二、佐证鲁迅朴实生活的两张九斗实木书桌

第一张书桌位于上海鲁迅故居二楼卧室南窗下方。长 134.5 厘米，宽 71.7 厘米，高 79.1 厘米。可拆分为三部分，方便搬运：上部为桌面连三个抽斗，中间为一个带有两个木把手的长抽斗，两边是各带有一个木把手的小抽斗；都分别配有圆形小锁。下部分为左右两部分，箱型，各有四个桌脚，并带三个小抽斗。桌面铺印花油漆桌布。

鲁迅自广州到上海定居直至病逝，长期使用这张书桌写作。自 1927 年 10 月至 1936 年 10 月，写出并发表的文章，计有收入《三闲集》《伪自由书》《且介亭杂文》等的 12 部杂文集中的大量杂文；译有《毁灭》《死魂灵》《俄罗斯的童话》

等 10 多部外国文艺作品；辑校了瞿秋白文集《海上述林》；逝世前三天，仍伏案为曹靖华译《苏联作家七人集》作序；逝世前两天，写最后一文《因太炎先生而想起的二三事》。

1950 年许广平将这张书桌连同其他家具一起捐赠，摆放于鲁迅故居二楼卧室原位置，其为三级文物。

另一张位于故居三楼周海婴卧室西南角的九斗单人写字台，面上铺黑麻胶板，桌面干裂，拉手磨损，胶板裂痕多，边缺损。长 134.8 厘米、宽 72 厘米，高 80.1 厘米。三级文物。

这两张书桌，平实耐用，无论材质、样式还是尺寸，都极为接近。许广平所写《景云深处是吾家》一文中提及："鲁迅在广东遭遇一九二七年的'清党'之后，惊魂甫定，来到了上海，心里是走着瞧，原没有定居下来的念头的，因自厦门到广州，他如处于惊涛骇浪中，原不敢设想久居的。所以购置家具，每人仅止一床，一桌、二椅等便算足备了。"

根据这些情况，存放于三楼周海婴卧室的九斗书桌，最大可能就是鲁迅与许广平初到上海时购买的"每人一桌"。至于后来迁入大陆新村，一桌放在二楼鲁

二楼卧室兼书房的书桌

三楼海婴卧室的书桌

迅卧室兼书房，一桌放在三楼周海婴卧室，应包含以下几种可能：1. 鲁迅和许广平，都是惜物之人，初来上海购置的普通书桌，能用就不舍得丢弃；2. 二楼的房间，除了这张书桌，还有五斗橱、三门衣橱、茶几、梳妆台、玻璃门书橱、床头柜以及铁架床等，家具密集度是整个故居中最高的，因此另一张书桌放在三楼周海婴房间，以确保鲁迅先生工作便利；3. 许广平也是一位有思想有才华有胆识的进步女性，在与鲁迅共同生活的 10 年里，她默默地辅助鲁迅开展了许多工作，并悉心照料打理日常家庭生活。那张放置在周海婴房间的书桌，她几乎没有再使用的机会，但对独立工作投身社会为国家发展做出贡献的渴望，多少也寄托在这张书桌上。4. 相比二楼鲁迅卧室书房的家具紧密，周海婴房间家具主要为一床、一藤桌、一藤橱，有足够的空间放置尺寸颇大的九斗书桌，也再次从一个很小的角度证明了鲁迅虽然收入不少，也疼爱周海婴，但该节省之处也相当节省。他把许多的收入用到了培养年轻人、救助革命者、出版进步刊物、推动中国新兴木刻版画之中，他为中华民族复兴和人民幸福奉献了自己的光和热。

三、见证将冯雪峰等“引为同志”的五斗实木书桌

五斗小办公桌。桌面干裂，油漆退色，部分剥落。长 91.5 厘米、宽 52.1 厘米、高 78.2 厘米。许广平捐赠。三级文物。

从式样来看，这也是一张以实用为主的书桌，构造与上面两张九斗书桌大体相仿，而长和宽分别缩小了近三分之一。这张书桌安放在故居三楼的客房。客房

三楼客房书桌

位于楼梯口，房间紧凑，陈设简单的一桌一椅一床两橱，尺寸都较小，却足够使用。客房向北有一扇大窗，因为紧邻通风天井光线不错，同时借助整栋楼的建筑特点，其既相对隐蔽又便于观察周边情况，客房还是距离三楼北侧露台最近的一个房间，如遇紧急情况，通过露台屋顶隐蔽或撤离也最为便捷。

这间客房，鲁迅冒着巨大的风险，掩护安顿过多位共产党人，除了上文提及的瞿秋白避难，还有1936年党中央派回上海工作的冯雪峰，以及胡风、曹靖华等都曾经住过。

冯雪峰是沟通中国共产党和鲁迅关系最为致力的人，他不仅认识鲁迅较早，而且理解鲁迅也较深，也是继瞿秋白、柔石之后，和鲁迅交往时间最长，关系最亲密，最尊重鲁迅，也最得鲁迅信任的一位。他和鲁迅交往，代表了我党对鲁迅的高度认可。

鲁迅和冯雪峰的正式交往，应当是1928年冬，虽然此前冯雪峰已认识鲁迅。1928年11月，冯雪峰因受国民党浙江省政府通缉，逃往上海，会见了浙江第一师范学校高年班同学柔石。当时柔石正与鲁迅创办朝花社，其带冯雪峰去景云里鲁迅住所，面见鲁迅。1929年初，冯雪峰在柔石的帮助下，也在景云里找到了一个住所，成为鲁迅的近邻。他们很快建立起革命的友谊。

在鲁迅的支持和帮助下，冯雪峰开始编译和出版《科学的艺术论丛书》，同时创办旨在培养文学新人的文学月刊《萌芽》。1929年末发起，1930年春成立的中国共产党领导的中国自由运动大同盟和中国左翼作家联盟，都是由党委派冯雪峰与鲁迅联系的。此外，鲁迅刚到上海不久，就参加了中国共产党领导的中国互济会。这个组织由恽代英、张闻天等发起，是中国共产党为了保护解放运动斗士，救济遇难同志而成立的党的外围组织，后来这个组织与鲁迅联系工作，也由冯雪峰出面。

鲁迅和冯雪峰共同推进“左联”的工作开展，鲁迅应冯雪峰邀请，为1930

年 8 月举办的夏期文艺讲习会以及之后的现代学艺讲习所认真授课，或捐赠或出借自己的资金用于相关工作。

这一时期，在鲁迅的支持下，冯雪峰负责编辑《萌芽》、“左联”机关刊物《前哨》和《十字街头》，鲁迅不仅都投了稿，还对刊物编辑给予指导。在柔石等“左联”五烈士被国民党反动派杀害后，冯雪峰和鲁迅一起克服各种困难，冒着巨大风险编辑出版了《前哨》纪念专号，“前哨”两字由鲁迅亲笔题写，他还为刊物撰写了《中国无产阶级革命文学和前驱的血》。

同时，冯雪峰为中国共产党及党的领导人与鲁迅联系的沟通加强，做了许多工作。如 1930 年 5 月在爵禄饭店鲁迅与李立三的会见，1932 年春夏与瞿秋白的会见，1932 年秋冬与陈赓的会见，都是冯雪峰联系安排的。

1933 年 11 月，冯雪峰在一次拘捕中跑脱却暴露身份，不宜继续留在上海工作，于是前往苏区瑞金。不久，冯雪峰参加了二万五千里长征，很难与鲁迅联系。1935 年 10 月，中央红军长征胜利到达陕北，此后不久由中共中央委派冯雪峰于 1936 年 4 月回到上海工作。

4 月 25 日，冯雪峰回到上海，第二天就找到了鲁迅，连续两天向鲁迅报告红军胜利到达陕北后的情况，向鲁迅转达了中国共产党抗日民族统一战线的政策。鲁迅也向冯雪峰介绍了上海左翼文艺运动的情况。正是在这个阶段，冯雪峰在鲁迅家中住了两个多星期。冯雪峰带来了党中央的声音，使鲁迅对党中央的政策和方针有更进一步的认识。鲁迅在大病之中生命即将走到终点之际，将冯雪峰视为最可信赖的朋友。鲁迅与冯雪峰、茅盾、胡风等再三研究，推出了“民族革命战争的大众文学”这一正确的革命口号。在冯雪峰的配合支持下，鲁迅还发表了《答托洛斯基派的信》《论现在我们的文学运动》和《答徐懋庸并关于抗日统一战线问题》等重要文章。这三篇文章阐明了鲁迅维护中国共产党关于抗日民族统一战线的严正立场，公开表明自己站在共产党的旗帜下，把毛泽东为代表的共产党人“引为同志”。这三篇重要作品，既是鲁迅思想发展到达高峰的标志，也是他和冯雪峰革命情谊的见证。或许，其中的最初构想，正是起步于上海鲁迅故居三楼客房的这张小小书桌上。

鲁迅居上海时期的书橱

——高方英

鲁迅一生都与书有着不解之缘，他珍爱书籍，喜欢读书，居住上海时期以写作编辑为业；他在买书与藏书上也都花了大量的财力和精力。在上海，鲁迅先后居住景云里、拉摩斯公寓和大陆新村，为了安全稳妥地藏书并便于随时查找，定做购买的书橱很有讲究。这些书橱从一个侧面反映了鲁迅在上海时期的希冀与人生规划，也反映出鲁迅居上海时期不同阶段的生活状态与心路历程。

一、书箱式书橱

鲁迅的藏书很多，除了绍兴、北京时期的大量书籍外，赴厦门、去广州以及在上海居住下来以后，又积累了许多。在《再谈香港》一文中，鲁迅写道："而我是有十只书箱在统舱里，六只书箱和衣箱在房舱里的。"这是 1927 年鲁迅从广州赴上海时候携带书箱的情形，其中两箱是孙伏园请鲁迅代为运送的："我仔细一看，已经打开的是八箱，两箱丝毫未动。而这两个硕果，却全是伏园的书箱，由我替他带回上海来的。"由此可见，鲁迅从广州到上海，自己的书箱竟有 14 个，书籍之多不言而喻。

查《鲁迅日记》，鲁迅在上海时期最早买书橱的记载是 1927 年 12 月 23 日。鲁迅当日记载："买书柜一个，泉十元五角。"1928 年 3 月 16 日，《良友画报》主编梁得所到景云里为鲁迅拍摄了几张照片，其中一张登载在《良友》第 25 期上，半身正面照片，鲁迅坐在书桌前的藤椅里，眼神注视着镜头，神情认真严肃，身侧一排书橱作为背景。1933 年 3 月鲁迅在《申报 · 自由谈》上发表了《文摊秘诀十条》，其第四条说："须设法将自己的照片登载杂志上，但片上须看见玻璃书箱一排，里面都是洋装书，而自己则作伏案看书，或默想之状。"可见拍照时以装有洋装书的玻璃书橱作背景已经成为一种时尚。而 5 年前，梁得所给鲁迅拍摄的登载出来的书房照片无疑是这种时尚的风向标。鲁迅的书橱在拍照时还没有配玻璃门，但随着玻璃书橱的流行，鲁迅 1933 年 4 月后居住的大陆新村内就都是双

鲁迅景云里书房摄影

开大玻璃门书橱。

在保留下来的梁得所拍摄的几张照片里，鲁迅坐着站着，背景都是书橱。现在已经无法推测鲁迅 12 月 23 日买的书橱是照片中的哪个。照片中还可见到两个二层书箱叠在一起而成的书橱，这是目前可以见到的鲁迅在上海时期使用书箱叠放成书橱的最早见证。据《鲁迅日记》1918 年 5 月 26 日载："晚得宋子佩信并为代购书箱四，连架二，共值券二十三元，付讫。"又据许广平 1946 年到北京整理故居时所见："那里紧对门就是四门书箱成一田字式竖排着，背后也一样，共八只。"（许广平《鲁迅故居和藏书》）可知鲁迅在北京时期就购买过书箱。鲁迅在《藤野先生》一文中提道："不幸七年前迁居的时候，中途毁坏了一口书箱，失去半箱书，恰巧这讲义也遗失在内了。""七年前迁居"当指 1919 年 12 月鲁迅回绍兴办理母亲和三弟及家眷迁居北京的事情，这次迁居可谓鲁迅举家搬迁。迁居途中使用的书箱可能是在绍兴购买也可能即为在北京托宋子佩代购的。

由此可见，鲁迅使用书箱，开始也只是像以往的读书人一样用作搬运书籍，如从绍兴搬运书籍到北京，从广州到上海使用的书箱等。梁得所拍摄照片中的书箱可能是广州到上海运输书籍的书箱。

在搬到拉摩斯公寓后，鲁迅大量定做两层的书箱。《鲁迅日记》1930 年 5 月 17 日载："上午木工送来书箱十二口，共泉六十四元。"鲁迅于 1930 年 5 月 12 日从景云里搬到拉摩斯公寓居住，17 日定做的书箱就由木工送上门来。其安置书籍的想法应该是和搬家同步的。鲁迅居住拉摩斯公寓时期，书房兼卧室靠墙就叠放着这样的书箱式书橱。据与鲁迅一同避难花园庄旅馆的长尾景和回忆，他去过当时鲁迅的住所拉摩斯公寓多次，他对鲁迅书房的初次印象是这样的："先生的房间虽大，但好的家具摆设一样也没有。有的只是靠墙壁排列着的像书店里一样多的书籍。"（长尾景和《在上海"花园庄"我认识了鲁迅》）后来的印象更是细致深刻："现在一看，尽是木制的箱子。坚固的厚木箱叠成了书架。鲁迅先生说：'这些书架全部是木箱，里面装满了书，就这样，任何时候都可以装上卡车逃跑。'"（长尾景和《在上海"花园庄"我认识了鲁迅》）显然，搬到拉摩斯公寓的鲁迅还没有安定下来的打算，尽管已经有了儿子，他的心随着动荡的时局特别是战争导致的混乱而依旧是漂泊不定的。据许广平回忆，在北京西三条故居一间房子里，"靠西墙壁处放着到沪住下了之后寄回去的八只木箱子，里面紧挤着的全是在上海买到的日文书和在广东教学时广雅书局买到的线装古书，是散页，并没有装订好的"。（许广平《鲁迅故居和藏书》）初读这段文字，很可能令人误解为这是鲁迅居住景云里时期的所为，其实这是鲁迅居住拉摩斯公寓时期所为。《鲁迅日记》1931 年 5 月 21 日载："上午将书籍八箱运往京寓。"当离开广州或是初到上海时，鲁迅都不曾将书籍寄送回北京。而在上海居住近四年后，鲁迅却将书籍八箱运送回北京，这是否意味着鲁迅在这一时期有了将要回到北京生活的打算呢？查考当年情形，鲁迅此举与此年柔石等"左联五烈士"遇害有直接关系，正因为"左联五烈士"被捕，鲁迅携眷于 1 月 20 日至 2 月 28 日避难于花园庄旅馆。到上海已近四年，鲁迅尚未有在上海长期居住的打算，而经此"左联五烈士"事件，则更令鲁迅对上海的政治环境担忧，于是整理出暂时不用的书籍八箱寄回北京寓所存放。大概鲁迅此时认为北京的环境相对安全些。在这一年致李秉中的信中，鲁迅的这种情绪也有所流露："我颇欲北归，但一想到彼地'学者'，辄又却步。"（1931 年 3 月 6 日鲁迅致李秉中信）但从信中看，鲁迅虽有"北归"的想法，却又举棋不定。

关于拉摩斯公寓的书橱，孔另境的回忆也可佐证。1932 年 12 月，孔另境出狱后回到上海专程登门拜访鲁迅，感谢鲁迅写信托人营救。据孔回忆："他就把我让进去，这屋子构造的很别致，前边一间很宽大，后面连着几间小的，望去很黑暗，他让我进去的一间并不是会客室，就是最大的一间，是他的写字间兼卧室，墙壁的一面全是书架。"（孔另境《我的记忆》）这时候鲁迅的书显然比景云里时期更多了，除了拉摩斯公寓里这么多的书，还有上文提到的运往北京寓所的 8 个书箱，鲁迅买书的频率之高可见一斑。

在鲁迅1933年4月11日从拉摩斯公寓搬迁到大陆新村之前，首先于3月27日下午“移书籍至狄思威路”。鲁迅的这个藏书室是请内山完造帮忙租借的，在狄思威路766号（今溧阳路1359号）二楼。比之“左联五烈士”事件，1932年鲁迅又亲身经历了“一·二八”战事之累，门窗毁坏、墙体出现弹孔、衣物橱什被窃，幸喜书籍俱存。此时，鲁迅却没有选择继续将书籍寄送回北京安置。于此，书籍已然成为鲁迅生活中不可或缺的重要部分。其实，鲁迅对书籍的情感早有过表露。如1931年初，鲁迅在给李秉中的信中曾这样说：“孩子生于前年九月间，今已一岁半，男也，以其为生于上海之婴孩，故名之曰海婴。我不信人死而魂存，亦无求于后嗣，虽无子女，素不介怀。后顾无忧，反以为快。今则多此一累，与几只书箱，同觉笨重，每当迁徙之际，大加擘画之劳。”鲁迅将书籍与儿子相提并论，尤可见其对书籍的珍视程度。又如在致赵家璧的信中这样譬喻:“本来，有关本业的东西，是无论怎样节衣缩食也应该购买的，试看绿林强盗，怎样不惜钱财以买盒子炮，就可知道。”（1936年7月7日鲁迅致赵家璧信）鲁迅认为，书籍是“有关本业的东西”，是为赚取生存资本而必须的东西，书籍是他工作的武器，是工作的重要组成部分。

从鲁迅逝世当年刊登的《哀悼鲁迅先生纪念画辑·藏书之一斑》的照片看，狄思威路藏书室内的书橱是定做成方便搬运转移的书箱样式，每三个书箱叠放成一个高大的书橱，每个书箱都是两层，可以关闭单独搬运。据鲁迅三弟周建人回忆：“在离他的住处上海大陆新村九号不远的地方，租有一间房子，开门一看，只见满屋子都是书，书架全部是用粗糙的厚木板钉成的，钉得也比较结实。鲁迅介绍说：‘这些书架全部是木箱，装满书就是书箱，打开来，成了书架。’”（周建人《回忆鲁迅在上海的几件事》）鲁迅儿子周海婴也有关于这藏书室的回忆：“记得那是一间普通的房间，约有十几平米，沿壁四周，都是木制书箱，本色无漆，内分二层，装满各种书刊，外有活门，并可加锁，由下而上，几乎叠到屋顶。这种书箱都用木板做成，关上活门，可以减少尘土，迁移搬运，书籍也不致散失混乱。”（周海婴《重回上海忆童年》）

鲁迅居住上海期间，在景云里就已使用的书箱式书橱以及搬迁至拉摩斯公寓中又添置的更多书箱，除了1931年寄送回北京的8个书箱外，应该是在1933年3月27日连同书籍一起搬运到了狄思威路藏书室继续使用。从周建人和周海婴对藏书室的回忆中，我们可以获悉，鲁迅为了有序、整齐地安放他的书籍，也便于平时查找使用和以后书籍搬运，租定了这个藏书室后应该又定做了多个书箱式书橱，以至满布在藏书室墙壁处。

那么，鲁迅定做这种两层书箱式书橱的设计思想是怎样形成的呢？其一，鲁迅一生因为求学和工作而漂泊不定、走南闯北，根据多次搬运书籍的需求，购买市面上的现成书箱，由此获得灵感是极有可能的。其二，鲁迅关注新的事物，关注各种报刊，这是他一直与青年为伴，一直保持先进的思想，坚持正确的文艺理论的一个源泉。书箱式书橱的设计运用虽然未能考证起源于何时，但关于符合实际生活需求的书橱设计样式在民国时期的报刊中是屡有报道的。其三，鲁迅居住上海以后，虽然此地有事做，朋友多，但政治、文化环境并不如意，且还有战争炮火直接殃及，故鲁迅一直没有定居上海的决心，依然想着离开，那么，如何运输书籍自然也在考虑之中。这种漂泊不定的心绪在给友人的书信中也时有流露。书信会给人带去危险，书籍也会受牵连，只有伏处牖下，闭门不出。这也是鲁迅无意在上海久住的重要原因。鲁迅的书不放在家里，一方面固然有大陆新村居室限制的客观原因，但另一方面应该也有为避免人和书在一起相互牵连遭殃的考虑，这在某种程度也是对书籍的一种保护。

二、双玻璃门书橱

1933 年 4 月 11 日，鲁迅阖家搬迁到大陆新村 9 号（即今上海鲁迅故居）。1933 年 4 月 25 日《鲁迅日记》载：“买椅子一、书厨二，价三十二元。”这是搬家到大陆新村之后的事。观鲁迅故居大陆新村 9 号内书橱，一律都是简洁的大玻璃双门书橱，其中四个是黑色五格双玻璃门书橱，有两个应该就是鲁迅 25 日所买进。两个并排放一楼客厅，靠西墙，紧挨着白色玻璃门隔断，两个并排放在三楼客房内，靠西墙，紧挨着南墙。另一个是土黄色四格双玻璃门书橱，置于二楼鲁迅卧室床的南面，背靠东墙，紧挨着南窗。双门玻璃书橱，是民国时期吸收国外式样而制成的，在 20 世纪 20 年代已经受到中国文人普遍青睐。

大陆新村 9 号一楼客厅和三楼客房里的黑色玻璃门书橱式样、大小相同，宽 762 毫米，深 353 毫米，高 1525 毫米，内部从上到下设五格。一楼客厅的书橱里主要是放置外文书，里面有《陀思妥耶夫斯基全集》《菲力浦文集》《芥川龙之介全集》等外国作家的文集，大半多是日文译本。鹿地亘 1936 年 10 月 27 日的回忆文章中也提道：“他的大陆新村的寓所的客堂里，芥川的全集和小林多喜二全集、高尔基全集等等，并列在玻璃门的书橱里。”（鹿地亘《鲁迅的回忆》）又据陈学昭回忆，这两个书橱里还放置很多她和朋友在法国塞纳河边的旧书摊上帮鲁迅买来的有木刻插图的文艺书。当陈学昭 1935 年 2 月回国后去大陆新村看望鲁迅时，鲁迅还专门回过头来指着那右边靠墙的两个玻璃大书橱说："这里有很多你代我买的书。"（陈学昭《回忆鲁迅先生》）鲁迅逝世当年，《作家（上海）》1936 年第 2 卷第 2 期上曾发表"客厅之一角"的照片，对象就是一楼客厅的这两个书橱。由照片可以看到，这两个书橱内的书摆放得整整齐齐，每排的书籍都差不多大小，应该有大部分是成套书。而三楼客房内的两只书橱和橱顶，则满满地放着《四部丛刊》续编，应该是鲁迅准备写《中国文学史》用的参考书。

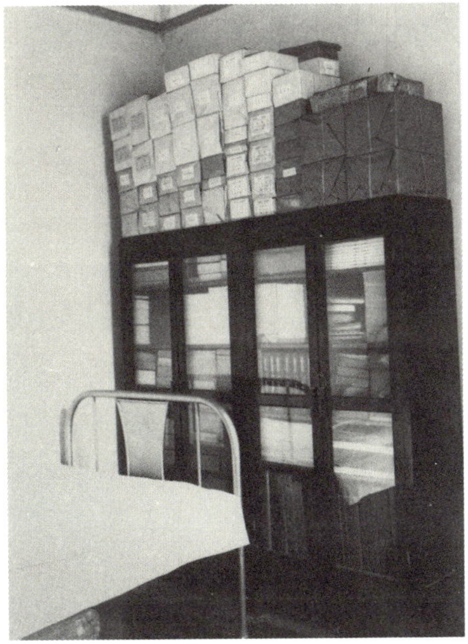

大陆新村鲁迅寓所客房书橱

大陆新村 9 号二楼卧室东侧靠窗口处摆放着一只土黄色双玻璃门书橱，宽 1133 毫米，深 468 毫米，高 1532 毫米，内部从上到下设四格。书橱为中式造型杂木混合材质，门框用料为柳桉木，立柱则为水曲柳材质。据萧红回忆："铁架床靠窗子的那头的书柜里书柜外都是书。"（萧红《回忆鲁迅先生》）《明星（上海 1933）》1936 年第 7 卷第 2 期发表的一组"鲁迅先生逝世"寓所照片，从中可以看到鲁迅先生卧床旁的这个书橱，橱里和橱顶放满厚厚的图书，应该是鲁迅写作、翻译、校对时经常翻阅使用的书籍。鲁迅卧室的这个书橱，极可能是鲁迅亲自设计定做的，土黄色与卧室内整体的木质家具色调相协

大陆新村鲁迅寓所卧室书橱

调，体现出鲁迅对于美学与设计的主见。同时，从鲁迅如此用心地设计和布置书橱的情况看，鲁迅对于大陆新村的居室环境是比较满意的。

另外，这个书橱还承载着鲁迅与茅盾的一段交往故事，是他俩友谊的见证。据孔另境的女儿孔海珠写的文章《我的父亲孔另境与鲁迅先生》:“有一次，茅盾到鲁迅家去，看到木匠师傅送来书橱。这是鲁迅设计定做的双开玻璃门书橱，很实用，做得比较深，可以放两排书，共五格，中间一格比较高，可以放大开本的画册之类。两扇玻璃门上有两道对称的‘眉毛’，下面有两只同样深的抽屉。门上和抽屉上的把手是小的铜挂件，蛮精致。茅盾看了喜欢，也请木匠师傅照样定做一只的。后来，茅盾离开上海，把书橱送给了我父亲。”鲁迅与茅盾孔德沚夫妇一家在上海的交往是比较密切的，这一点从《鲁迅日记》可以看出；并且他们前门对后门共同居住在景云里，又先后搬迁至大陆新村，其中仅隔着一条弄堂。因此，孔海珠的回忆是符合事实的，但这两个书橱的细节稍有不同：一是两道“眉毛”的竖条数量不同，鲁迅的书橱是四根短竖条装饰，而茅盾的书橱则是三根短竖条装饰；二是鲁迅的书橱没有抽屉，茅盾的书橱有两个抽屉；三是鲁迅的书橱没有做橱脚，茅盾的书橱有橱脚并在正面两脚之间以波浪纹形状板装饰连接，起到支撑和空气流通的作用；四是鲁迅书橱共分为四格，茅盾的书橱有五格。这些不同点应该是茅盾从自身需求出发作的改动。

鲁迅到上海居住并最终未曾搬迁离开，其中原因非三言两语能够概括。由上文可知，这个曲折变化的过程在鲁迅定做购买书橱方面有着鲜明的体现。鲁迅大量定做书箱式书橱正是他一直未曾将上海作为定居场所的表现；大陆新村内时髦的大玻璃门书橱则从一个侧面体现出鲁迅为了养育孩子开始关注眼前的生活质量，对生活环境也有所追求。如果说“怜子如何不丈夫”是对幼儿无限的爱，那么“每当迁徙之际，大加擘画之”的就还有他无声的知音——书籍。孩子的成长期待舒适的环境，书籍的存放与运输需要适宜的器具，两者是鲁迅居住上海时期面临的新状况。鲁迅为了书籍的安置而添置的书橱的特色，进行的多次尝试、规划与具体设计，是与他此时期的工作、生活状况和社会变化密切相关的，书橱定购与安置的细微变化也是他上海时期思想起伏的阶段性表现。

从故居的台灯说开去

王璐

当我们走进大陆新村9号（今山阴路132弄9号）鲁迅故居，来到二楼的书房兼卧室，就可以看到南面临窗放着的鲁迅使用了近10年的书桌。桌面的左前方是一座带绿玻璃罩的铜圆柱台灯，这是1932年冯雪峰送给鲁迅的。

鲁迅习惯于夜间写作，许广平在《鲁迅先生的日常生活》中说：“（鲁迅）在北京时平均每天到夜里十——十二时始客散……有时写兴正浓，放不下笔，直至东方发白，是常有的事。”到上海后，由于居所没有添置台灯，每当晚上，鲁迅只将房间里的一盏电灯用绳子拉到靠近窗边的写字台上方。到第二天早上，再放下绳子让电灯回到原处。除写作之外，作为青年导师，鲁迅每天还要阅读大量的青年来稿，许广平回忆：“他收到的稿件是各种各样的，有的稿纸很薄，是那种双层软纸，字又写得不清楚，看时很费力，他就垫一张纸在双层稿纸中间，衬着看。有的稿件写得很马虎，并且还附了一句类似这样的话：‘我这个稿件写得很乱，写了懒得再看一遍，现在寄给你看看吧！’鲁迅为难地笑了笑，但他还是认真地看下去了。”（许广平《鲁迅先生怎样对待写作和编辑工作》）

由于长年的夜间伏案写作和阅读稿件，极尽目力，过度疲劳，鲁迅的视力也衰退了，他在1933年致友人增田涉的信中说：“近戴上老花眼镜，看书时字很大，一摘掉，字又变得很小，因此怀疑字的实际大小究竟如何。”（1933年12月27日鲁迅致增田涉信）

1932年，冯雪峰送给鲁迅一座台灯，便于他夜间写作。这座台灯底座直径15厘米，插座上有“保久牌协盛厂造”字样，玻璃灯罩为墨绿色，支架和台座都是铜制。《鲁迅日记》1932年10月6日记有：“晚洛扬来并赠桌上电灯一座。”“洛扬”即冯雪峰。此时鲁迅还居住于拉摩斯公寓，到他搬迁到大陆新村之后，这盏台灯就摆放于二楼卧室的书桌上，可见它的实用性和方便度都非常好，为鲁迅所喜爱，陪着鲁迅度过无数个辛勤工作的夜晚，见证了上海时期鲁迅的匕首投枪。

1932 年冯雪峰赠鲁迅绿罩台灯

冯雪峰（1903—1976）是中国现代文学史上的著名诗人、编辑家、翻译家，左翼文艺运动的重要领导人之一。他既是鲁迅扶持奖掖的青年作家，也是沟通鲁迅和中国共产党之间的桥梁。许广平在《欣慰的纪念》中谈到冯雪峰与鲁迅之间关系时说，“自到上海以后（1927—1936）的十年间，以冯雪峰比较可以算是他的通人”。许广平追忆当年冯雪峰对鲁迅先生感情很好，“时向先生质疑问难，甚为相得”。而鲁迅对冯雪峰“不是以导师出现，正像一位很要好，意气极相投的挚友一般”。

冯雪峰和鲁迅交往密切，其中共同办刊物是他们众多合作的一种。1929 年秋，冯雪峰与鲁迅准备筹办《萌芽月刊》。《萌芽月刊》第一卷第一期原计划是元旦创刊（刊物上印的出版时间为 1930 年 1 月 1 日），而实际上由于准备充分，该刊于 1929 年 11 月就已经出版。（《鲁迅日记》1929 年 11 月 25 日记载：收《萌芽》稿费泉四十。）鲁迅亲自参与计划内容、收集材料和设计封面、版式等。主要撰稿者有鲁迅、冯雪峰、柔石、魏金枝、张天翼、夏衍等。1930 年 3 月 2 日，“左联”正式成立，《萌芽月刊》自第一卷第四期起成为“左联”机关刊物之一。冯雪峰整理鲁迅在“左联”成立大会的讲话稿《对左翼作家联盟的意见》一文，经鲁迅过目修订后发表。《萌芽月刊》出版至第一卷第五号遭查禁。

许广平在《欣慰的纪念》中回忆两人合作，“敲门声响，他来了，一来就忙得很，《萌芽》《十字街头》《前哨》等刊物的封面、内容固然要和先生商讨，要先生帮忙。甚至题目也常是他出好指定，非做不可的。有时接受了，有时则加以拒绝。走出了，往往在晨二三时。”冯雪峰在《回忆鲁迅》中也有对他与鲁迅共同编刊的生动记述：“1931 年‘九一八’至 1932 年‘一·二八’之间，我都住在他所住的公寓最下一层（他住在三层楼），和他共编着《文学导报》与《十字街头》，我们工作大都在深夜——在那些深夜中他的情绪都是兴奋愉快的。……大半都在许广平先生等已经睡了的时候，我到他那里去，告诉他已经有哪些文章，还缺乏怎样的文章和需要多少字数，他就说：‘我来凑一点。’或者从案头拿给我已写好的文章，说有多少字，那么，还少多少字，也由他再写一点。这样就算编好一期了。于是拿出饼干之类的点心来，就在暗暗的台灯之下轻声地谈起来。轻声地谈，是因为人们都已经睡觉，四周已经很静寂的缘故。他的心神实在显得快乐，并且像年轻人一般天真，话大半都是这样开头的：‘我这样想，……’”

鲁迅与冯雪峰的一张著名合照，则拍摄于 1931 年 4 月 20 日。这是两人编完《前哨·纪念战死者专号》后，由鲁迅携家眷邀冯雪峰一家同往春阳照相馆照相，作为留念，可见《前哨》的重要性。1931 年 2 月，“左联”五烈士柔石、胡

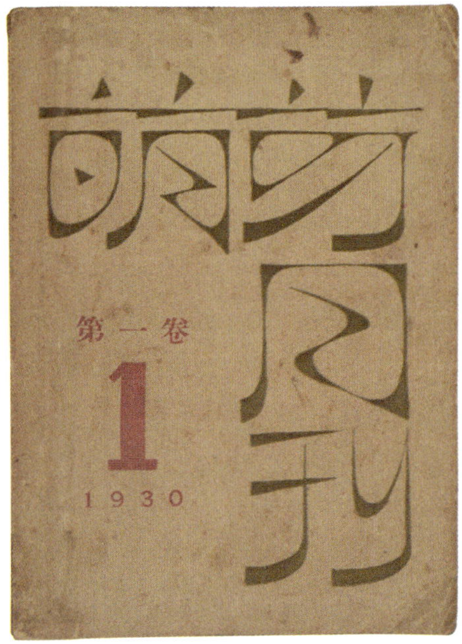

光华书局出版鲁迅、冯雪峰主编《萌芽月刊》第一卷第一号

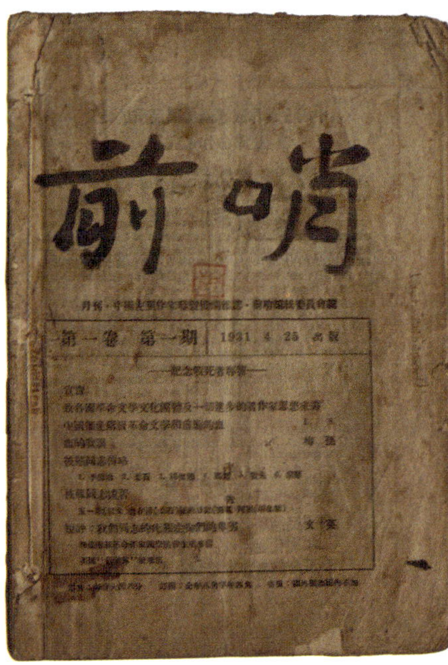

1931 年 4 月 20 日，鲁迅与冯雪峰等秘密编印的《前哨》，实际出版在七八月

也频、殷夫、冯铿、李求实牺牲后，冯雪峰和鲁迅深为悲痛，商量出版《前哨》，创刊号即为“纪念战死者专号”。这期《前哨》刊头上书“中国左翼作家联盟机关杂志”，作为“纪念战死者专号”，主要内容有：《中国左翼作家联盟为国民党屠杀大批革命作家宣言》，有《为国民党屠杀同志致各国革命文学和文化团体及一切为人类进步而工作的著作家思想家书》，有鲁迅署名“L · S”的《中国无产阶级革命文学和前驱的血》（题目为冯雪峰所加），有冯雪峰署名“文英”的短评《我们同志的死和走狗的卑劣》以及鲁迅写的《柔石小传》和其他烈士的小传与照片等。

楼适夷在《记“左联”的两个刊物》和《怀雪峰》两文中回忆了印刷《前哨》的曲折经过。由于当时没有厂家敢承印，冯雪峰好不容易通过本家亲戚，在虹口横浜桥附近找到了一家小印刷所，但老板承印的条件非常苛刻，不仅要几倍的排印费，而且不准印上刊头和照片，同时从排版到印刷必须一个晚上完成，并且要有“左联”的人留在印刷所，天亮以前还必须把成品立刻搬走，等等，这些条件冯雪峰都一一答应了。烈士的照片是在拉摩斯公寓地下室——冯雪峰家里印的，报头“前哨”两个字由鲁迅手书后，将两个字分开，分别找人刻制，然后把当夜打印好的成品，天亮前用黄包车运到冯雪峰、楼适夷、江丰等人家中，分别敲印刊头、粘贴照片，装订成册。楼适夷说，他熬夜坐在阴森森的机器房里，陪着工人说笑话，买香烟、点心请客。在家里把刊物装订好再一处一处发送出去，多余的藏在床底下，喘一口大气，然后乘着朦胧的夜色，在冷清的马路上散步。

这一期秘密发行的《前哨》出售了两三千份，并通过史沫特莱、尾崎秀实等外国友人传到了国外，得到了国际革命作家联盟及德、英、奥、日等国革命作家的声援。为避免敌人的注意，从第二期起，《前哨》改名为《文学导报》。

冯雪峰是少数经常由鲁迅邀请共度节庆如除夕、生日的好友，1933 年 9 月 22 日的《鲁迅日记》中记载：“是日旧历八月三日，为我五十三岁生日，广平治肴数种，约雪方夫妇及其孩子午餐，雪方见赠万年笔一支。”“雪方”即“雪峰”，万年笔是日语，即自来水笔。这支康克令金笔由美国康克令公司生产，胶木笔杆、镀金钢夹，铱金笔头，笔帽上印有“Conklin PAT.5.28 1918”，笔杆上印着“PAT. NOV.17.1925”，是冯雪峰在鲁迅 53 岁生日时赠送的。

康克令的英文即 Conklin，是美国人 Roy Conklin 在 1899 年发明的一种钢笔，美国小说家马克 · 吐温对它情有独钟。这种由 Roy Conklin 发明的“新月上墨”自来水笔，现今被认为是世界上首批实用有效的自来水笔。这种装置很简单：一个突出的新月形金属依附在墨囊压柄上；当新月金属被按下时，墨囊紧缩吸入墨水。吸墨之后，利用一个锁环来卡入新月防止意外按下造成涌墨。

1933 年冯雪峰赠鲁迅康克令金笔

1902 年罗伊 · 康克令（Roy Conklin）与合伙人 H · E · 费希尔（H.e.Fisher）在美国俄亥俄州的托莱多市（Toledo）正式建立了康克令制笔厂。直到 20 世纪 20 年代前期，康克令仍然是美四大钢笔制造商之一，1929 年康克令水笔公司日产量 4600 支墨水笔和笔台，并出口至 86 个国家。

康克令钢笔是永安公司独家代理的商品，为了促进销售和增加销量，永安公司通过独特的广告、营销策略，将高贵时尚、科学耐用、舒适美观等一系列现代消费观念赋予康克令。被永安公司用现代消费观念打造的明星产品康克令，在永安商场的售价是国产钢笔的 10 倍，它属于有文化人群所使用的物品，是文化身份的象征物，也受到当时年轻学子的青睐，成为昂贵的馈赠之物。

这些珍贵的文物和史料，就像历史的守护者，默默地见证了鲁迅与冯雪峰之间的深厚友谊，同时也为我们揭示了 20 世纪二三十年代那段风云激荡的岁月。冯雪峰在他的《探日》诗中写道：“夸父欲探日出处，即行与日竞奔波。直朝旸谷飞长腿，不惜身躯掷火涡。饮尽渭黄不止渴，再趋北泽死其阿。英雄建业多如此，血汗曾流海不过。”这正是他们所展现出的“九死而不悔、虽万千人吾往矣”的精神写照。这种精神将永远激励着我们，砥砺前行。

[illegible]包

先取出三日或微乾，以待片晷翻[illegible]中，

新鮮亦含淡或易醃，[illegible]化[illegible]之屋[illegible]難

變的

[illegible]作（不要搭舊）

屋[illegible]甚[illegible]酒，糖少汁，熱鍋炒數下，

[illegible]三[illegible]物好

[illegible]或可[illegible]回

寻常烟火

故居的土冰箱和火钵

杨雅茗

1933 年 4 月，鲁迅携许广平和儿子周海婴正式迁居位于施高塔路(今山阴路)的大陆新村 9 号，直到 1936 年 10 月鲁迅在该寓所中病逝，在此总共居住了 3 年半的时光。鲁迅在上海时期的生活水平究竟如何？关于这个问题，学界已有许多相关的论证。不可否认的是，毕生都在为中国新文化的发展和民族觉醒而奔波的鲁迅，直到临近晚年时，才得以入住大陆新村这般质量、条件较好的公寓，且入住时的家具大部分是从先前居住的寓所——拉摩斯公寓中搬来的旧家具，足可看出先生之俭省朴素。

大陆新村设计开发于 1931 年，是那一时期新式里弄的代表性建筑，家家户户装设有自来水电、煤气管道、热水锅炉、进口浴盆及马桶等现代化设施，这在当时是非常先进的。今天的上海鲁迅故居即按照鲁迅在此生活时的原状来陈设，透过故居现存的一些房屋设施和家具、器物，依稀能看见当年鲁迅家庭生活的影迹。尽管内中一切都经过了岁月洗礼，我们却不难发现当年房屋里的那些“新玩意”：带烤箱的洋式炉灶，精巧的洗手池（面盆）、便利的抽水马桶、宽敞的浴缸……但除这些之外，还有一些不起眼的“旧东西”。这里所说的“旧”不仅指它们的年代久远，更指这些器物所具备的传统属性和功能，与这所现代化建筑形成的一种对照，而这种对照，恰恰更能够反映出鲁迅先生的生活本味。

当人们走进鲁迅故居，走到从饭厅通往楼梯间的门边，便能看到一只十分寻常的方形“木柜”。这只木柜高约 67.5 厘米，表面也没有什么装饰花纹，与其他家具相比并不起眼，人们如果稍不留心，很容易就忽略了它的存在。其实这并不是一只简单的柜子，而是一台老式家用冰箱，俗称“土冰箱”，在夏季时可作冷藏瓜果蔬菜之用。

“土冰箱”这个东西，对于今天的人们来说可能有一点陌生。在如今几乎家家户户都用得上电冰箱的时代，土冰箱这种传统的冷藏保鲜用具离我们的生活已比较遥远。土冰箱的冷藏保鲜原理可追溯到战国时期的铜冰鉴缶，又称曾侯乙铜冰鉴缶，那是一种双层的组合器具，外层为青铜鉴（一种盛水器具），内层放置一方形缶（一种可盛水盛物的器皿），在青铜鉴和方形缶之间的间隔内放置冰块，就能实现类似于现代冰箱的冷藏功能。曾侯乙铜冰鉴缶是古人智慧的结晶，其存在也证明了中国早在先秦时期就发明和使用"冰箱"了。唐宋时期的人还总结出一套硝石制冰法，在一只大容器中盛满水，同时在其中放入小一些的容器，小容器同样加满水，然后往小容器的水中投入硝石，硝石溶解时会吸收大量热量，这样不仅使小容器中的水结冰，大容器中的水也会结冰，此法中容器的原理和铜冰鉴缶比较相似。在宋代《槐荫消夏图》和元代画家刘贯道所作的《消夏图》中，也出现了类似于鉴一类的容器。

到了清末至民国，除了有可用来存放冰块和冰镇食品的冰桶，还有了一种更接近于现代的冷藏器具——冰箱。当然，最先出现的冰箱并不是今天的电冰箱，而是老式冰箱，这种冰箱以方形、柜式、木制的居多，箱体通常由白桦木和松木等材料制成，内部使用隔热性强的材料，这样一来，冰箱内的冷气不容易散失，也减少了外部热量对箱内的影响。由于这种冰箱沿用的是古时候流传下来的传统冷藏方法，并未接通电力，通常需要依靠更换冰块来保持冷藏效果，为了与电冰

土冰箱

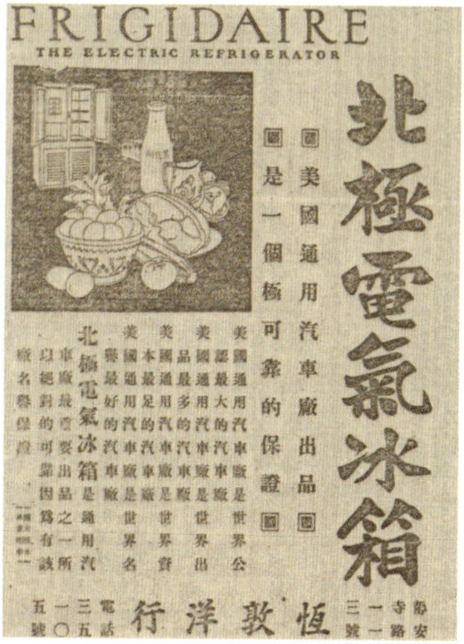

北极电气冰箱广告，《申报》1928 年 7 月 24 日

箱区分，往往俗称其“土冰箱”。直到今天，在某些城镇或乡村仍能见到在街头售卖冰棍的小贩，他们使用的就是这种简易土冰箱。

鲁迅故居内的这台土冰箱属于最常见的方形柜式，其外部材料为木质，内部的一层铅皮起到保存冷气、阻隔外界温度的作用，铅皮上有锈迹，冰箱的其中一只木脚有裂痕，但总体保存较为完好。这种老式冰箱在 20 世纪 30 年代已经不算稀罕物件，出现在鲁迅的家中，似乎不足为奇。然而，若结合大陆新村建造时的情况和房屋的特征来看，就会发现一些疑点。大陆新村是由当时称“北四行”之一的私营大陆银行上海信托部投资建造，主要面向其高级职员和对外出租，由于房屋设备齐全且相当便利，也曾吸引不少文化人士和外国侨民落脚。1994 年，上海鲁迅纪念馆工作人员曾对大陆新村的老住户进行过走访调查。袁邦嘉是 1956 年大陆新村公私合营的业主代表之一。据袁老先生介绍：“大陆新村的房子造价很高，砖瓦、水泥等建筑材料都是从欧美进口的，辅助设施也相当考究，煤气灶、浴缸、冰箱都有的，为了便利电冰箱使用，每幢房子的墙壁内还装有马达电线路，后来这些线路被有关部门拆除了。”

事实上，虽然鲁迅故居中只有一台土冰箱，但在当时的上海，从欧美流传过来的电气冰箱早已步入市民的家庭生活。1873 年，德国科学家林德发明了以氨为制冷剂的冷冻机，并于 1879 年制造出了世界上第一台人工制冷的家用冰箱。电冰箱率先在德国和美国打开市场，直到民国时期传入中国后，中国人才逐步走入“电冰箱”时代。当时的电冰箱更讲究实用功能，外观风格简洁，造型一般为长方形，分为上下两部分，上部为冷藏室，下部放置制冷设备。20 世纪二三十年代《申报》广告中出现过的电冰箱品牌就有北极电气冰箱、开文电器冰箱、奇异电气冰箱、威斯汀电气冰箱、顶好电气冰箱等多种，其中以 1926 年建立的北极电冰箱公司较为知名。电冰箱能够延长食物的保鲜期，延长了食物存储的时间，也符合上海市民对身体健康和饮食卫生的进一步追求。

那为什么鲁迅故居中并没有发现电冰箱呢？老业主的回忆是否一定符合实

际？查阅上海市档案馆保存的大陆新村房地产经历报告书，有当年关于该房屋建材的具体说明："本里房屋仿照最新式建筑，一切设备齐全""一切木料均用美国松""第二层浴室内装'STANDARD'牌浴盆一只，强生牌马桶一只""各厨房内装设热水小锅炉一只及煤汽（GAS）以供住户需要"，等等。这份报告对于房屋建材和配备设施的说明是比较详尽的，比如，浴盆的品牌应该是创立于19世纪末的美国卫浴品牌American Standard，马桶也是知名的美国"强生牌"，这些都有提及，却没有关于配备电冰箱的记录，好像不太符合常理。所以鲁迅故居中没有电冰箱的原因可能有二：一是鲁迅在租下这间房屋之时就没有配备电冰箱；二是鲁迅入住这间寓所时有电冰箱，而电冰箱需要一直供电保持制冷功能，所耗电费不菲，显然是土冰箱使用起来更加经济实惠，于是这台电冰箱被移走或处理掉了，这也符合鲁迅一贯的节俭作风。

除了土冰箱，鲁迅故居内的另一件"旧东西"也能映照出鲁迅的生活方式，那是一只日式檀竹火钵，即一种烧煤取暖的火盆，现放置于鲁迅故居客厅的西南角，由于年代久远看上去有些陈旧。大陆新村在建造时不仅装设了管道煤气，还配备有煤气暖炉，住户可通过管道输送的煤气来使用煤气炉取暖。除了煤气炉，房屋还配备了一台带多功能烤箱的煤气灶，听上去甚为便利。那为何鲁迅家中还会出现这种老式的火盆呢？

别看这只火钵外形普通，它的来历却伴随着一段惊心动魄的历史——1932年1月28日夜，驻沪日军向闸北的中国驻军发起攻击，"一·二八"淞沪抗战爆发，此时鲁迅尚住在属于闸北界的拉摩斯公寓，战火烧到了眼前，不得不外出避难。在当时动乱的战争环境中，除了中国居民，　·些日本居留民的人身财产安全也受到威胁，包括鲁迅友人、内山书店的老板内山完造。只因内山完造为中国友人提供了帮助通过岗哨的名片，就受到所谓日本"自警团"的威胁恐吓。内山完造在当时还救助了30多名被困的日本人。由于鲁迅一家已外出避难，拉摩斯公寓的房屋空置，内山完造就将避难的日本人安置在鲁迅的寓所，这些日本人才算躲过了此劫。事后，这些日本人为感谢鲁迅，集体以这只檀竹火钵相赠，于是就有了鲁迅在1932年4月23日日记中的这一笔："昙。晨与田君等四人来，并赠檀竹合成火缽一枚。"

传统的日式火钵以圆桶形居多，一般以梧桐木作为外壁，内层为铜胆。鲁迅的这只则是以檀竹为框架，内部火盆为铝质。在周海婴的记忆里，无论煤气暖炉还是厨房的煤气灶，实际使用的频率都不高——煤气炉可以使烧热的水直接通到浴缸的龙头，"但是此锅炉的热效率太低，燃料极不经济。""厨房间也配备煤气灶，

檀竹火钵

不知是因为燃气价格贵还是用不惯‘洋玩艺儿’，每家都弃之不用，大多仍是烧煤球炉，每天早晨拎到弄堂生火，用柴火引燃。”(周海婴《鲁迅与我七十年》)就如周海婴所说的，也许是“用不惯”，也许有经济方面的原因，鲁迅一家在冬天使用较多的仍是烧火的煤炉，而非公寓配备的新式煤气炉。不难想象，这只檀竹火钵燃烧时产生的融融烟火气，曾为冬日里伏案工作的鲁迅驱除了多少寒意！

民国时期的上海，在种种历史、政治和地缘因素的作用下成为当时远东最大的国际性都市，市民生活的现代化水平堪居全国前列。1912 年的《申报》就已这样说:“从前家中陈设不过榆树器具，及磁瓶铜盆，已觉十分体面，今上海人红木房间，觉得寻常之极，一定要铁床、皮榻、电灯、电扇，才觉得适意。”而到了 30 年代左右，自来水和电路、煤气设施日趋完善，各种用途的新式家电层出不穷。在大陆新村，只要经济条件允许，住户们不仅能够在炎热的夏季使用电冰箱保鲜食物，还能在寒冷的冬季使用更方便、洁净的煤气暖炉，生活水准不亚于当代社会。大陆新村这所“新居”确实在一定程度上改善了鲁迅及其家人的生活质量，但另一方面，鲁迅对家中的“新鲜”事物并不是全盘接纳的，他的生活态度仍倾向于质朴的实用主义，永是“精神胜于物质”的。于是今天的我们才能够看到那只普普通通的土冰箱和那只承载了中日民间友谊的火钵，以及那些未曾来得及一一介绍的其他朴素的生活器具，它们在大陆新村 9 号的一隅空间，静静陪伴先生体味着生活的冷暖，走过他生命最后几年的人间四季。

鲁迅家中的锅碗碟

邹晏清

还在20世纪50年代初，上海鲁迅纪念馆在筹建时，曾专门请鲁迅夫人许广平女士来沪亲自指导，复原了鲁迅在大陆新村9号居住时的场景，最后形成今天我们看到的上海鲁迅故居的陈列布置情形。故居里存放着许广平捐赠的当年使用过的家具和生活用品。鲁迅在生前即是思想、文化名人，目光如炬、文笔犀利，但在日常生活中，他又是一位重情、亲切、朴素的长者，人间烟火伴着锅瓢碗碟，平实而寻常。

1927年9月底，鲁迅离开广州，10月3日下午抵达上海。来上海前，鲁迅还没有想好到底在这片土地上久住还是暂居，甚至踏上上海滩的那一刻，也还未定去向。在给台静农、李霁野的信中，鲁迅写道："两三日内，也许往西湖玩五六天，再定何往。"（1927年10月4日鲁迅致台静农、李霁野信）虽然最终选择在上海"寻一点饭"，但在上海的近10年里，从最初下榻的共和旅馆，到景云里23号、18号、17号，再到拉摩斯公寓，最终搬入大陆新村9号，即便不算在花园庄旅馆、内山书店、大江南饭店等各个临时避难点的暂住，鲁迅一共搬了5次家，甚至在离世前，还在考虑搬到法租界僻静处养病。尽管每次搬家的理由不尽相同，各个住所间距离也在步行未久即可到达之内，但搬家难免劳心费神，每搬一次家，也总是要整理掉一些旧物、放弃些不易携带的东西。或许，大陆新村家中那些见证生活日常的杯盘碗碟，也曾随着鲁迅多次"流徙"，但总的来说，日常细软、琐碎之物应该多是随用随购、"就地取材"的。

鲁迅在上海生活时使用的碗碟，应该都是在上海购置或是上海的亲朋好友所馈赠。鲁迅初来上海，和三弟周建人碰面后，10月6日便决定在周建人居住的景云里寻找可以租住的房屋。之后在景云里很长一段时间，鲁迅一家都是与周建人请一保姆合着做饭的。即便搬到了大陆新村以后，据萧红说："每逢礼拜六晚上都是这样的，周建人先生带着全家来拜访的。"（萧红《回忆鲁迅先生》）兄弟两家往来非常密切。鲁迅刚到上海时，周建人帮忙张罗生活起居等琐事。按上海老例，出租房子的东家，有的带全套设施配给，也有的仅仅是提供空房，但所谓“贴身”用的家常细碎，如被褥、衣物、餐具等用品，基本都需租户自行解决的。

与鲁迅交往密切的，还有不少“外人”。鲁迅在日记里，还记载了友人或其提携的青年来家中做客，时常带些吃的来。其中主要有三个人，“小峰”“阿芷”和“内山君”。“小峰”即北新书局老板、鲁迅在北大教书时的学生李晓（小）峰，江阴人，偏江南口味，到鲁迅家常送鱼圆一碗；被称为“阿芷”的叶紫，则常带些鱼肉来鲁迅家。后来，鲁迅在内山书店与内山完造结缘，熟识之后两人来往密切，生活上也互有关照。鲁迅住过的北川公寓和大陆新村 9 号，都是以内山完造和书店店员的名义租借的。那时，内山完造夫妇常带些日式菜肴、小食到鲁迅家，如鲁迅在日记中记载的“松茸奈良渍一皿”“新潟酱菜一皿六种”“蒲陶一盘”等。来往多了，有时，装食物的器皿也就留在了鲁迅家里。在上海鲁迅故居的橱柜中，有着不少日本碗盅，曾由内山完造指认是当时送菜时留给鲁迅的，那是内山晚年再来上海，在鲁迅故居“见到橱柜中熟悉的餐具时，他指着碗盅笑着说：‘这些原是我家的用具，给鲁迅先生送菜时一起给鲁迅先生了。’”（周国伟《中日文化交流的使者——鲁迅与内山完造》）今天可以举出蓝纹瓷碗、蓝菠萝瓷碟做说明，这两件餐具都有着浓郁的日本特色，高温釉下的蓝彩，是日本烧制的青花瓷器。蓝纹瓷碗白底青花云纹，素雅而细巧。整个瓷碗内外两面均被连续的蓝色缠枝细纹铺满；碗的内壁上，点缀有数朵蓝色小花图案；密集的蓝色线条构成了小花的三瓣花瓣，线条模拟了花瓣的经脉，中间一条细纹似花蕊，旁边适当留白，花瓣向外伸展的经脉线条，自中间至外围逐渐变粗，在恰当处停留，构成花瓣外轮廓，

蓝纹瓷碗

蓝菠萝瓷碟

刻画十分细腻。一般来说，此碗可盛饭之用，亦可盛不多的日式菜肴或小点心。而蓝菠萝瓷碟则是一个异形碟，整个碟子大致呈白底椭圆形，两头模仿菠萝，呈曲线状。其中似菠萝头的碟内侧，用深蓝色和浅蓝色底点缀细小的菱形白色方块，模仿菠萝叶。碟内底纹呈放射状线条、凹凸状，有一定深度，此碟多用于盛放小食。

鲁迅的口味，喜辣偏硬，如油炸食品、腌制肉类，但这都需要肠胃功能强健才可适应，而鲁迅的抽烟、“开夜车”写作等生活习惯，对于胃都需要特别保护，实际上他胃并不好，“每饭后必吃‘脾自美’药丸一二粒”。（萧红《回忆鲁迅先生》）鲁迅喜欢吃北方菜，当年在上海，许广平一度想请一位北方厨子，但终究觉得每月 15 元大洋的工资开销太大而作罢。于是，每次家中来客人，许广平总是亲自下厨。对待客人，鲁迅总是热情的。相较于“平常就只三碗菜：一碗素炒豌豆苗，一碗笋炒咸菜，再一碗黄花鱼”“菜简单到极点”，家中一旦来了客人，菜式则好了很多：“菜食很丰富，鱼，肉……都是用大碗装着，起码四五碗，多则七八碗。”家中的客人，鲁迅总要陪着到深夜，于是又常备着一些小点心，“那饼干就是从铺子里买来的，装在饼干盒子里，到夜深许先生拿着碟子取出来，摆在鲁迅先生的书桌上。吃完了，许先生打开立柜再取一碟。还有向日葵子差不多每来客人必不可少。鲁迅先生一边抽着烟，一边剥着瓜子吃，吃完了一碟鲁迅先生必请许先生再拿一碟来”。（萧红《回忆鲁迅先生》）

鲁迅家中可以装点心的碟子不少，有最为普通的单色白瓷碟，也有偶有点缀的红边磁盘、荷白瓷盘，最亮眼的或许要数粉彩花碟和蓝竹瓷碟了。粉彩碟是民国时期十分具有代表性的民用瓷质餐具。两组粉红色的花朵对称分布在白色盘面两边，似有花开富贵之意。两组花均由三朵花构成，其中最显眼的那朵颜色呈浅粉色，两朵呈深粉色的花在其后映衬，花的上方伸出一条藤蔓，上有三个尚未开放的浅绿色花骨朵。整个瓷碟用粉绿两色辅以白底，用色朴素。而蓝竹瓷碟似乎更有中式和日式的交融感。白碟上有类似中国画泼墨手法，将浅蓝色块作不均匀泼洒，边缘处，用较深的蓝色，勾勒出形似竹叶状的竹林。瓷碟中间偏右，清晰地绘制了粗细两根柱子，竹节明显；左上侧则有一只蓝色的小鸟从竹林中掠过。整个画面主次明显，重点突出，竹、鸟交相辉映，极具灵动感。

红边磁盘

荷白瓷盘

粉彩花碟

蓝竹瓷碟

牛奶锅

鲁迅家中的碟不单是用来装零食点心的。在鲁迅晚年病重期间，许广平每餐都将饭菜亲手端到鲁迅居室中，“每样都用小吃碟盛着，那小吃碟直径不过二寸，一碟豌豆苗或菠菜或苋菜，把黄花鱼或者鸡之类也放在小碟里端上楼去，若是鸡，那鸡也是全鸡身上最好的一块地方拣下来的肉；若是鱼，也是鱼身上最好一部分许先生才把它拣下放在小碟里”。（萧红《回忆鲁迅先生》）十年携手共艰危，以沫相濡亦可哀。这碟里盛过的，不仅有小吃和许广平亲手挑拣过的小菜，更盛满了许广平对鲁迅深切的爱。只是那时的鲁迅身体已十分虚弱，“半个钟头之后，到楼上去取这盘子。这盘子装的满满的，有时竟照原样一动也没有动又端下来了”。（萧红《回忆鲁迅先生》）

鲁迅病中，医生嘱咐他要多喝鸡汤和牛奶。因此，许广平总是煲鸡汤、热牛奶给鲁迅喝。鲁迅家中有诸多铝制锅具，这些在上海人生活中并不鲜见，甚至到20世纪90年代，上海人家中还是多用这类铝制锅具。鲁迅家的铝锅中，有一只专门煮牛奶的小锅，相较于其他锅具很是小巧，恰好适合烧一瓶200—300毫升的牛奶。鲁迅久病不愈，因此许广平为他热牛奶便成了常事。长期的使用，使得牛奶锅的盖子螺帽已经脱落，勉强用麻绳穿起，底部也有不慎碰撞留下的“瘪塘”，但黑色木质手柄依然完整，可以供女主人将锅提起，把牛奶从锅嘴处倒出。不知鲁迅是否每天将牛奶作为“食疗”全部喝完，但对于医嘱的鸡汤，许广平坦言：“周先生平常就不喜欢吃汤之类，在病里，更勉强不下了。”（萧红《回忆鲁迅先生》）

鲁迅家中的锅、碗、碟，伴随着鲁迅在上海的日常生活，见证了鲁迅最后的生命历程。这一锅、一碗、一碟，均朴实无华，却蕴藏着世人不易觉察的寻常鲁迅的点点滴滴。

再研究《鲁迅家用菜谱》

——向敏艳

关于鲁迅的日常膳食，上海鲁迅纪念馆藏品中有两册许广平亲笔记录并捐赠的“菜谱”可资佐证。它用钢笔写在学生做作业用的练习簿上，内容包括两部分：第一是记录做菜食材、步骤的真正属于菜谱性质的“菜谱”；第二即大部分篇幅，是某时段内（连续半年多）每天两顿菜肴的名称和菜金统计，性质属于家庭买菜开销账目。按老上海人家庭开销记账习惯，这些账俗称“豆腐账”，这两册账本也应该归入此类。此组文物当年在馆藏品中名为“菜单登记簿”，馆保管部王寿松曾按手迹作大部分释文并定名《鲁迅家用菜谱》，同时发表研究说明《鲁迅生活的真切记录——关于<鲁迅家用菜谱>的说明》(以下简称“王文”)；施晓燕《鲁迅在上海的居住与饮食》一书中沿用，并设专章《鲁迅家用菜谱疑云》予以讨论，因此，“菜谱”一词来称鲁迅一家日常饮食虽然不够准确但也大体不差，至少在更贴切的命名确定之前，暂可沿用。笔者在阅读原件图片基础上，对此菜谱有几点补充，写在下面仅供参考。

一、菜谱封面图案与出品年代

这两册“菜谱”练习簿是同一品种，封面图案完全相同，只是第一册封面连内页第一至第五页左上角有残缺，造成部分文字内容缺失；好在因为封面一致，可以从第二本完整图案里获得全部信息。封面上，印有英文“Exercise Book”（练习簿）、“name”（姓名）、“THE WING ON CO.(Shai)LTD.”（上海永安公司）字样；中间是一幅剪影式版画：两员戴国军军帽的战士正端着插着刺刀的枪冲向有铁丝网的阵地，天上掠过一架双翼战机，烟云弥漫。这样的图文比较明确地传递了两个信息：第一，练习簿系上海永安公司出品或定制专用；第二，战斗画面反映的是某次战役或战争。

永安公司便是南京路上与先施、新新、大新并列的“后四大”商业百货巨头之一，其规模在“四大”中位列第一。永安最早由旅居澳洲的广东香山（今中山）籍华侨郭乐、郭泉兄弟于1907年在香港创办，起名“永安环球百货公司”。1918年9月5日，在今上海南京东路635号建成主楼6层的上海永安公司并开业。上海永安起初沿袭香港公司业务特点，以经营“环球百货”即进口洋货为主，消费对象定位在中上层人士。自第二代掌门人郭琳爽1929年上任，开始注重国货比例，“推销中华土产”成为与舶来品并重的经营方针。1932年至1933年，又扩大规模，在紧邻老楼以东、隔浙江路的今南京东路627号，建成19层高的三角形摩天大楼，此楼人称“新永安公司”；更重要的是，“在新大楼开幕时，公开征求国产货物，分门市推销及运销出口。因此，新永安公司大楼所设商场成为经营国货的重要阵地”。而在上海沦陷时期，永安支持抗战，捐款捐物，还创办《永安月刊》，“揭露战争带来的灾难和民生疾苦，讽刺社会不公和民间陋习，成为战时上海最具代表性的通俗读物之一”。（陈祖恩《南京路：历史与风景》）鲁迅1935年12月30日日记载：午后“往永安公司买药三种，五元六角。”由于老板郭琳爽是广东籍，故永安公司招聘店员多用在沪广东人，许广平前往购物时，因乡音乡情想必会更感亲切。

练习簿封面上的战士和飞机，令人联想到20世纪上半叶，国土上几乎接踵不断的硝烟。辛亥革命、军阀混战、北伐，一直到日本侵华及中国军民随之而起的抗日战争，均波及民生并引发公众风潮。鲁迅定居上海的1927年，恰是一个关键的历史节点。战斗方面的大事，就是上海工人第三次武装起义胜利，北伐军占领上海，赶跑了军阀。但从纯军事角度看，这次战斗并非大规模正规战，而主要是由工人武装向驻扎上海的直鲁联军毕庶澄部发起攻击。战斗中工人因缺乏经验和武器使用技能而牺牲300余人、伤千余人。（赵鹏《上海工人三次武装起义》）当时作为正规军的北伐部队“挺进到上海附近，敌海军在3月14日宣布归顺

《鲁迅家用菜谱》（永安公司练习簿）封面

北伐军，上海已处在包围之中”，而工人武装的主要作用是对直鲁联军形成合围压力，同时租界里的外国武装虽然作好自卫准备，但随着工人武装解放上海，对其他武力的解除都可谓兵不血刃。

鲁迅时代，上海真正饱经战争创伤、生灵涂炭之役，是由于日寇的入侵，即瞿秋白编写时事唱本之名——《东洋人出兵》。第一次是 1932 年“一 · 二八事变”后驻防上海的国军第十九路军淞沪抗战。第二次更加激烈而著名的战役，即 1937 年“八一三事变”后的中日淞沪会战。“……会战的三个月中，上海各界以空前的爱国热情，成立了难计其数的抗日救亡团体、战地服务团、救护队、慰劳团等，捐款捐物、抢救伤员、运输军需、助筑工事、护送难民等，有力地支持了抗战。”上海还是“抗战时期内迁工厂的主要来源地”“是世界反法西斯力量的奇妙集合之地”“是如实报道中国抗战情况的媒介基地”，成为全国抗日救亡运动的中心。同时，“在‘八一三’淞沪抗战期间，当时的中国空军以弱战强，取得了‘八一四’空战的大捷。8 月 15 日，中国空军继续扩大战果，在南京、上海、杭州同时与日军舰、机作战。此后，在长三角上空，以及 8 月 31 日在广州上空，中国空军与日本空军接战达半月”，涌现出高志航、乐以琴等空军英烈。（姜浩峰《追记“八一三”淞沪抗战中国空军军魂》）

再看练习簿封面图案。郭琳爽是孙中山同乡、进步的爱国实业家，“八一三”抗战中永安公司被日军炮弹震碎全部门窗玻璃，永安公司无所畏惧，依然向抗日前线积极捐献钱物。那么，作为商品兼宣传品上的画面，在北伐和抗战这两个主题里，更有可能表现的是哪个？翻开北伐美术史，查到 1945 年出版的一本谈漫画创作的小册子对北伐军的美术宣传给予高度评价：“记得民国十六年北伐军到上海的时候，军队中组织有政治宣传部，他们就用图画来作宣传主义的重要工具，非但能贯彻地把主义灌输到民众的心坎内，而且更藉了图画的抒发力量，引起民族的奋进。”作品主题主要是紧扣北伐口号的《打倒列强》《打倒军阀》《打倒土豪劣绅》等（吴继金《北伐战争中北伐军的美术宣传》），其强调的是抽象的“打”，比如画一根巨棒打向象征帝国主义的“洋鬼子”和军阀之类。而抗战美术主题，则在表现国破家亡（如丰子恺漫画《轰炸》）、疾呼救国（如李桦木刻《怒吼吧，中国》）、鼓励参军（如胡一川木刻《到前线去》）的同时，也突出具体的“战”，是《黄河大合唱》歌词“端起了土枪洋枪，挥动着大刀长矛”式的形象画面，展现的是民族危亡下保家卫国的具体行动。木刻版画此时特别体现了鲁迅所希望和预言的优势：“当革命时，版画之用最广，虽极匆忙，顷刻能办。”（鲁迅《新俄画选 · 小引》）而且版画轮廓分明，视觉冲击力强，因而出品尤多，包括明确刻画正面战场的作品如《台儿庄》，还有集中战斗要素的武器、战士、壕沟、铁丝网、战火硝烟等作品，典型的如李桦 1936 年作《黎明》。（李杭《李桦日记，一九四四》）而练习簿封面画面即和这幅《黎明》在构图要素上非常接近，只是多了一架飞机。可见这类构图与画风在当时比较盛行，绵延多年。

综合观察分析，永安公司练习簿封面的战斗场面版画，更多可能反映的是抗日而非北伐；而抗日战役中，最早即是 1932 年的十九路军淞沪战役，也是这本练习簿出品的年代上限。

李桦版画《黎明》，《李桦日记，一九四四》，李杭编，人民美术出版社 2015 年版

二、菜谱释文的补充

这两册“菜谱”内容前后连贯，第一册开始有 3 页（面）记十三种（类）菜肴或点心的制作，菜名和开头几字残缺，依次是“……油炸成球”“炒腰花”等。这开头部分才是真正的“菜谱”，记录做菜原料和方法步骤。王文既称为“家用菜谱”，却没有将这部分菜谱作出释文，现依原件原文图片次序作释文如下（一律按原文释出，如“鸡蛋”原文有作“鸡旦”，“豌豆”作“宛豆”等，均不改动）：

……匙……成蓉（随便，酒少许，盐少许，水少许），共为厚浆，油炸成球。

炒腰花。腰二只，去筋、皮，洗净，刀划花，酒、盐腌起码十分钟，炸前开水泡二三次，后放热油锅炒，数分钟起锅，配料：冬菇、冬笋、菜心，姜少许，先炒熟。

炸面包。面包先放两三日，或烘干。切薄片骨排大小。虾仁斩碎，加冬笋，或马蹄，加盐，放在面包中心，卷起鸡旦白在外搽过，油炸。

炒虾仁（不要酱油）。虾肉，蛋青，盐、酒、糖少许，热锅炒几下，冬笋、宛豆先炒好，共和数下起锅。

蛋壳成只酿肉。冬菇，冬笋，虾米，猪肉，糟酒，盐，酱，共为末，和好，入旦内使满，封好，放锅中蒸熟。食时去壳，放熟白、青菜为底，盛盘取出。

饺子。蒸。温水煮。冷水。冬菇，猪肉……

炸山芋球。洋薯一斤（十个中大），煮熟，泥烂，加咸饼干二三块，碎后承……

猪肉四两，冬笋二只，冬菇，斩碎加味。做成饼，蛋、面包粉搽，炸。

烤鸡（头脚不要）。鸡洗净，外擦盐，隔十五分。内面包、冬菇、火腿、虾仁、干贝，碎入鸡内。入火烤一钟，先中火，后细火，换上格，壹钟好。

炸油条。面粉二茶杯，盐少许，旦一只，糖三茶匙，牛奶半杯，溶化牛油二汤匙，洋薯二个煮熟，连上合搓匀成饼，中或放糖酱，油炸成。

红枣糕。红枣一斤，糯米粉一斤，温水搓。糖半斤（×）或四两。红枣水温连枣肉搓粉，加合桃、松子、猪油丁，急火蒸半时左右。

……煮极烂，做成沙。

酥皮饼。一碗粉，冷水搓；一碗粉，猪油搓至软。先分擀，后每样一块和擀成饼。

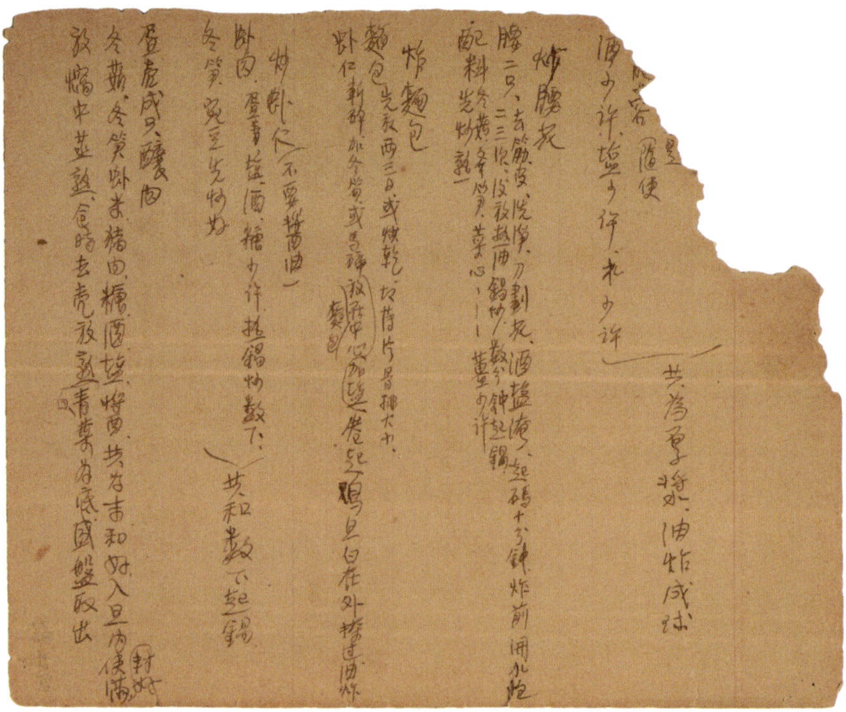

《鲁迅家用菜谱》内页

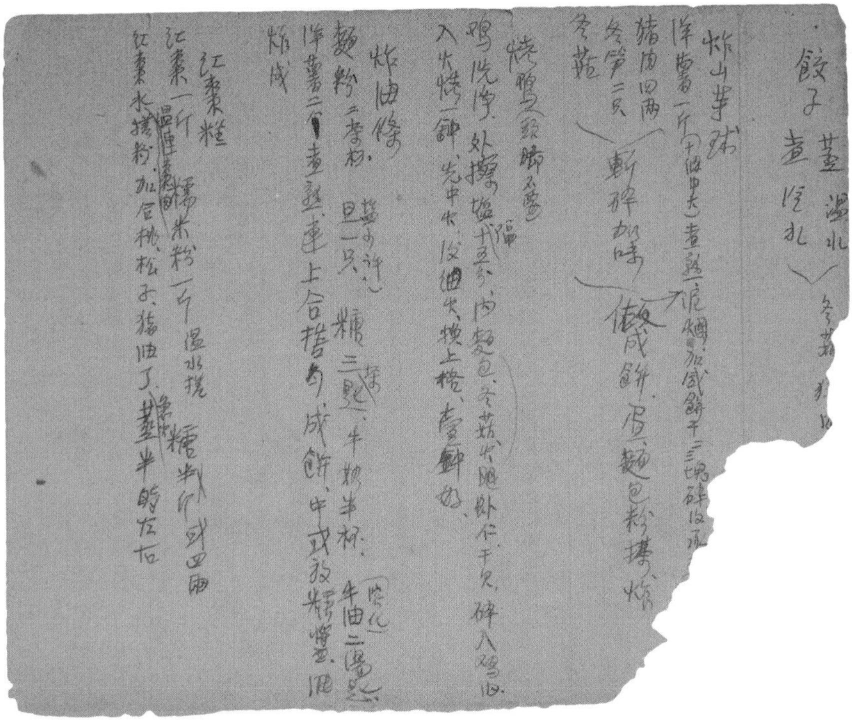

餃子 蒸 溫水
煮 冷水 冬菇 猪……

炸山芋球
洋薯一斤（中個中大）煮熟，泥爛，加咸餅干三塊碎後……
猪肉四兩
冬筍二只
冬菇
斬碎加味 做成餅，蛋，麵包粉撲，炸

燒鴨（須肥鴨）
鴨洗淨，外擦鹽，五分，內麵包、冬菇、火腿、蝦仁、干貝，碎入鴨肚，入火燒一鐘，先中火後細火，換上椅，壹鐘好

炸油條
麵粉二斤，鹽少許，蛋一只，糖三匙，牛奶半杯，牛油二湯匙（溶化）
洋薯二只煮熟，連上合搓勻成餅，中或放糖或鹽，
炸成

紅棗糕
紅棗一斤（溫水泡）糯米粉一斤 溫水攪 糖半斤或四兩
紅棗水攪粉，加合桃、松子、猪油丁，蒸半的左右

酥皮餅
一碗粉 冷水攪
一碗粉 猪油攪至軟
先分捍，後各摞一塊合捍成餅

煮栗糊 做成

內餡 鴨鬆、魚鬆、蝦鬆
肉兩斤 急火開後慢火煮栗糊，加松二湯匙，酒二匙，八角一隻，桂皮小許，糖半茶匙，鹽少許
攪糊慢火炒成黃色而成

肉松，鸡松，鱼松，虾松。肉两斤，水二汤匙，酒二匙，八角一只，桂皮少许。急火开后，慢火煮极烂，加糖半茶匙，盐少许。搁烂，慢火炒成黄色即成。

从文本阅读，这部分菜谱给人总的感觉是：措词造句信手拈来，偶有笔误，格式自由，菜名并不规范，点心也夹杂其中。因此，初步可以认为，这部分菜谱并非抄录自现成的某本菜谱出版物或摘录自报刊，倒更像是许广平对于自己烹饪实践的回忆整理，也有可能是听某厨师、家庭主妇叙述之后的回想记录。总之，这部分内容是许广平觉得有实际需要而写的。

三、菜单和菜金登记分析

练习簿菜谱的大篇幅“正文”，是从某年11月14日上午到次年6月1日下午“今日止”的6个半月时间里每天两顿菜肴清单和菜金统计，即家庭买菜账。阅读之后可归纳出如下特点。

其一，菜名详略不一。一般的，包括食材加烹饪方式如“笋炖肉”“津菜炖鱼丸”等；详细的，会在菜名后加括号写明辅料如“炒面筋（冬菇、冬笋）”等；简略的，只列原料，如“鱼”“青菜”等。

其二，菜量少而价廉。在开始月余（11月14日至12月20日）每餐包括一大荤（如“洋薯炖鸡”）、一小荤（如“炒海参”，用“木耳、菜心”做辅头）、一素菜（如“卷心菜”）共3个菜，菜金每顿2角5分；自12月21日起，每顿增加一小荤成4个菜，菜金增加到4角。以后还有几度增减。自次年1月20日起，菜单不再每日计价（后面偶然标一顿菜价），而是10天记一次如“廿一—卅日十天8元”，则每天8角。自2月28日起，又恢复为每餐二荤一素，菜价也回到每顿2角5分即每天5角。鲁迅1929年5月15日致许广平信谈到赴北平探亲在火车上吃的夜饭价为1元半，扣除物价波动及火车餐费贵于日常等因素，相比之下，这个居家伙食的费用是低廉的。

其三，食材中鱼较多。如12月31天中29天有鱼。鱼的烧法，除了多处只写“鱼”字而不明烹饪形式之外，多数写全菜名，如“炒鱼片”“银鱼煎蛋”等。令人想起《阿Q正传》中所写：“油煎大头鱼，未庄都加上半寸长的葱叶，城里却加上切细的葱丝。”这鱼本名鳙鱼，在上海叫作胖头鱼，专吃其头，因为大而须煎透才入味，嗜食者甚众，估计也是鲁迅所爱。菜谱1月4日晚饭就有“红烧鱼头”。

其四，菜肴口味上，有一定咸鲜倾向。稍稍统计一下，半年多来霉菜蒸肉或烧肉 20 次，咸菜（雪里蕻）炒肉片（肉丝肉末）17 次，咸菜烧鱼及炒牛肉片、炖咸鱼干、咸肉丝炒菜等 31 次。

其五，店家偶尔提供额外订货。如 12 月 30 日上午写："鱼，豆腐烧肉，鱼片蛋花汤，塌棵菜。添买：鸡四只，津菜，海心，冬笋，冬菇，鱼丸。"但当日菜金仍然写平时的定额 4 角，添买的部分在月末统计时写了"另加菜 6 元"。

其六，店家偶尔不送货。如 11 月 25 日记载"晚未送来"，2 月 12 日记载："十三—十八停送。"这可能是应订户要求当日或该餐不送，也可能因店家原因不送。

根据这些特点，我们可以进一步分析如下。第一，这是固定请一店家每天定时送菜上门的经营、消费形式。第二，结账方式为先送（吃）后结。第三，这些送上门的菜，从菜单看，有些可以理解为已经烧熟的菜肴（如"银鱼煎蛋"），也有些可能是要客户自行烹饪的生鲜食材。

至此，已经非常接近或着说很自然地指向问题的核心：这篇菜谱的写作时间到底是什么年份？王文判断是鲁迅和许广平初到上海后，因居所简陋，不开伙仓，只能吃请店家提供的"包饭"，类似现在的外卖。包饭是定时送饭、定期结账，由饭铺或某餐馆承办，该形式称"包饭作"。王文专注于"初年"和"包饭"及两者的关系，而忽视了原文本中的上述特点。既然要考其年代，如果首先从原文中最直接的时间信息特点着手，也许更接近真实情况。我们可以再进一步分析如下。

其一，2 月 12 日写道"十三—十八停送"，即自次日起 6 天内不送。什么情况下作为常规的饭菜可以停送？首先令人想到的就是主人外出或遇节假日伙食另有安排。假定练习簿封面画信息透露的上限为 1932 年，查鲁迅相关年份日记并无外出省亲、避难等情况，余下的可能就是假日，而 2 月份最大假日无过于春节。查 1933—1936 年间诸春节，只有 1934 年 2 月 14 日春节落在这个停送时间段内，即自大年夜至年初五不送菜，鲁迅家和其他人家一样，备置年货、迎来送往，不需要平常的"定食"了。同时，店家也要过年，人手应该较平时为少，许多饭店是歇业的。

其二，12 月 30 日有"添买：鸡四只，津菜，海心，冬笋，冬菇，鱼丸"的记录。这比较容易理解：一天后即是元旦，鲁迅或许要在家请客。但 4 只鸡似乎略多，加上其他菜肴，这得有多少客人来访？所以另外的可能就是：赠送。查鲁迅 1933 年 12 月 31 日日记，果然有："星期。晴。上午内山夫人赠松竹梅一盆。……治肴分赠内山、镰田、长谷川三家。夜蕴如及三弟来。"这相当于鲁迅平时 10 天伙食费（6 元）的 4 只鸡的去向很明了，烹饪后 3 只送了内山及内山书店店员，剩下一只晚饭等三弟建人一家来共享。虽然日记里没有明说是鸡，但过节“治肴”相赠，按上海市民习惯和出产特点，这必然是一道大菜，比如全鸡全鸭、蹄膀等，而在上海人食谱中鸡又是首选，吃法较多，便于加工又拿得出手。根据添买的食材，当时所赠很有可能就是上述菜谱中写的“烤鸡”；也可能是把冬笋、冬菇放入熬制而成的鸡汤。尤其联系到《鲁迅日记》次年 2 月 3 日有“午后以酱鸭各一赠内山及镰田君”，似乎说明前次送鸡的可能性更大。

其三，订菜量有波动。11 月 14 日—11 月 19 日中饭，二荤一素；11 月 19 日晚饭—11 月 24 日，三荤一素；11 月 25 日—12 月 20 日，二荤一素；12 月 21 日—2 月 27 日，三荤一素;2 月 28 日—3 月 9 日中饭，二荤一素;3 月 9 日晚饭—4 月 7 日，三荤一素；4 月 8 日—6 月 1 日，二荤一素。总计是四波二荤中间夹三波三荤。鉴于菜肴是预订，不是临时起意，因此订户的目的应该出于对自身需求的比较肯定的预判。另外，由于菜价已经比较低廉，因此许广平也不太可能出于经济原因刻意减少一个菜。那么增量或减量的具体原因，就取决于就餐者的多寡以及用餐量和品种口味等需求。《鲁迅日记》1933 年 12 月 30 日记载“须藤先生来为海婴及碧珊诊”，碧珊即冯雪峰长女雪明。1933 年底冯雪峰往苏区瑞金后，其妻女就寄居在鲁迅家中，直到 1934 年春，长子夏熊出生后才回义乌老家。当时，腹中怀着冯夏熊的冯妻带着女儿，在鲁迅家暂住约 3 个月，鲁迅夫妇给予很多照拂。订餐量的波动可能也是基于对孕妇和孩子的考虑。

最后，这份菜谱如果视作鲁迅日常“基本菜”的话，似乎也证实了萧红的回忆：鲁迅“平常就只三碗菜：一碗素炒豌豆苗，一碗笋炒咸菜，再一碗黄花鱼”，“菜简单到极点”。（萧红《回忆鲁迅先生》）

总之，这份鲁迅家用菜谱有可能是鲁迅于 1933 年 4 月迁居大陆新村之后，在日常伙食方面的又一种尝试记录，即生熟菜肴订购。它的时间跨度是 1933 年底到 1934 年上半年，而最后在 6 月 1 日写的“今日止”三字，似乎表明这种尝试方式的结束。希望能够发现更多第一手资料并加深研究，使得我们更加了解鲁迅最后数年的生活状况。

略谈鲁迅与啤酒

邢魁

在上海鲁迅纪念馆的藏品中，有几件酒具。有一套礼品酒杯，包括两个银杯、一个包装木盒及丝皱垫巾二块。银酒杯高7.5厘米，杯口直径4.4厘米，杯底有“大学眼药老铺恭赠”的刻字。木盒盒长11.5厘米，宽10厘米，高6厘米。盒盖正面有两隶书金字“恭赠”。盒盖反面有行书墨迹“第壹回，万华镜赏，大阪尚美堂宝饰店制”，并“尚美堂”印一方。酒杯上有刻画，一为绽放的花卉，一为水岸树植，刻制精细雅致，是内山完造送给鲁迅的，但鲁迅应该未使用过。（陶正雷《从上海鲁迅纪念馆藏品看内山与鲁迅的真挚友情》）此外，有一套小酒杯，共6个，玻璃材质，高5.6厘米，杯口直径4.2厘米。另有打酒吊提一个，铝皮，高38厘米，直径6.6厘米。这两种应是鲁迅日常使用的酒具。

鲁迅日常饮酒的情形，从他亲友的回忆录中大致可以窥探一二。周作人说：“鲁迅酒量不大，可是喜欢喝几杯，特别有朋友对谈的时候。”（周作人《鲁迅在东京》）沈兼士则认为，鲁迅“酒量很大，天天要喝，起初喝啤酒，总是几瓶几瓶的喝，以后又觉得啤酒不过瘾，‘白干’‘绍兴’也都喝起来。”（沈兼士《我所知道的鲁迅先生》）不过，郁达夫有不同的印象：“他对于烟酒等刺激品，一向是不十分讲究的；对于酒，也是同烟一样。他的量虽则并不大，但却老爱喝一点。在北平的时候，我曾和他在东安市场的一家小羊肉铺里喝过白干；到了上海之后，所喝的，大抵是黄酒了。但五加皮，白玫瑰，他也喝，啤酒，白兰地他也喝，不过总喝得不多。”（郁达夫《郁达夫忆鲁迅》）许广平以为，人们对于他的饮酒，因为是绍兴人，有些论敌甚至画出很大的酒坛旁边就是他。但实际上他只有不高兴时，才会“放任多饮”。（景宋《鲁迅先生的日常生活》）

《鲁迅日记》里提到饮酒的次数不太多，不过，他到北京教育部任职的初期，如在1912年和1913年间的某些月份，饮酒频次相当频繁，不论是受人邀请，还是他主动邀请他人。比如，仅在1912年8月的日记就记载着这个月内饮酒竟然

内山完造送给鲁迅的银酒杯

小酒杯和打酒吊提

达到 10 次。也许正是因为饮酒过度，最终导致了他胃病的发作。当然，值得一提的是，他多次在一些文章中，以及给许广平、萧军、萧红、李秉中等人的信里，也都表示过戒酒的想法。如鲁迅给许广平信中说：“酒是自己不想喝，我在北京，太高兴和太愤懑时就喝酒，这里虽然仍不免有小刺戟，然而不至于‘太’，所以可以无须喝了，况且我本来没有瘾。”（1926 年 10 月 15 日鲁迅致许广平信）

从目前各种资料来看，鲁迅虽不嗜酒，但公宴也好，家宴也好，自饮也好，朋友欢聚也好，各种场合也都会喝一些，而且无论是黄酒、白酒、红酒、啤酒、洋酒等，也都喝过。然而笔者梳理了《鲁迅日记》和书信后发现，若以其中记载的饮酒酒种来看，却是啤酒居多。

一、鲁迅所饮酒种类概述

粗略统计《鲁迅日记》，记载喝啤酒事 20 次不到。啤酒是鲁迅比较常用的酒。相信在他留日期间便开始饮用啤酒了，“各人入浴既了，坐对‘富士’，喝啤酒……”

（许寿裳《亡友鲁迅印象记》）增田涉回忆上海时期鲁迅喝啤酒的场景："我在日常生活方面和鲁迅相接触，除开前面说过的日常功课之外，有时候也同去看电影，同去看绘画展览，或者同进啤酒店；也在我的寓所接待过他，开牛肉罐头，喝啤酒。"（增田涉《鲁迅的印象》）吴奚如记载了鲁迅的敬酒方式：在一次"左联"创作讨论会结束后，"我们喝啤酒和汽水。为了爱护鲁迅先生的健康，向他以啤酒致敬时，杯子里注入一半以上的汽水，先生逢人敬酒，总是微笑地一饮而尽（后来，在多次的宴会上，我们总是这样敬酒法的）"。（吴奚如《回忆鲁迅》）

在日记中，鲁迅有时记"啤酒"，有时记"麦酒"，为不同的表述方式，其实皆为我们现在所称的啤酒。由于中国开始称"啤酒"为"麦酒"的时间晚于日本，很难说这个译词是国人的发明还是借鉴于日本。但可以确知的是，当时游历日本的中国知识人普遍将在日本看到的啤酒称为"麦酒"。这些指称有的是由于直接引用日本麦酒公司的名称所致，例如刘学询《考察商务日记》、沈翊清《东游日记》、吴汝纶《东游丛录》、载泽《考察政治日记》等（刘群艺《啤酒与麦酒：舶来品译名的东亚视角》）。从《皇朝续文献通考》中得见：啤酒又称皮酒或麦酒，种类亦多，制法亦歧，主要不外麦芽、蛇麻及水三者。（刘锦藻《皇朝续文献通考》）

因此，单从鲁迅的日记和书信中查看"啤酒"或"麦酒"的记载，并不觉得次数太多，但若将啤酒和麦酒合并计算，其次数就位居各酒类之首了。

不光是啤酒，其他酒类也有不同的表述方式或者细分类目。如白酒，鲁迅在日记和书信中，就曾记载过汾酒、烧酒、高粱酒，皆属于白酒：1923 年 11 月 8 日"夜饮汾酒，始废粥进饭，距始病时三十九日矣。"1928 年 3 月 6 日致章廷谦"写得太潦草了，实在是因为喝了一杯烧酒，死罪死罪！"1926 年 10 月 2 日《上海通信》中"喝了二两高粱酒，也比北京的好。"提及白酒的次数高达 13 次，其实也是比黄酒要多的。另外，在《孤独者》《写于深夜里》等几篇文章中，提及了烧酒。

至于普遍认为鲁迅最常饮的黄酒，多以黄酒、绍原酒、绍酒、越酒、陈酒、苦南酒等多种表述方式出现，其实它们都是黄酒。像苦南酒，就是陕西模仿绍兴酒生产的仿制黄酒。鲁迅在《孔乙己》《在酒楼上》《"题未定"草》等文章中提及黄酒。

鲁迅也喝葡萄酒的，彼时亦作"蒲陶酒""蒲桃酒"。不过，威士忌和白兰地等洋酒，鲁迅似乎饮用不多。

至于其他酒种，倒是五花八门、不拘一格，有薄荷酒、五加皮酒、白玫瑰酒、杨梅酒、郁金香酒、药酒、青梅酒、甘酒等。或许有人会认为这些酒都只是以白酒为底，加以各种植物做的增味，其实却不尽然。一方面，这些酒的基酒除了用白酒，也有用米酒、黄酒、洋酒的，难以断言鲁迅当时饮用的是什么版本。另一方面，一些酒的工艺也不再是简单的浸泡增味，而是将原料参与进发酵过程。再者，成酒的风味上，也已与基酒风味相去甚远。因此，笔者未将这些酒归类于白酒、黄酒等酒种中，而是统一归类在“其他”。

二、鲁迅所饮啤酒品牌及风味

（一）鲁迅生活时代之啤酒发展简述

啤酒在鲁迅的日常饮用中，占比颇高。笔者展开了一些探究，追溯那个年代的啤酒现状，以及与鲁迅生活息息相关的几款啤酒，借由对当时的啤酒品牌与风味的考察，或许能更加贴近那个时代的生活，感知鲁迅与其所处时空交融的情境。

啤酒是一种酒精性饮料，主要原料为麦芽。我国是最早开始酿造啤酒的国家之一。古代的啤酒可能已有4000—5000年的历史，当时人们称其为“醴”。然而，我国的传统啤酒酿造后来逐渐没落，其工艺甚至逐渐失传。

我国近现代啤酒工业的发展始于19世纪末20世纪初，最早的啤酒酿造始于1900年，俄国商人乌鲁布列夫斯基在哈尔滨创立乌鲁布列夫斯基啤酒厂，其年产量为300吨，标志着中国啤酒工业的起步。接下来的5年里，俄国、德国和捷克在哈尔滨相继建立了3家啤酒厂。1903年，英国和德国商人在青岛成立英德酿酒有限公司，年产能为2000吨，即青岛啤酒厂的前身。1911年，上海有德商顺和洋行投资开设啤酒厂，生产“UB”牌（即“友啤”牌）啤酒，年产量约为2000吨。起初啤酒厂多由外商兴建，直到1914年哈尔滨建立的五洲啤酒汽水厂和1915年北京建立的双合盛汽水啤酒厂，才被视为中国民族资本家最早的啤酒企业。

然而，由于我国民众在传统上更习惯饮用白酒和黄酒，对啤酒这种舶来品并不习惯，因而当时的啤酒主要供应给各国侨民和外国人消费，国内整体啤酒产销量远不如白酒、黄酒和葡萄酒。当时国内知名大型现代化国产啤酒生产企业也仅有北平双合盛啤酒酿造厂、烟台啤酒公司、烟台醴泉啤酒公司、惠泉汽水厂和胶东醴泉啤酒工厂这几家。（左旭初《民国食品包装艺术设计研究》）据1934年《国货月报》记载：上海一部，近年啤酒销数，逐年增加，而以外货为多。数目如下：英商上海啤酒年销十五万箱，日商太阳啤酒三万箱，华商烟台啤酒四万五千箱，华商五星啤酒二万箱，德商可泼啤酒五千箱，另不明国籍之杂啤酒四万箱。（上海《国货月报》）

(二) 鲁迅所饮啤酒品牌

鲁迅饮用过的啤酒中，记录过品牌的，有五星啤酒、太阳啤酒、麒麟啤酒等。

1. 五星啤酒

周作人《鲁迅在东京》记载："在乡下办师范学堂那时，与范爱农对酌，后来在北京S会馆，有时也从有名的广和居饭馆叫两样蹩脚菜，炸丸子与酸辣汤，打开一瓶双合盛的五星啤酒来喝。"

"五星"牌啤酒包装标贴

1915年，中国近代著名实业家、山东掖县籍人士张廷阁先生，联合同乡好友郝跻卿，一次集资57 000元，在北京广安门外创办双合盛啤酒制造厂，生产"五星"牌啤酒。双合盛啤酒汽水制造厂注册使用的"五星"牌啤酒包装标贴，呈竖椭圆形状，中间注英文单词"PILSENER"，即"皮尔森"啤酒。(左旭初《民国食品包装艺术设计研究》) 皮尔森啤酒是发源于捷克皮尔森市的一种啤酒，虽然在捷克只有Pilsner Urquell才能被称作皮尔森，但在世界范围内皮尔森啤酒的涵盖范围还是比较广的。这种啤酒虽然不像德式皮尔森那样有着干爽的口感和绵长的苦度，但是具有更典型的复合麦芽香气，低发酵度提供了更饱满的酒体和圆润的口感。

2. 太阳啤酒：

吴曙天在《曙天日记三种》中记载，1927年，"鲁迅先生请我们到东亚酒楼去吃饭，他喝着太阳啤酒，话格外多了"。

太阳啤酒就是现在的朝日啤酒（Asahi），朝日啤酒的前身是创业于1889年的大阪麦酒。20世纪初期，日本啤酒市场呈现朝日啤酒、札幌啤酒、惠比寿啤酒三大品牌争霸的局面，为缓和过激的竞争，大阪麦酒、札幌麦酒、日本麦酒（惠比寿啤酒）的生产企业在1906年合并为大日本麦酒株式会社。

第一次世界大战结束后，日本把德国侵占的胶东半岛强占了去。1916年大日本麦酒株式会社以50万银圆将青岛啤酒厂收购，更名为"大日本麦酒株式会社青岛工场"，旗下商标有"札幌""太阳""福寿"等品牌。

青岛啤酒厂始建于1903年，当时青岛被德国占领，一家英德联营公司在此成立了日耳曼啤酒公司青岛股份公司开办啤酒厂，年产能2000吨。当时青岛啤酒的产品质量很出色，据日本田原之次郎所著《胶州湾》一书记载："日尔曼啤酒公司青岛股份公司生产的啤酒，1906 年在慕尼黑博览会上展出，获得金牌奖。”1949 年 6 月 2 日青岛解放，人民政府接管青岛啤酒厂，更名为“国营青岛啤酒厂”。

根据曾昭抡著《东行日记》记载：“据攘岩濑先生介绍，目前日本共有四家大型啤酒公司，但其中，本会社的产量占到全国总产量的 70%，如果仅看出口量，本会社更是占据了 80% 的比例。中国是本会社的一个重要市场。在北京和上海等地，销售非常火爆的太阳啤酒 (Asahi beer)，就是由本会社生产的。”

3. 麒麟啤酒：

铃木大拙曾派秘书斋藤贞一送去一箱麒麟牌啤酒给鲁迅。鲁迅在 1934 年 6 月 20 日日记中记载：“晚斋藤君赠麒麟啤酒一箱。”

麒麟啤酒的历史可以追溯到 100 多年前。1907 年，“麒麟麦酒株式会社”成立，它的前身是“Japan Brewery”啤酒公司。麒麟啤酒以中国传统瑞兽麒麟作为商标，并从 1888 年开始销售。这家公司一直秉持着“品质本位”的理念，引进德国的设备和酿酒师，制造出具有德式风味的拉格啤酒。当时的啤酒颜色比今天的拉格啤酒要深一些，口感也更加苦涩。然而，麒麟啤酒在 1926 年创新研发了 greenish yellow 色度的啤酒，这带动了新的风潮。

1926 年《闵报》太阳啤酒广告

1933 年《盛京时报》麒麟啤酒广告

（三）啤酒风味推断

至于当时鲁迅所饮几种啤酒的风味，虽然我们无法穿越时空去实际感受，但是根据一些数据，亦可略做推断。

	27年煙台啤酒	28年煙台啤酒	五星啤酒	友啤啤酒	怡和啤酒	太陽啤酒	斧頭啤酒	麒麟啤酒
比重，20°c	1.0093	1.0090	1.0200	1.0117	1.0110	1.0098	1.0098	1.0087
酒精（容積%）	5.21	5.56	4.70	4.28	4.62	4.22	4.48	4.68
浸出物g.1000cc.	4.73	4.77	7.22	5.01	4.95	4.51	4.60	4.40
酸度	0.187	0.195	0.217	0.173	0.185	0.166	0.164	0.192
灰分	0.185	0.191	0.214	0.172	0.207	0.147	0.157	0.157
還原糖	1.00	1.00	2.53	1.42	1.23	1.11	1.14	1.10
糊精	1.99	2.18	2.34	1.70	1.85	1.77	0.84	1.52
原浸出物	12.95	13.55	14.64	11.77	12.25	11.17	11.66	11.78
醱酵度	63.40	64.75	50.6	57.50	59.60	59.70	60.6	62.90

中国啤酒之分析及其成分之比较

根据《中国啤酒之分析及其成分之比较》（孙卫《酿造杂志》）一文中所记载的啤酒成分分析表，我们可以看到民国二十七、二十八年（即 1938 年、1939 年）一些著名品牌的啤酒成分，五星、太阳、麒麟皆有列示。从比重来看，五星啤酒远高于太阳和麒麟，酒精度上三者相近，发酵度五星远低于太阳和麒麟。因此，我们大致可以看出五星啤酒相较于其他两者，残糖偏高，酒体更厚重，口感更浓郁。太阳和麒麟口感更偏脆爽，两者细比的话，则麒麟的收口应会更干一些。

笔者又找来三个品牌当今的代表酒款作简单比对，分别是五星全麦芽、朝日 super dry、麒麟一番榨。五星全麦芽的麦汁浓度 10° P，酒精度 3.3%vol，无论浓度还是酒度相比 30 年代的产品大幅度变淡；朝日 super dry 麦汁浓度 10.9° P，酒精度 4.8%vol，酒精度有所提高，口感比以前更为清爽干脆，甚至比麒麟更干；麒麟一番榨麦汁浓度 11° P，酒精度 4.5%vol，似乎依旧保持着百年前的风味。

因此，若是想体验鲁迅当年的啤酒饮用感受的话，麒麟啤酒似乎是一个不错的选择。

四、结语

在探寻鲁迅生活脉络的过程中，我们不禁被他与啤酒的微妙交织所吸引。虽然无法断言啤酒是他绝对钟爱的饮品，然而从记载来看，它似乎成为了他生命中频繁出现的伴侣。鲁迅曾言："日日斟出一杯微甘的苦酒，不太少，不太多，以能微醉为度，递给人间，使饮者可以哭，可以歌，也如醒，也如醉，若有知，若无知，也欲死，也欲生。"（鲁迅《淡淡的血痕中》）这句话仿佛勾勒出他内心的纷繁与感怀。

鲁迅乐爱饮酒，然而因健康因素及家人的约束，烈酒或已不宜，而啤酒恰如其分地融合于他的生活步调。"把酒论当世，先生小酒人。大圜犹酩酊，微醉自沉沦。"（鲁迅《哀范君三章》）这几句诗亦映衬着他日常的清淡生活。啤酒是一种粗犷中透着轻快的饮品，它与先生深沉内敛的性情有着奇妙的共鸣。在探寻那个时代的啤酒风情时，我们仿佛步入了时空的交会处，感知着先生的日常点滴，看到了一个真实而质朴的他，对他的创作与生活也有了更切身的理解。

附：《鲁迅日记》中有关酒的记载列表

酒种	次数	日期	内容
啤酒	17	1917.6.23	以饮麦酒，睡至下午。
		1929.2.11	曙天来，未见，留赠柑子一包，麦酒二瓶。
		1930.5.17	夜柔石、广湘来，雪峰及侍桁来，同出街饮啤酒。
		1930.8.2	夜访三弟，赠以啤酒一瓶。
		1930.8.6	买米五十磅，五元九角；啤酒一打，二元九角。
		1930.8.23	晚在寓煮一鸡，招三弟饮啤酒。
		1931.5.25	内山君赠麦酒一瓶。
		1931.6.27	观木村响泉个人展览会。归途在ABC酒店饮啤酒。
		1932.4.8	下午往ベカリ饮啤酒。
		1932.7.16	下午买啤酒、汽水共廿四瓶，六元八角。
		1932.8.1	买麦酒两打，麦茶一升，共泉七元。
		1932.8.11	买麦酒大小三十瓶，九元四角。
		1932.9.1	夜蕴如及三弟来，饮以麦酒。
		1934.1.8	下午往 ABCベカーリ饮啤酒。
		1934.6.20	晚斋藤君赠麒麟啤酒一箱
		1934.8.18	上午对门吉冈君赠麦酒一打。
		1934.8.20	夜蕴如及三弟来并为取得《棠阴比事》一本，赠以麦酒四瓶。

酒种	次数	日期	内容
黄酒	7	1924.7.25	午后盛热，饮苦南酒而睡。
		1927.4.15	得谢玉生信。赠绍原酒两瓶。
		1928.6.3	下午达夫来，赠以陈酒一瓶。
		1930.2.20	晚达夫来，赠以越酒二瓶。
		1930.3.15	因有绍酒越鸡，遂邀广湘、侍桁、雪峰、柔石夜饭。
		1935.5.11	三弟来并赠越酒二瓶。
		1936.3.6	午后孔另境来并赠胜山菊花一瓶，越酒一罂。
白酒	8	1921.10.2	冀君贡泉送汾酒一瓶。
		1923.10.31	和森自山西来，赠糟鸭卵一篓，汾酒一瓶。
		1923.11.8	夜饮汾酒，始废粥进饭，距始病时三十九日矣。
		1925.9.26	夜长虹来并赠《闪光》五本，汾酒一瓶，还其酒。
		1930.8.10	下午蕴如来并赠杨梅烧酒一瓶，虾干、豆豉各一包。
		1931.8.15	访三弟，还铁床泉二十，得杨梅烧酒一瓮。
		1932.9.8	蕴如来并赠杨梅烧酒一瓶。
		1935.2.3	下午得唐诃信及汾酒两瓶。
葡萄酒	3	1932.6.27	蕴如及三弟来，赠以蒲陶酒一瓶。
		1934.1.6	夜三弟来，留之饮白蒲陶酒。
		1935.7.8	下午烈文来并赠蒲陶酒二瓶。
洋酒	2	1924.6.5	买威士忌酒、蒲陶干。
		1932.3.19	午后访镰田君兄弟，赠以牛肉二罐，威士忌酒一瓶。
其他	9	1915.5.23	晚买薄荷酒等一元。
		1916.1.22	晚因肩痛而饮五加皮酒。
		1918.6.27	还二弟泉廿，赠以白玫瑰酒一罂。
		1924.2.20	下午俞芬小姐自上海来，赠薄荷酒两瓶，水果两种。
		1925.4.5	收俞小姐所送薄荷酒一瓶。
		1927.12.29	晚得小峰信并《唐宋传奇集》二十本，旧稿一束，甘酒一皿，即复。
		1928.8.2	上午达夫来并赠杨梅酒一瓶。
		1930.12.13	三弟来，留之饮郁金香酒。
		1933.12.1	蕴如赠补血祛风酒二瓶。

馆藏美丽牌香烟挂历背后的历史信息

——张阳

一

在馆藏的鲁迅遗存物品中，有一件悬挂于大陆新村寓所内的美丽牌香烟挂历，即美丽牌香烟月份牌。挂历底衬为美丽牌香烟广告画：中间主图为皓月、湖景、柳树和情侣；图上方大字加粗“请吸美丽牌香烟”，小字注明“上海生生美术公司印制”；图下方装订日历，日历定格在 1936 年 10 月 19 日鲁迅先生逝世当日；日历两侧分别印有美丽牌香烟的广告语“有美皆备”和“无丽不臻”。

馆藏的这件挂历究竟是如何以及被谁送到鲁迅手上的已无从考证，但对于烟民鲁迅而言，家中留有这类香烟挂历也在情理之中。鲁迅先生爱好抽烟，粗略计算，鲁迅的日记和信件中提及香烟的记录约有 40 处。许广平侧面证实过鲁迅的烟不离手：“凡是和鲁迅先生见面比较多的人，大约第一个印象就是他手里面总有一枝烟拿着，每每和客人谈笑，必定烟雾弥漫。如果自己不是吸烟的，离开之后，被烟熏着过的衣衫，也还留有一些气味，这就是见过鲁迅先生之后的一个确实证据。”（许广平《鲁迅先生的香烟》）身体数次抱恙后，医生要求戒烟，鲁迅向友人抱怨：“医生禁喝酒，那倒没有什么；禁劳作，但还只得做一点；禁吸烟，则苦极矣，我觉得如此，倒还不如生病。”（1925 年 11 月 8 日鲁迅致许钦文信）“医生要我不看书，不写字，不吸烟——三不主义，如何办得到呢？”（1935 年 6 月 28 日鲁迅致胡风信）

对于香烟的品牌，鲁迅并不讲究。许广平称鲁迅最爱吸“黑猫牌香烟”，但由于价钱贵所以很少买来吸，到上海后还经常使用烟嘴，直到“手都拿不住才弃掉”。（许广平《鲁迅先生的日常生活》）萧红在《回忆鲁迅先生》一文中数次提到鲁迅吸烟时习惯用象牙烟嘴，并称：“鲁迅先生备有两种纸烟，一种价钱贵的，一种便宜的。便宜的是绿听子的，……是鲁迅先生自己平日用的。另一种是白听子的，是前门烟，用来招待客人的……”由此可见鲁迅为人慷慨，崇尚己俭客优的待客之道。

請吸
美麗牌香烟
上海生生美術公司印製
有美皆備
無麗不臻
民國二十五年
19
October Monday
丙子年九月大
初五
星期一
甲戌火心建
初九霜降

美丽牌香烟挂历

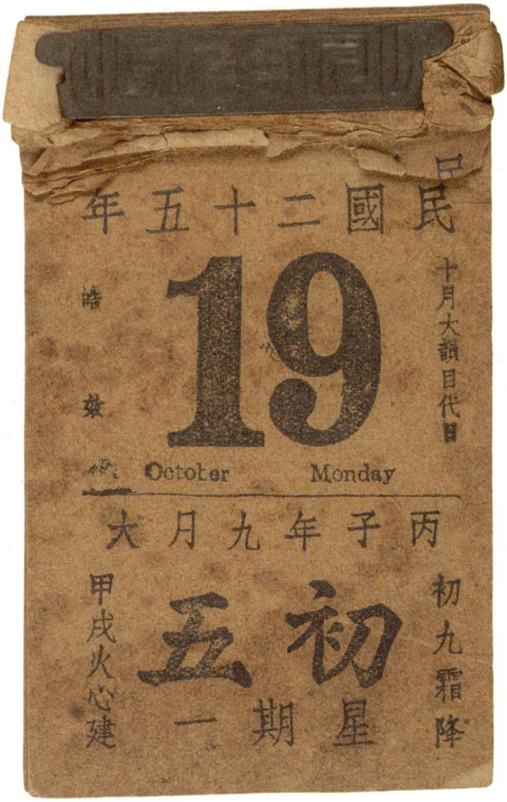

日历上的日期定格在鲁迅逝世当天：1936 年 10 月 19 日

在鲁迅与友人的通信及《鲁迅日记》中，尚未发现有美丽牌香烟的相关记录；但在民国时期的上海，美丽牌香烟却是最受欢迎的香烟品牌之一。它原料考究，选用上等进口烟叶，剔除烟梗配制而成，烟丝纯净、烟味醇厚；产品包装匠心独到，以上海京戏名伶吕美玉在《失足恨》里的戏装照为商标，因此声名远播。在鲁迅的交际圈中，也有不少美丽牌香烟的踪影：陈望道是美丽牌香烟的忠实拥趸。（邓明以《陈望道传》）陶元庆在《B 君和美丽牌香烟》里称 B 君“一见了我，他就打开抽屉，取出一盒香烟来笑着对我说，‘你抽这个香烟罢，这是美丽牌香烟呢！’”丁玲也在《1930 年春上海（之一）》中描述过作家子彬喜欢在书房中“先抽一枝美丽牌，青的烟丝袅袅地往上飘，忽然又散了。他的心情也正像烟丝的无主，空空的，纷纷的，轻飘飘的，但又重重的压在心上。心事沉闷得很”。沈从文在小说《菜园》中也提到了美丽牌香烟：“那时候吸纸烟真有格，如今连做工的人也买美丽牌，不用火镰同烟杆了。”足见美丽牌香烟的知名度。

二

“美丽牌香烟”的生产商为当时华资卷烟的龙头企业——华成烟草公司。华成烟草公司创立于 1917 年，由浙江慈溪的虞成新、沈延康等人发起建立。公司以同乡关系为纽带，在经历了两次重组后，于 1924 年 4 月更名为中国华成烟草股份有限公司。（皇甫秋实《中国近代卷烟市场研究（1927—1937）：以企业发展、消费文化、经济危机为中心》）它以上海为中心构建经销网，“逐步在杭州、天津、南京、汉口等地设立分公司，并在宁波建立了货仓”，（华成烟厂历史资料编写组《上海公私合营华成烟厂历史资料 1924—1957》〔初稿〕）一路稳扎稳打，逐渐成长为华资卷烟企业中的佼佼者。1927 年南京国民政府成立，华成烟草公司实现了飞速增长，成为仅次于南洋兄弟烟草公司的第二大华资卷烟企业。1936 年，华成旗下香烟销量达到 140 692 箱（五万支）。（皇甫秋实《中国近代卷烟市场研究（1927—1937）：以企业发展、消费文化、经济危机为中心》）

20 世纪二三十年代的上海是全国卷烟生产和消费中心。据统计，上海每年为全国市场提供千亿支卷烟，占全国卷烟产量的近 60%。（上海社会科学院经济研究所编《英美烟公司在华企业资料汇编》）在 1928 年，上海的卷烟店就已遍布全市，其中，南市约有 900 家，闸北 1 200 家，租界 2 000 家，沪上卷烟消耗每日可达 400 万支。（《上海商业习惯调查 · 卷烟业 · 资本及组织》）时人沈梓青曾撰文：“讲到国人所设的香烟公司。在从前只有南洋兄弟烟草公司一家……后来又有华成、华商二公司……从此越设越多。好像雨后春笋……欢喜吸浓味的人，以下面几种为最佳，如红金龙、富而好施、金鼠、天马、双烟等牌。……爱吸淡味的人，亦以下例几种为最佳，如梅兰芳、好运道、白金龙、大长城、美丽、新美女、红云、天女、大联珠、华丽、大香宝、龙门、也是、至尊、三猫等牌。”（沈梓青《香烟》）

进入 30 年代后，上海卷烟业开始面临多重困厄，国民政府出台“寓禁于征”的卷烟统税制度，经济形势恶化，自然灾害，日本军事入侵，新生活运动兴起禁吸卷烟风潮等都给了卷烟业以重击，原本林立于市的卷烟企业尤其是华资企业，在这一时期纷纷遭遇重创，整个市场经历了残酷的行业重组，企业数量大幅降低。但也有小部分华资卷烟企业在大浪淘沙后存活了下来，甚至逆势发展，华成烟草公司便是其中之一。

20 世纪 30 年代华成烟草的产品销量之所以能稳步提高，与其注重广告宣传密切相关。1929 年，华成设立广告科，除了在《申报》《良友》等畅销报纸上登载广告外，还在电车、公共汽车车厢上设置横幅广告；1931 年，在南京路日昇楼及华成总厂的屋顶增设霓虹灯广告牌；1932 年，利用无线电播音吸引消费者。1936 年，华成全年广告费支出达 409 960 元，占当年度营业支出的 25%。（华成烟厂历史资料编写组《上海公私合营华成烟厂历史资料 1924—1957》〔初稿〕）

馆藏挂历上的“有美皆备，无丽不臻”是美丽牌香烟最为人所熟知的广告语。它句式简洁凝练，朗朗上口，令人印象深刻。粗略统计，从 1925 年一直到鲁迅先生逝世的 1936 年，美丽牌香烟共在《申报》上登载广告 682 条。其中，“有美皆备，无丽不臻”出现的频率最高，计 408 次。它们或如日历挂牌上那般简洁明了，或在这一核心内容上进行扩充和再创造，如扩写为“松风水月未足比其清华，有美皆备，无丽不臻”，“如花长好，有美皆备，无丽不臻”，“神仙眷侣，美丽香烟，有美皆备，无丽不臻”等。

除简明雅致的广告语外，挂历上还有一幅精美的广告画与之呼应。深远淡雅的湖景以及一对摩登都市男女，合力描绘出一种西洋、摩登、都市精英的生活方式。绘制这份挂历的机构是上海生生美术公司。它成立于 1911 年，由国画家孙雪泥创办，初名上海生生美术发行所，1918 年于福建北路唐家弄 78 号增设印刷厂，组建为上海生生美术公司。公司取名“生生”，寓“谋求生活出路，生财有道”之意。（黄可《孙雪妮与生生美术公司》）其业务范围包括工商广告招贴画设计、商标设计、供报刊发表的工商广告设计等，承印了包括《良友画报》《笑画》《滑稽》《俱乐部杂志》在内的众多刊物。

与同期广告公司相比，生生美术有着较强的创新精神和专业水平。它曾一改传统老黄历的式样，在开本上积极创新；在团扇广告的设计上，也首创绢扇面彩色胶印工艺，造型、色彩及印刷工艺精良，被沪上各大厂商如华成烟草公司、福新烟公司、中央信托局等批量购进，作为商家赠品送给客户；甚至还是第一家在报纸上为自己做广告的广告公司，具有较为超前的广告意识。

生生美术之所以能够在 20 世纪初众多商业美术机构的市场竞争中脱颖而出，应该与孙雪泥本人活跃在上海美术界并拥有较为丰富的画报编辑经验有关。孙雪泥兼长中西绘画，在创办生生美术公司之前，曾供职于《新世界日报》担任附刊画报主编。1918 年 8 月，又创刊《世界画报》，自任主编。《世界画报》集休闲性、欣赏性绘画和文学于一体，沪上名家如谢之光、张聿光、张光宇、刘海粟、叶元珪等都曾为《世界画报》或生生美术供过稿。

三

馆藏的这件挂历绘制精美、色彩艳丽，是当时盛行于世、形态各异的月份牌中的一种。目前较为完整的月份牌定义来自葛青："月份牌画是在20世纪初期至新中国成立，以上海为中心，由于受到商业竞争而产生的新型画种。……在表现形式上，兼取西洋画和传统年画，以擦笔水彩式相类似技法绘制为主。早期多附日历，中晚期多以美女肖像为主要表现内容……。"（葛青《美女作为消费图像——中国近现代月份牌画研究》）《金刚钻报》编辑郑逸梅称月份牌"为岁首之点缀品，商家往往借之以为广告，画里真真"。（郑逸梅《谈月份牌》）

鲁迅对于月份牌这一商业美术形式有着怎样的审美取向和价值判断？其背后又有哪些成因？或许我们可以经由这件馆藏文物发散开去，探寻一番。

1930年2月21日，鲁迅在上海中华艺术大学做了一场题为《绘画杂论》的演讲。在这个演讲中，他对月份牌发表了自己的看法："月份牌上的女性是病态的女性，月份牌除了技巧不纯熟之外，它的内容尤其卑劣。中国现在并非没有健康的女性，而月份牌所描写的却是弱不禁风的病态女子。这种病态，不是社会的病态，而是画家的病态。画新女性仍然要注意基本技术的锻炼。不然，不但不能显新女性之美，反扬其丑，这一点画家们尤其要注意。"（刘汝醴《鲁迅先生一九三〇年二月二十一日在上海中华艺术大学的讲演（记录稿）》）可见，虽然月份牌脱胎于鲁迅较为推崇的传统年画，但他对月份牌的艺术价值并不认同。

从当时和现下的主流审美看，月份牌上的女性未必如鲁迅所言"弱不禁风"：其上多为新女性，她们发型、着装、姿态各异，在自然风光或社会场景的映衬下，文雅脱俗、时尚健康、充满活力，既展现了女性形象从传统到现代的变迁，又反映了社会物质生活和精神生活的演进，展现了普罗大众对情爱、金钱和女性的想象。鲁迅是中国现代美术思想的先驱者，同时也是现代美术的研究者、教育者与实践者，为何会对月份牌有着如此"偏见"？结合时代背景考察，一方面可能来源于革命现实的需要和意识形态选择，另一方面也与鲁迅的成长经历及个性审美有关。

20世纪前半期，国难深重，知识分子认为文化变革不应再局限于象牙之塔，而应当走向民众，启迪国人的觉悟，从而真正改造中国的文化，改变中国的命运。为此，蔡元培提出了"美育"思想，鲁迅也形成了用文艺改造国民精神的主张。1913年，鲁迅就已在《儗播布美术意见书》中指出："美术之用，大者既得三事，而本有之目的，又在与人以享乐。则实践此目的之方术，自必在于播布。播布云者，谓不更幽秘，而传诸人间，使与国人耳目接，以发美术之真谛，起国人之美感，更以冀美术家之出世也。”五四新文化运动后，知识分子形成了将学术、人生与政治紧密联系的思想。“大众”作为一个含义多重且界限不清的群体，也成为了被不同政治团体和文艺思潮争相抢夺的政治资源。20 年代后期，伴随着左翼文学运动和城市商品经济的发展，“大众”这一群体逐渐分离成两个概念体系：一个是左翼思潮所代表并呈现出的底层劳苦大众，一个是由城市商品经济所衍生出的商业市井大众。这两种类型的群体自然有各自的话语体系，而鲁迅对月份牌的价值判断正代表了这两种虽然处于同一时期却完全不同的话语体系的冲突和对抗。

此外，鲁迅对于月份牌的“偏见”或许也与其成长经历以及由此形成的个性审美有关。史沫特莱在《追念鲁迅》一文中说道：“鲁迅说，他自己并不是一个普罗列塔利亚作家。他的根底，他的创作生活，开始在一个半封建的乡村里，他除了那个乡村和知识阶级之外，对于其他任何的知识集团知道得很少。可是，他一直是和学生及其他知识者思想中的封建主义奋斗的，而这件事，他仍旧还在做，而且能够继续做下去……”身处从传统的农业文明向近代工业文明转型时代的鲁迅，虽然“意识形态成熟于大城市”，（曹聚仁《鲁迅评传》）但其人格精神仍保留有浓厚的乡土气息。正如胡秋原所言，“鲁迅辛辣地讽刺了攻击中国残余的封建势力，深刻地表现了没落封建社会人士的病态与悲哀，然而，他还是出身于封建社会环境的人，他有中国封建社会知识分子最好的坚强与洁癖，他有深刻的人道主义的精神，他虽然狭，然而深……”（胡秋原《钱杏邨理论之清算与民族文学理论之批评》）月份牌所建构的蔚为壮观的城市文化景观，和其中混杂着的商业性和世俗性，以及背后所象征的国人精神的畸形和病态，都在挑战着鲁迅心中的传统文化基准和道德秩序。

与此同时，出生成长于浙东的鲁迅也因继承了乡土文化中的“硬气”和“刚性”，而在审美取向上倾向力量与刚硬，抵触软弱与媚态。不仅对月份牌，鲁迅对传统美术作品的评价也遵循着这一逻辑：“宋的院画，萎靡柔美之处当舍……唐伯虎画的细腰纤手的美人，是他一类人们的欲得之物，花纸上也有这一种，在赏玩者却只以为世间有这一类人物，聊资博识，或满足好奇心而已。”（鲁迅《论“旧形式的采用”》）

如果从担负民族责任感、自觉地进行文化建设这一更高的层次解读，鲁迅对月份牌及月份牌画家的质疑和否定，或许更反映了他对以物质主义、消费主义为途径实现现代文明目标的质疑和否定。梁伟峰认为，鲁迅对 20 世纪 30 年代上海文化的观察并不仅仅限于一时一隅，而是在历时性上将上海文化与中国传统文化相勾连，在共时性中把上海文化与中国现状相勾连，其中蕴含着鲁迅对整个中国、整个民族的命运和出路的探索。（梁伟峰《文化巨匠鲁迅与上海文化》）鲁迅对月份牌的批判或许正是基于这一文化自觉所作出的价值判断。月份牌画家虽然也撷取传统文化遗产进行艺术创作，但这一创作行为本质上是以商业营销为目的的，月份牌画家也普遍缺乏参与社会文化建构的自觉意识，因此也就无法在当时较好地承担起传承传统文化、推动现代文化建设的历史使命。

虽然不被鲁迅所认可和推崇，但月份牌作为近代世俗生活诉求的图像化表达，已成为近代上海珍贵的视觉文化遗产。它的兴衰演变既表达了“西风东渐”的影响，也包含了国人试图融合传统文化艺术、进行民族性内在自省的“新陈代谢”过程，具有丰富时代意涵和人文价值。如果将其锚定为参照物，从历史视角来审视这份馆藏挂历，或许能更好地理解鲁迅思想，也能更好地理解何谓“月份牌是上海人的一所梦工厂，是浮世中的一幕真实幻影”。（素素《浮世绘影——老月份牌中的上海生活》）

鲁迅日常生活中的糖

——吴仲凯

鲁迅爱买糖也爱吃糖。有人说他“吃饭的时候，固然是先找糖或者甜的东西吃，就是他的衣袋里也不断装着糖果，随时嚼吃”。（沈兼士《我所知道的鲁迅先生》）哪怕得了蛀牙看过牙医，也还要去买些甜食来。不仅爱吃，鲁迅也“常常用这些来款客”。（李霁野《忆鲁迅先生》）鲁迅家中的衣橱里衣服不多，却有许多的饼干盒子，装满了饼干、糖果和花生，客人来了便拿出招待。鲁迅的朋友和学生们也经常赠送一些糖果，尤其是有了儿子周海婴之后，鲁迅更是经常收到各种各样的糖果点心。

一、中式糖食——玫瑰酥糖、核桃糖、松子糖、柿霜糖

鲁迅收到和买过的糖食中，不少是中国传统糖食，如河南名产柿霜糖。鲁迅在《马上日记》和《马上日记之二》里都有提到。在这两篇文章里，鲁迅生动地记述了他与河南名产柿霜糖的故事。有一次荆有麟来探望鲁迅，并赠送了一包柿霜糖。打开是“圆圆的小薄片，黄棕色，吃起来又凉又细腻，确是好东西”。因为好吃，等到许广平为他介绍糖的“药效”——如果嘴角上生些小疮之类，用这一搽，便会好，糖早已吃了大半。鲁迅急忙收起来，可当晚忽又觉得“嘴角上生疮的时候究竟不很多，还不如现在趁新鲜吃一点”。不料一吃，就又吃了一大半了。过了一段时间，有位高女士来访，鲁迅特意拿出柿霜糖来，装在碟子里招待。正准备向她介绍，不料高女士却早已一目了然，缓缓道出糖的种种来。鲁迅这才想起她正是河南人，请河南人吃柿霜糖就好像请绍兴人喝一小杯黄酒，“其愚不可及也”。

柿霜糖是取柿饼上的柿霜制作的，明代徐光启的《农政全书》云：“柿霜，即柿饼所出霜也，乃柿中精液。”旧法是先制柿饼，取生柿子去皮去子，挂在绳子上阴干或在太阳下暴晒，约一星期后柿子表面就会生褶皱，取下压平再经几日，此时柿子已成柿饼，便可收入木箱中，以麦秆衬底，上面放柿饼，一层一层地叠放，

再过十几日后饼面结白霜，就是柿霜了。制糖时将此柿霜放进将沸腾的水中，搅拌之后令其溶化，用筛子过滤掉渣滓，再用火煎熬并不停的搅拌，一开始汁液是红色的，到出现白色时就完成了，之后倒入模具里即可成形。（民国期刊《实业浅说》）

柿霜本身可以入药，《仁斋直指》《普济方》《仁端录》中都有收入。《本草纲目》中柿霜配余干子可治“丹石、伤肺、咳嗽”，配藕则可“补中，益元气、厚肠”。鲁迅文章里的高女士说柿霜糖产于河南汜水县，其实在 1937 年出版的《中国通邮地方物产志》里，柿霜糖最大的产地是河南荥阳，每年冬季制作，年产量 5 万余斤，大多销往广东，每斤 0.2 元左右。汜水的特产称之为霜糖，每年春秋制作，年产量 3 千斤，同样每斤 0.2 元左右，大多销往河北、福州和广州。

鲁迅遗物中的有盖花玻璃提梁糖缸

鲁迅遗物中的铝盖玻璃缸

鲁迅在上海时收到过许多糖果，比如浙江的名产玫瑰酥糖，1929 年 1 月，鲁迅收到崔真吾送来的玫瑰酥糖九包。鲁迅之前也常吃酥糖，在杭州教书时，会托工友买来麻酥糖，以便晚上用功。（钦文《鲁迅在杭州》）在厦门大学教书时，因为伙食很差，几乎食不下咽，朋友川岛担心鲁迅的饮食，给他带了“糟鹅和茶油鱼干，另外还有二十包麻酥糖”。（川岛《和鲁迅先生在厦门相处的日子里》）酥糖是中国的传统糖食，南北各不相同，以酥油和面粉制成的是北酥，芝麻和面粉制成的是南酥。玫瑰酥糖是典型的南酥，以屑子、馅心、饴糖三部分组成。屑子是酥糖的基本原料，用面粉、绵白糖、熟芝麻、玫瑰酱、食色等合制而成，馅心是绵白糖，饴糖用糯米或麦芽酿成。（《中华老字号》第一卷）生产玫瑰酥糖最有名的要数浙江湖州的泗安，泗安酥糖的发展在清朝前期，因为做工精细，选料讲究，远销京燕乃至全国，玫瑰酥糖是其中的翘楚，它的玫瑰酱使用玫瑰花加绵白糖腌制而成，特点是皮薄酥香，层次分明，块形整齐，平整细腻，入口甜香酥软，不粘牙齿，具有天然玫瑰、芝麻的香气。麻酥糖就是芝麻酥糖，泗安也产，苏州、杭州的糖果店中也有很多，主料是炒熟的芝麻研粉，味道松软香甜。

松子糖是苏州特产糖食。1934 年 11 月 18 日，鲁迅曾赠送一包给须藤医生。在北京时鲁迅曾用它招待过爱罗先珂。这种糖是苏州采芝斋糖果店创制，做法是在糖浆中加入松仁，凝结后制成，色黄透明，可见内有白色松仁。品种分脆松糖、轻糖松子糖、软松糖等。脆松糖晶莹明亮，甜脆适口；轻松糖颗粒均匀，洁白如玉，肥而不腻；软松糖品种繁多，色泽光亮。（《中华老字号》第一卷）采芝斋糖果店创立于清同治九年，创始人金芝在苏州观前街摆糖果摊，起先做粽子糖，一文钱两只，价廉物美，后又掺入松仁，制成松子糖，之后开设店面，起名采芝斋。

核桃糖则是更常见的一种国产糖，因为制作简单，所以民国时各种小县城都有私人制作和贩卖。1932 年 10 月 7 日，蔡咏裳送周海婴核桃糖一盒，核桃糖的做法非常简单，把一斤剁碎的核桃仁加三个鸡蛋蛋青调匀，用小茶勺舀起，放在烧热的锅上用文火烘 5 分钟左右就完成了。

二、外国糖食——摩尔登糖、有平糖、威士忌朱古力

鲁迅年轻时很喜欢吃一种叫“摩尔登”的糖果，也有人称作“摩尔顿”或“马尔顿”糖。在南京读书时鲁迅便常常花两三角钱去下关买一瓶装在扁圆瓶子里的摩尔登糖来吃。（周作人《鲁迅在东京》）去日本留学放假回乡时，鲁迅也会买上一些摩尔登糖分给同乡。（周冠五《我的杂忆》）在绍兴府中学堂教书时，鲁迅买摩尔登糖成为了一种习惯，越社的金如鉴回忆说：“先生喜欢吸纸烟，似乎很少间断，又喜食一种名摩尔登水果糖，来访者如不吸烟，则常飨以水果糖。”（金如鉴《回忆鲁迅先生》）当时鲁迅在学校深夜要备课，整理古典文学等，所以白天会叫工友替他买好香烟、条头糕之类，摩尔登糖也在此列。（陈云坡《鲁迅家乘及其轶事》）鲁迅家的佣人王鹤照提到，糖四个角子一瓶，圆形，五颜六色，只有教友会馆对面的一家店里才买得到，鲁迅一瓶糖吃一个星期左右。（王鹤照《回忆鲁迅先生》）甚至因为常去买，往往一踏入店门，不等开口，老板就已经指挥伙计，把店上层搁起来的摩尔登糖拿下来等待出售了。（许广平《鲁迅故居和藏书》）

摩尔登糖曾经流行一时，爱好者有鲁迅、苏曼殊等，也常见于晚清民国的通俗小说，口味“比现今的水果糖仿佛要鲜得多”。（周作人《鲁迅在东京》）然而有趣的是，报纸上几乎找不到这种糖的广告，甚至它究竟是什么糖，也众说纷纭。

苏曼殊曾在信中说："日食摩尔登糖一袋，此茶花女酷嗜之物也。"（苏曼殊《燕子山僧集》）这种说法一度流传很广，特别是苏曼殊离世后，《申报》等报纸上开始登载苏曼殊爱糖的文章，传其爱屋及乌之佳话，不过这只是一个误会。当时风靡一时的法国小说《茶花女》中的女主人公所喜爱的是糖渍葡萄，一种蜜饯，并非摩尔登糖。

摩尔登糖并不是某种特定的糖果，而是英国摩尔登公司生产的糖品的总称。这家公司虽也生产蜜饯，却是《茶花女》出版之后的事了。摩尔登公司创始人约翰·托马斯·摩尔登1849年在苏格兰阿伯丁从事粮食生意，随后在伦敦建立了罐头和腌制食品工厂，公司以其自己的名字命名为J.T. Morton公司，从事大型出口贸易。主业是罐头、果酱、腌制食品和糖果等，1868年产品远销中国、印度、美国和非洲。1897年约翰·托马斯·摩尔登去世后，公司由他的儿子们经营，更名为C.&E. Morton公司，主要贸易市场依旧是在海外。摩尔登是第一次世界大战期间英国罐头食品的主要供应商之一，也为极地探险队提供食物。第二次世界大战以后，摩尔登家族输给了外国和殖民地的竞争对手，不得不转向国内市场，逐渐衰弱。

摩尔登糖最大的特色是早期装在玻璃瓶中贩卖，瓶身上印着"摩尔登"公司的中英文商标，而且使用机器制作，干净卫生。摩尔登公司生产的糖品很多，1873年摩尔登公司售有瓶装苏格兰混合糖、葛缕子干籽糖、杏仁糖以及一种内有薄荷糖、姜糖、玫瑰糖的混合糖。1886年摩尔登公司的苏格兰混合糖（scotch mixture）出口中国。1934年冠生园创立者冼冠生撰文说，摩尔登在国内贩卖两种玻璃瓶装糖，方玻璃瓶的金丝糖和长扁玻璃瓶装的乌龟糖，后来又有白铁瓶的杏仁糖。（《食品界》1934年第7期）

鲁迅吃过的摩尔登糖里，与"五颜六色"的圆形糖果最接近的大概要数水果糖（fruit drops）了，在日本最为流行。1893年摩尔登水果糖正式进入日本市场并大受欢迎，众多日本企业纷纷仿制。作家青木正儿在文章里写道："糖果中我非常喜欢水果糖，那种多彩的颜色很有趣，每种颜色也有不同的香味，当时还没有国产货，英国摩尔登公司的瓶装水果糖在乡里不多，更很少能进到我们嘴里，所以很受珍重。"这实际上是一种英国传统硬糖，以砂糖为主原料，加入有机酸和香料等高温水煮，再使用特殊的机器按压而成，因为机器上有几排圆形的凹槽，自然形成圆的形状。当时的水果糖使用化学调味剂模仿水果风味已经很普遍，也有用果汁代替水来煮糖的。鲁迅在上海也收到过山本初枝送来的糖果（drops），当时日本森永公司仿制摩尔登水果糖成功，并进行了改良，制成不易融化的水果

鲁迅遗物中的翠绿有盖玻璃缸

糖，是很流行的。

除了圆形的摩尔登糖，鲁迅还吃过扁圆的，也就是苏格兰混合糖。苏格兰混合糖是多种糖混合在一起的糖品，出口中国的苏格兰混合糖中有香草糖（coriander comfits）和口香糖（cachou lozenges）各半，瓶身上印着“摩尔登十景糖”几个字，取混合之意。这种糖一般是红黄两色，也有蓝白等颜色。它还有一种别称叫作乌龟糖，因为糖扁似围棋子又很像龟背。（《郑逸梅选集》）也有叫它香蕉糖的，（《食品界》1934 年第 7 期）或许是因为里面的口香糖是香蕉味的。制作时使用阿拉伯胶并加入砂糖、香料和色素，之后用机器压制而成。

鲁迅在北京教育部任职时还买过宁蒙糖、甘蕉糖等糖果。宁蒙糖即柠檬糖，摩尔登公司也有生产，做法和水果糖相同，在水中加入柠檬或调味剂即可。甘蕉糖就是香蕉糖，香蕉糖曾是民国卖得最好的糖果之一，除了上文提到的摩尔登公司的苏格兰混合糖外，香港华记的香蕉糖在民国五六年时也很风靡，纸包装，形如爆竹。（《食品界》1934 年第 7 期）其他还有日本森永公司的香蕉糖等。

摩尔登糖进入我国的时间很早，冼冠生称其为“第一家侵略我国市场”的糖果公司。（《食品界》1934 年第 7 期）清代晚期出口中国的糖果很多，仅英国就有摩尔登、格里菲斯和巴吉公司的糖品，摩尔登是其中较为有名的一种。摩尔登的销售策略是直接与当地经销商合作，公司往往会将一份商品清单直接寄往彼处，以十分便宜的价格出售廉价和中价糖果。1915 年美国的糖果业杂志发文说，在很长时间里，包含摩尔登公司在内的两家英国公司使用这种策略占领了当地 80% 的糖果市场。或许正因为这种销售模式，虽然摩尔登糖流行一时，国内的报纸上却极难找到它的广告。摩尔登糖进入中国时各种洋酒罐头食品店都有代售，亦时常与茶馆合作，当时上海的福州路至广东路一带叫作“棋盘街”，有粤式茶馆专门经营摩尔登糖。如广东路河南路口的同芳居茶馆。

鲁迅也经常去这些种店里购买摩尔登糖。他在南京读书时去过下关的“办馆”，下关在江南水师学堂西面，因为靠近江边，西岸是码头，有洋船上下，所以开了几家洋货店，主业是给洋人代办食物，也称作办馆，如下关正街上的“润昌办馆”。

鲁迅在绍兴时常去教友会对面的一间店铺，在北京则常去晋和祥和青云阁。

鲁迅在上海也曾收到过一些西洋糖和日本糖。比如多次收到山本初枝赠送的有平糖。有平糖是一种日本化的西式糖果，最早是室町时代经贸易传入日本的，外国基督教徒在日本传教时也会赠送给平民。这种糖和摩尔登的水果糖一样也是高温水煮糖，将砂糖水煮后加入色素并压制而成。日本生产的有平糖，早些时候会被模造成多种形状，如花、鸟、鱼等，是一种高级品。荣太楼总本铺是最有名的有平糖品牌，1857 年开设于东京日本桥，注重有平糖的平民化。鲁迅收到的有平糖里就有荣太楼的招牌梅干有平糖。这种梅干有平糖加入了本红色素，水煮后拉成棒状，用刀切断，再手捏成型。形状和颜色酷似梅干，口味甜中带酸。

巧克力糖是比较常见的西式糖果，鲁迅在上海曾收到过许寿裳赠送的巧克力糖一盒。一次往须藤医院看病，须藤医生送了一盒威士忌朱古力糖果，这是一种酒心巧克力（日本也称巧克力夹心糖果），制作时需要将含有大量糖分的威士忌倒进模具中，等其形成一层糖膜后成型，最后在外面涂上巧克力。

三、“糖”非糖——橙皮舍利别、滋养糖、黍糖

还有几种不是糖的“糖”也值得一提。鲁迅在日本吃过橙皮舍利别（Syrupus aurantii corticis），也就是橙皮糖浆。这本是一种治疗身体虚弱、精神昏沉的药，透明略带黄褐色，用勺子舀吃，一日可服用三四次。做法是用橙皮丁和糖浆混合，所以味道很好闻，可以做消臭剂，也能促进食欲。因为用了橙皮，香甜好吃，用水冲泡可以当果汁，又很便宜，一磅的玻璃瓶大概只卖五角钱。或许是因为好吃，鲁迅吃得很快，大约吃完一两瓶后就不买了。（周作人《鲁迅在东京》）

鲁迅在上海买过滋养糖，是买给周海婴的。滋养糖流行于日本，主要成分是麦芽糖和糊精外加少量的食盐。在 20 世纪初至中叶的日本被当作一种儿童保健品，妇女和育儿杂志中曾有过广泛的宣传。一般是放进牛奶里一起食用，以缓和乳糖不耐的腹泻症状，也有补充母乳所需营养的说法。鲁迅买滋养糖也是听从日本医生的建议，当时周海婴出生后体重太轻，医生建议在新鲜牛奶里面加粥汤和滋养糖等，分量按月份增加，之后孩子才逐渐肥胖起来。（许广平《鲁迅先生与海婴》）

还有一种是内山完造送的黍糖，就是蔗糖，日本将甘蔗称为砂糖黍，蔗糖称作黍糖，这就完全不是糖果，而是一种调味料了。相近的有一种玉蜀黍糖，是从甜玉米中提取的糖，也是调味料。

从《喝茶》看故居的几组饮茶用具

——卞文娅

浙江盛产茶叶，鲁迅的老家绍兴亦是产茶名乡。关于绍兴产茶的记载最早可以追溯至汉代。唐朝时，茶圣陆羽曾多次造访越地考察，并在《茶经》中盛赞越地的茶叶与茶具——“茶，浙东以越州上”，“越瓷青而茶色绿”。鲁迅自幼便受到越地茶文化的熏陶，曾亲手抄录《茶经》。在他后来的创作中，亦总萦绕着一抹苦涩的茶香作为背景：《药》中为儿子购得人血馒头的华老栓以开茶馆为生，《阿Q正传》《长明灯》则借由茶馆中众人的闲谈引出对主人公的议论，而在《故乡》《端午节》《祝福》《弟兄》等作品中，饮茶更是作为当地人的一种风俗习惯嵌入小说文本之中。1933年9月，鲁迅还完成了《喝茶》一文，最早发表于1933年10月2日《申报·自由谈》，署名为丰之余，后收录于《准风月谈》中，体现了鲁迅对于饮茶的文化思考。翻阅鲁迅的日记和往来书信，可以发现在生活中约上三五好友同去茶室品茗，或与亲友互赠茶叶、茶具是鲁迅的一大爱好。

在1928年10月12日致章廷谦的信中，鲁迅曾提及：“《说郛》于邮局罢工前一天寄出，今已复工五六日，大约寄到了罢，为念。其价计十六元一角五分，暂存兄处，将托代买书或茶叶，现在尚未想定也。”这笔钱究竟用于买书还是买茶叶，这个问题足足困扰了鲁迅近一周的时间，直到10月18日再次致章廷谦的信中，鲁迅犹未能做出决断，只能继续延宕，“买书抑买茶叶，问题非小，一时殊难决定，再想几天，然后奉告罢”。经过一个多月的思量，到11月28日，鲁迅对于这笔钱的用途终于做出了决断：“《说郛》钱请不必急于交还，茶叶也非必要。或者要买一点图书馆的书，但将来再说吧。”并在信中烦请章廷谦在杭州帮忙留心《王忠悫公遗书》初集或《观堂遗书》这两种王国维的著作。然而好书终究不易寻得，不似茶叶每年应季上市，于是鲁迅在12月27日又一次致章廷谦的信中写道：“托兄给我在前回买过茶叶的那‘翁隆盛’买‘龙井明前’（每斤二元五角六分）、‘龙井旗枪’（一元四角四分）各一斤，见寄。”信中提到的翁隆盛即

白瓷山水画茶壶

杭州清河坊翁隆盛茶庄。结合日记中的记载，在次年一月一日“上午马巽伯来，未见，留矛尘所寄茶叶二斤”，代购的两斤茶叶终于几经辗转送到了鲁迅的手中。而就在此次茶叶代购的 3 个月后，1929 年 3 月 9 日，鲁迅又专门写信托请章廷谦代购茶叶，此次代购的数量、种类较上次都有所增加，“这回是要托你仍在‘翁隆盛’买三斤茶，计开：上上贡龙　一斤　二元二角四分 龙井雨前　一斤　一元三角六分 龙井芽茶　一斤　一元二角”。鲁迅爱书，是众所周知的，而茶叶竟能与书相提并论，成为摆在鲁迅在与友人的信中“问题非小”的两难抉择，并且之后还多次烦请友人帮忙代购茶叶，这足可以证明鲁迅是一个爱茶之人。

鲁迅不仅爱茶，而且懂茶，通过信中反映出的鲁迅对于杭州的茶庄、茶叶品种以及茶价的熟悉程度便可见一斑。而更为集中地体现了鲁迅关于喝茶的思考文章当属《喝茶》。文章由茶叶公司打折，鲁迅前去购买了二两好茶叶，冲泡品茗说起。“开首泡了一壶，怕它冷得快，用棉袄包起来，却不料郑重其事的来喝的时候，味道竟和我一向喝着的粗茶差不多，颜色也很重浊。”茶是好茶，盖因泡法不对，于是改换盖碗，“果然，泡了之后，色清而味甘，微香而小苦，确是好茶叶”。随后文章便转向了对于“茶道”的议论——有好茶喝，会喝好茶，是一种“清福”。不过要享这“清福”，首先就须有功夫，其次是练习出来的特别的感觉。

在写作《喝茶》前，1933 年 4 月，鲁迅便已携许广平、海婴等搬入了大陆新村 9 号（今山阴路 132 弄 9 号上海鲁迅故居）。新中国成立后，在着手恢复鲁迅故居陈设时，许广平将她在霞飞坊珍藏了 14 年的鲁迅遗物，一件件亲自检点，并详细说明它们的来历和与鲁迅的关系，以及当时放置的具体位置。茶具多为陶瓷制易碎品，但几十年后仍保存完好，正是得源于许广平女士与上海鲁迅纪念馆前辈工作者们的精心保护，如今我们方能一睹鲁迅所使用过的茶具。现以《喝茶》一文为线索，对上海鲁迅故居内的几件茶具及相关用品做提要介绍：

日式小茶杯

在《喝茶》中，鲁迅提到茶的第一种泡法，所使用到的便是茶壶。鲁迅所用茶壶中有一件白瓷山水茶壶颇有来历。在1932年6月25日的日记中鲁迅曾写道："下午蕴如及三弟来，并赠茗壶一具，又与海婴茶具三事，皆从安庆携来，有铭刻。"

这把白瓷山水茶壶单侧绘有山水图样，以群山、飞鸟为远景，近处左下角绘有松、石点缀，画面中央有一条绵延的小河，河上泛有一叶扁舟，近处架有一座木桥，桥上两个行人，整体画风朴拙。左上角处有"山水怡神 壬辰刻"的小字。壶的另一侧有"含英咀华"四个大字，落款为"廿一年六月 豫才制于宜城"，壶盖上有"味若香兰"四字。宜城即安庆的别称，两人以鲁迅的名义定制了此壶，并将此壶赠予鲁迅，想来两人亦知鲁迅爱喝茶，方才会有此馈赠。

在王蕴如、周建人之外，还有不少友人将茶具作为礼物赠送给鲁迅。据《鲁迅日记》中记载，1924年5月26日，"上午季市见访并赠花瓶一事，茶具一副六事"（季市即许寿裳）；1928年11月15日，"内山夫妇〔赠〕雕陶茶具一副共六件一合"；1932年5月3日，"午前平和洋行主人夫妇来，并赠茶杯二个，又给海婴玩具汽车一辆"。

除了亲友相赠之外，鲁迅也会自行购买茶具，如据1934年6月28日的记载，他便花费了三元五角"买麦茶壶一个，茶杯二个"。

或许是由于家中茶具多为友人相赠，又或许是源于鲁迅在生活中一以贯之的简朴习气，在故居中有一只日式小茶杯，杯盖上还有四处用钢钉锔补过的痕迹。茶杯的底款有"东陶制"字样，下方还有一行日文小字"意匠登錄出願中"，意为外观设计专利申请中。茶杯以米黄色为底色，杯身和杯盖上都有小鸟在树枝上栖息的图画做装饰。橘色的树上结着粉色的果子，同时栖息着蓝色的小鸟，色彩鲜艳明丽，带有抽象写意的风格。不同于鲁迅家中其他中式茶具的朴拙蕴婉，这只茶杯色彩鲜艳，图像明丽可爱，或许这也是其杯盖被敲碎后，鲁迅仍将其锔补复原使用的原因之一。

在《喝茶》中，鲁迅用茶壶泡茶时，“开首泡了一壶，怕它冷得快，用棉袄包起来，却不料郑重其事的来喝的时候，味道竟和我一向喝着的粗茶差不多，颜色也很重浊。”冬日，鲁迅往往泡一壶浓茶笔耕不辍直至深夜，为此，许广平特意为他缝制了保温茶壶套。茶壶套的历史可以追溯到明代，散茶的流行使得壶泡法成为了主流。然而到了冬日，由于壶体大，壶水多，一壶茶水往往还没喝完便已经冷了，如何为茶壶保温便成了冬日饮茶的一大难题，而茶壶套正是由此应运而生的。心灵手巧的许广平不仅缝制了保温茶壶套，还在正反面都绣制了精美的图样以作装饰。茶壶套上的绣花图样丰富，一面为双飞蝴蝶图样，绣有一大一小

许广平绣制彩色茶壶套

两只蝴蝶，大蝴蝶的前翅用枣红色丝线勾边，内里用正红色、粉色、黄色等丝线作为点缀，后翅用浅粉色丝线勾边，内里用正红色、玫红色线绣花作为点缀。蝴蝶的身体和触须用深蓝、浅蓝色丝线绣制，居于画面左上方；小蝴蝶前翅为黄色，后翅和身体为白色，以棕黑色线绣成触须，位于画面右下方，整体色彩丰富和谐。

另一面为花篮图样，篮中放有黄色、蓝色、浅粉色花各一枝，其中黄色、蓝色花分别以三种同色系丝线绣成，浅粉色花则以浅粉、粉双色丝线绣成，遵循内深外浅的用色规律，形成渐变的色彩过渡。周围做点缀的绿叶亦用三种颜色的丝线绣成。

用渐变色来体现自然界中植物生长的肌理是许广平绣花的一大特色，在上海鲁迅故居中还遗存有一只双面分别以鲜花、葡萄藤为图样的茶壶套，也体现了这一特点。

然而用茶壶泡茶再用棉袄裹上这样的泡法，最后喝来的味道却与鲁迅平常喝着的粗茶差不多，茶汤的颜色也很重浊。茶是好茶叶，只是这样粗糙的泡法必然无法得到茶叶的本味。于是在《喝茶》中，鲁迅旋即改换了泡法，“喝好茶，是要用盖碗的，于是用盖碗”，果然泡出了茶叶色清味甘、微香小苦的色、味。盖碗，是一种上有盖，中有碗，下有托的茶具，因为盖、碗、托蕴含了“天盖之、地载之、人育之”的含义，暗合了天地人“三才”，故又称“三才碗”“三才杯”，用茶碗泡茶有不夺香、不吸味、易清洗的优点。

从器型上看，上海鲁迅故居留存的盖碗多数为撇口盖碗，优点是不易烫手。盖碗的茶碗和茶盖上均上粉彩，在实用意义之外兼具审美价值。现存有一组彩色

彩色仙鹤盖碗

仙鹤盖碗，共8套，其中有一只的茶盖已遗失，其余7套盖、碗、托皆齐备。茶碗上绘有一只仙鹤立于山石之上，延颈向前凝视着云海翻腾之中的一轮红日，在山石的缝隙之中还生长着南天竹。杯盖上的装饰图案各不相同，有南天竹、松树或“可以洁心”的题字。

除了这一组彩色仙鹤盖碗外，故居内还留存有一套彩色山水盖碗，碗、盖、托上皆有彩绘山水图样，碗口处有鎏金边。碗托为鎏金荷叶边，造型灵动。

用盖碗泡茶固然可以得到好茶的本味，然而还“须在静坐无为的时候”才能品鉴，鲁迅当时正写着《吃教》一文，于是“那好味道竟又不知不觉的滑过去，像喝着粗茶一样了”。鲁迅爱喝茶，却并不将喝茶视为文人墨客独享的风雅爱好，而是将其与辛勤的工作结合在一起。在《〈小约翰〉引言》中鲁迅回忆起与齐宗颐合作翻译时的场景时曾写道：“我们的翻译是每日下午，一定不缺的是身边一壶好茶叶的茶和身上一大片汗。”在大汗淋漓的工作间隙，泡一壶好茶叶作为消暑之用，虽比不得文人雅士的“清福”，然而亦有酣畅淋漓之快。

在鲁迅写作《喝茶》之前，其弟周作人也曾写过一篇同题文章《喝茶》，将喝茶视为一种生活之艺术，即所谓“故意往清茶淡饭中寻其固有之味”，却不承想引得一众追随者竞相谈论喝茶，竟将其捧为“喝茶大师”。而鲁迅在《喝茶》的结尾处所发的“我们试将享清福，抱秋心的雅人，和破衣粗食的粗人一比较，就明白究竟是谁活得下去”的议论，学者郜元宝认为“既像是为周作人解围，又像是对这位老弟有所提醒，有所讽刺”。

1935年5月9日，鲁迅“以茶叶一囊交内山君，为施茶之用”。内山君即内山书店的老板内山完造，他看到中国有些店家在路边设置茶桶施茶，深受感动，便也在内山书店门口设置了施茶桶。内山常常在喝完的茶桶的桶底发现一二个铜子，后来才知道那是在饥渴时享受到不收分文的便茶的劳动者，因为感念书店提供的这一份甘霖而献。

既能于雅舍品茗也能赠茶给友人供其施茶；能以盖碗品得香茗，亦能在冬夜泡一壶浓茶再用茶壶套裹住陪伴他笔耕不辍直至凌晨，鲁迅的茶道亦是对其文学道路与人生道路的最佳注脚。

休憩时刻

从鲁迅家用花瓶说起　郑亚

宇留河泰吕与《倒立之演技女儿》　乔丽华

鲁迅书房兼卧室内的两幅德国版画　丁佳园

鲁迅与『香烟牌子』及其他　李荣

鲁迅收藏的『纸塑』小船　吴仲凯

鲁迅在上海的娱乐之看电影　丁佳园

从鲁迅家用花瓶说起

——郑亚

上海鲁迅纪念馆收藏有许广平 1950 年捐赠的一批她与鲁迅共同生活中使用的物品，包括家具衣物、文房用品、学习工具、医药用具、炊具餐具、茶具酒具等。许广平曾说："我们对于他的一切遗留下来的，都足供作研究这一时代文化动向的资料，我们绝不敢'敝帚自珍'，甚望得到各方面的督导。"（许广平《我们怎样纪念》）

在这批物品中有花瓶 11 件，带有中式、西式甚至日式等不同艺术风格，从材质看分为玉石类 1 件、玻璃类 3 件、陶瓷类 7 件，纹饰造型以花卉图案与花苞造型较为突出。就大小尺寸而言，大者不过 20 厘米上下，小者高度不过六七厘米上下，且或多或少存在着擦痕、细微碎纹、釉面剥落等情况，除却自然老化的原因，应为在实际使用中产生的轻微损伤。初步判断，这些花瓶主要为鲁迅与许广平在日常生活中使用的装饰陈设及赏玩用品。

陶瓷器与玻璃器易损伤，保存不易。如从 1927 年鲁迅与许广平抵达上海共同生活开始算起，到 1950 年为在上海鲁迅故居筹建上海鲁迅纪念馆许广平捐赠这批文物为止，共计近 24 年光阴，辗转景云里、拉摩斯公寓、大陆新村还有淮海路淮海坊多处。杯盘碗碟，因日常生活必需，且叠放收纳难度不大，保存较为容易，而这些花瓶保存难度颇大且实用性较弱，能够让许广平如此用心用力加以保存，让人生出颇多好奇探究之意。

一、11 件花瓶总体概要情况

按这 11 件花瓶在文物总账上的品名及对应的 10 个编号顺序，结合实际，具体描述如下：

1. 淡绿色小花瓶一件，玻璃质地，基本完整，高 16.4 厘米，口沿分为六瓣，向下稍稍内收后撇足，器身自然分为六部分组成，装饰三组浮雕双枝麦穗形暗花

淡绿色小花瓶

彩绘小花瓶

图案,间隔三组浮雕狭长变形蝴蝶暗花图案。整体艺术风格偏西式,大小适宜插花。

2. 花苞形花瓶两件，玻璃质地，基本完整，高约 20 厘米。口沿分为十二瓣，向下内收后撇足，器身对应为十二部分，花瓣下为立体几何形装饰，器壁厚度适中，内有纵向摩擦痕。整体艺术风格更为西式，大小尤其适合西式插花且成对使用，内部摩擦痕或因日常生活实际使用后频繁清洗所致。

3. 彩绘小花瓶一件，瓷质，基本完整，高 7.6 厘米。式样略似清代胆瓶，黄釉地上彩绘蓝绿红缠枝花卉，应为传统瓷器中“百花地”纹饰，而主题花卉似为西番莲，西番莲图案为清代中晚期后外来纹饰，底部有颇为特殊的从左往右书写的英文“CHINA”款识,总体为传统中式风格但多少已受西方文化影响。器型小巧，口部狭小，较难实际插花，应为文玩陈设。

4. 白抛点有凸花小花瓶一件，瓷质（或陶质），基本完整，高 10.6 厘米。近似盘口壶式样，肩部有左右对称可穿绳而过的带状系施黄酱色釉，瓶身通体分布高凸点状白釉，并在正面颈部肩部上腹部与两系结合区域用黄、蓝、绿釉表现写意花卉，应为清末民初珍珠地彩瓷。器型小巧，不宜插花，应为文玩陈设。

5. 玉雕美女花瓶一件，玉石质地，整石雕刻，高 11.5 厘米。人物为中国传统仕女形象，发髻高耸，衣裙垂荡，身后背篓形容器可供蓄水插花，从艺术风格看比较接近清代盛行的玉花插。而器型不大，把玩欣赏的作用应大于插花。

6. 彩色有柄插花杯一件，瓷质，基本完整，高 15.5 厘米。整器相对圆润硕大，

金鱼壁瓶

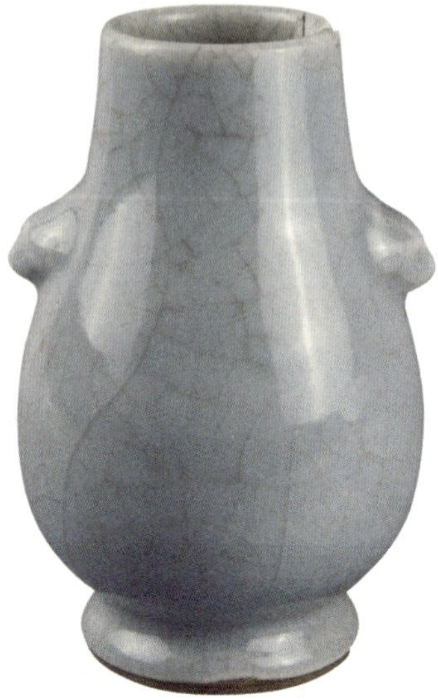

青色花瓶

一侧有流，一侧有柄，通体白釉器身正面装饰彩绘多色水果图案，缤纷绚烂，更近西式风格。从器型看，可插花也可用作花浇，亦类似西式饮具中所用牛奶执壶。

7. 菊花花瓶一件，瓷质，基本完整，高 10.8 厘米。整器规整匀称，通体施近似茶叶末釉，正面图案绘生动自然紫红与白色重瓣花卉，绿叶狭长柔软，就花型叶态看更似芍药花，背面有单朵折枝同类花卉。器型不大，把玩欣赏的作用应大于插花。

8. 金鱼壁瓶一件，瓷质（或陶质），基本完整，高约 20 厘米。整器为生动金鱼造型，金鱼鼓眼张口，口部与腹部连通中空，从头部到尾部施自然渐变粉红彩与酱黄彩，底部平整，接近顶端有一圆形小孔，便于悬挂于墙。可单独做壁上装饰，也可插放干花。

9. 青色花瓶一件，瓷质，基本完整，高约 19 厘米。整器古朴厚重，造型近似清代瓷器中的双耳尊，双耳为写意兽形辅首；青瓷釉色滋润，布满自然细微开片，内壁施釉均匀，底部有痕迹极似烧制过程中缩釉形成的“蚯蚓走泥纹”；口沿缺口处可见胎质较白，而底部圈足外沿则呈现深灰色。从整体艺术风格看非常接近后世仿制宋代“天青釉细开片香灰胎”的汝窑瓷器。就器物综合情况看，既是一件端庄大气的文玩陈设瓷，也适合插放水养较多鲜花。

10. 黄色印花罐形小花瓶一件，瓷质，基本完整，高约 6 厘米。整器浑圆低矮，通体施明亮黄釉，正面以写意笔法绘粉花绿叶与黑色篱笆，笔调轻松色彩明快，花朵接近扶桑花，艺术风格更似日式。就造型、器口与大小而言，应为装饰陈设品。

二、聚焦鲁迅收藏而进行的信息梳理

鲁迅在北京期间，任教育部社会教育司第一科科长，主管博物馆、图书馆、文艺、文物、动植物园等事宜，经手历史博物馆筹建事宜，接触不少古董文物，且频繁出入琉璃厂，基于这样的历史背景，让人第一反应是这些花瓶中的传统艺术品会否是鲁迅在琉璃厂等处选购？

笔者大致翻查《鲁迅日记》，鲁迅从 1912 年至 1926 年在北京期间，对琉璃厂、小市、劝业场等古籍古玩商铺摊点集中之地情有独钟，1912 年 5 月 5 日抵京，一周后的 5 月 12 日就急不可待地与许寿裳等友人前往琉璃厂，“历观古书肆，购傅氏《纂喜庐丛书》一部七本，五元八角”。

鲁迅在其日记中对所购古旧物品记录相当细致，尤其是有关古籍、画册、佛经、碑帖、墓志与画像拓本的购买与记录不厌其烦极为详尽，据相关统计，仅“1916 年至 1923 年的八年间，他总共去琉璃厂 267 次。大多购买各种拓本”。（郝晓蔚 刘立骞 赵伟利《跋涉在老北京琉璃厂书海中的鲁迅》）又有“20 多年里，日记有据可查的书账，全部统计出来，买书三千零九种，共计九千六百册；购买的各种墓志、碑文、画像砖、画像等拓片六千九百零六张……”的记载。（江舟《〈鲁迅日记〉中的书账》）此外，就日记记载所见，鲁迅购买收藏较多的还有古钱币，古铜镜、陶土人偶等。

而日记中涉及购买陶瓷瓶类的，粗略见有：

（1）1912 年 11 月 30 日日记：“三十日 昙，午后晴。下午赴劝业场为二弟觅复活祭日赠高医士之品，遂购景泰窑磁瓶一双，文采为双龙云物及花叶，皆中国古式，价银五元。”

（2）1913 年 2 月 5 日日记：“五日，晴，风。……午后同齐寿山往小市，因风无一地摊，遂归。过一骨董肆，见有胆瓶，作豇豆色，虽微瑕而尚可玩，云是道光窑，因以一元得之。”

（3）1921 年 10 月 27 日日记：“二十七日 晴。……下午往小市买白磁花瓶一，泉五百五十文。”

上述《鲁迅日记》中记录的带有收藏赏玩意味的传统中式花瓶，并无与我馆馆藏 11 件花瓶对应者。因《鲁迅日记》的细节信息极为庞杂，不排除笔者翻阅查找或有所疏漏。在有限时间内，笔者仅查找到 11 件花瓶中第 8 件相关信息，即 1934 年 5 月 3 日日记:“三日 小雨。……午秉中来并赠海婴鞋一双，赠以书三本，金鱼形壁瓶一枚。”

鲁迅对自己经手购买或友人互赠是有坚持记录习惯的，11 件花瓶中经《鲁迅日记》确证的，笔者只查找到“金鱼壁瓶”，在很大程度上说明了这些花瓶极有可能并非鲁迅为收藏而购，也难以确证友人对鲁迅的赠予，但因与鲁迅和许广平的共同日常生活有关，那么其中许广平的因素可能更为关键。

三、馆藏故居陈设照片所见与历史资料印证

近年来，上海鲁迅纪念馆进一步加强对历史照片的整理，在相关历史照片中，笔者发现了多件花瓶的具体摆放情况。

1950 年至 1952 年历史照片中可见 10 件：

1. 故居底楼 6 件，分别为前半部分会客区方桌上布置有玻璃花瓶，靠西墙的瞿秋白赠存的翻盖式书桌上摆放青瓷花瓶，贴着东墙的周海婴“玩具橱”多件玩具中见有玉雕美女花瓶、彩绘小花瓶、白抛点有凸花小花瓶和黄色印花罐形小花瓶；

2. 二楼鲁迅书房及卧室中 3 件，东南角书橱顶部摆放物品中有菊花（芍药花）瓷瓶，西南角梳妆台右侧摆放有彩色有柄插花杯，梳妆台右侧墙面上方安装金鱼壁瓶；

3. 三楼曾经提供瞿秋白等人躲避追捕的客房中 1 件，为较小的长方书桌一角放有玻璃花瓶。

1951 年上海鲁迅纪念馆对外开放前后，鲁迅故居的陈列是在许广平的指导下具体复原的，可以说 1950 年至 1952 年的历史照片最为接近鲁迅生前在上海的家庭日常状况，也反映出鲁迅与许广平共同的生活习惯。

上海鲁迅纪念馆的虞积华先生 1951 年进入馆内工作，从在故居建馆之初做讲解开始，在馆内从事了近 40 年的征集保管、陈列教育、鲁迅研究工作，对馆内早期文物来源及背景情况相当了解。在其撰写的《上海鲁迅故居沿革》中，他对鲁迅与许广平 1927 年来到上海之后先后居住过的景云里、拉摩斯公寓、大陆新村 9 号三处做了完整详细的描述。其中对大陆新村 9 号鲁迅生前最后的寓所描述尤为详尽，他写道：“穿过水泥通道，踏上台阶，进屋就是客厅，正中一张棕黑色的西餐桌，桌上放着一只绿色玻璃花瓶和一只白瓷红花烟具……”“沿西墙从南到北放着一只檀竹合成的火钵，……旁边是一张设计特殊的西式书桌，上边

有块板条编成的半圆形盖板，它是瞿秋白在上海时常用的……在书桌上部的搁板上，中间是只胡风送的豆青色瓷瓶……”借助于这些文字，绿色玻璃花瓶的使用和豆青色瓷花瓶的来源得以明晰，特别是根据文中注释可以得知，豆青色瓷瓶由胡风赠送的依据是许广平口述。

在这段文字的后半部分，虞积华先生还提道：客厅东墙处放着海婴的小桌、小椅和小凳（小桌小椅系代品），这些桌椅的旁边是海婴的一只玩具橱，里面原先塞满了“毛猴子、橡皮人、火车汽车之类的”的玩具，（萧红《回忆鲁迅先生》）其中还有被萧军不慎折断竿的日本玩偶“五月金太郎”。（萧军 1986 年来上海鲁迅纪念馆时口述）日本学者辛岛骁所赠朝鲜竹制玩具“天上大将军”和“地下女将军”，还有瞿秋白夫妇赠海婴的铁质拼装机械玩具“积铁成像”，他们期待海婴在革命胜利后成为祖国的建设者。（许广平《瞿秋白与鲁迅》）可惜的是，在这段文字中未提及照片所见 4 件花瓶的情况，而这 4 件花瓶尺寸甚小并不太适合日常插花。

后经询问虞积华先生，他仔细回忆后提出另一种可能，鲁迅在北京任职期间曾在小市等处购买的若干带有玩具性质的小杂件，收放家中的书桌抽屉里，许广平等女学生看到后争相“瓜分”，而这几件不排除是许广平早年北京求学时所得。

四、对植物花卉喜好的情感延伸

就普通居家生活而言，区别于其他杯碗碟盏的吃喝功能，这批数量可观，材质造型各异的花瓶，是否也体现了鲁迅与许广平对植物花卉的喜好？

鲁迅无疑是喜欢花草植物的，无论是其深入阅读植物图典，还是其多篇作品中对多种植物花卉精准生动的描述，以及他在杭州绍兴任教期间带领学生采集制作植物标本，在北京住所亲手种植紫丁香，在上海大陆新村小小庭院里种植夹竹桃、石榴、紫荆，等等，都说明了他对花草植物的情结。

而在《鲁迅日记》中，购赠植物花卉的记录，在上海生活中也颇多见，粗略罗列如下：

（1）1929 年 9 月 28 日记有：买文竹一盆，赠广平。

（2）1930 年 6 月 29 日记有：下午出街买纹竹两盆，分赠陈君及内山。

（3）1930 年 6 月 30 日记有：下午买麦门冬一盆，六角。

（4）1931 年 8 月 23 日记有：大风吹麦门冬一盆坠楼下。

（5）1932 年 10 月 12 日记有：晚内山夫人来，邀广平同往长春路看插花展览会。

（6）1932 年 12 月 17 日记有：内山君赠万两（即朱砂根又名平地木，一种观赏及药用植物）并松竹一盆。

（7）1933 年 3 月 3 日记有：上午内山夫人来并赠堇花一盆。

（8）1933 年 5 月 31 日记有：内山夫人来，并赠手巾二筒、踯躅（杜鹃花）一盆。

（9）1933 年 12 月 31 日记有：上午内山夫人赠松竹梅一盆。

（10）1934 年 1 月 1 日记有：下午诗荃来并赠水仙花四束，留之夜饭。

（11）1934 年 12 月 19 日记有：内山夫人赠松梅一盆。

（12）1935 年 12 月 22 日记有：内山君赠岁寒三友一盆。

（13）1936 年 3 月 8 日记有：上午内山君来访并赠花两盆，未见。

这些简要的记载，显示了鲁迅在上海生活中对植物花卉的关注与喜爱，显然亲近的友人对他的这一喜好也颇了解。

此外，还有以下若干与之相关联的延伸信息也更值得玩味：

就《鲁迅日记》1929 年 2 月 8 日所记："午后往内山书店，得《草花模样》一部，赠许广平。"鲁迅所购应为日本古谷红麟撰写的《写生草花模样》，为 1907 年京都芸草堂刻本，时近春节，赠送此书带有养心悦目之意，过年时，鲁迅还将描摹"草花模样"的日文休闲画册送给许广平。

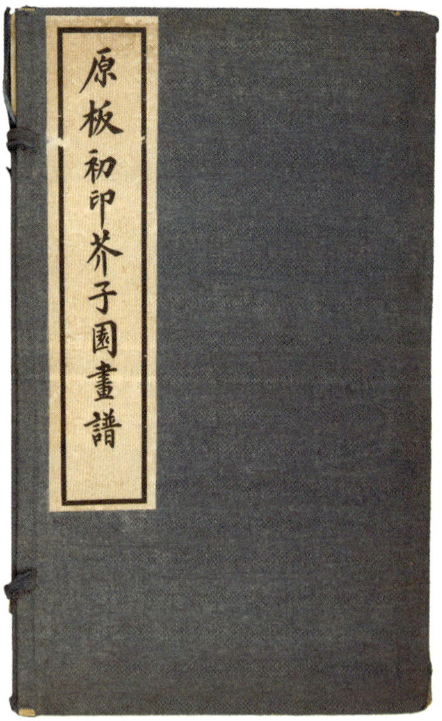

《原板初印芥子园画谱》

又《鲁迅日记》1929 年 9 月 28 日记有："买文竹一盆，赠广平。"此条的前因是 9 月 26 日下午送许广平入福民医院，夜在医院。9 月 27 日晨八时，广平生一男。就此，许广平曾回忆道："在小孩子出世的第二天，他非常高兴地走到医院的房间里，手里捧着一盆小巧玲珑的松树，翠绿，苍劲，孤傲，沉郁，有似他的个性，轻轻地放在我床边的小桌子上。以前他赠送过我许多的东西，都是书，和赠送其他朋友一样。这回他才算很费心想到给我买些花来了，但也并非送那悦目的有香有色的花朵，而是针叶像刺一样的松树，也可见他小小的好尚了。”（许广平《鲁迅先生与海婴》）鲁迅用文竹表达对爱人的抚慰与得子的欣然，给许广平留下难以磨灭的印象，当然因为这段回忆发表于1939年，10年之后，把文竹写成小巧玲珑的松树是美丽的误会。

“在上海十年中，虽然从鲁迅作品中少见有关花卉的记叙与描写，但1933年至1934年间与郑振铎合作编印《北平笺谱》、翻印《十竹斋笺谱》以及购买、欣赏《芥子园画谱》等文化活动，同样显示了鲁迅那终生不渝的花卉情结，因为花卉从来就是这类笺谱、画谱的主要内容。”（孔昭琪 孔见《鲁迅与花卉》）

1934年12月9日，也就在鲁迅编辑《北平笺谱》和翻刻《十竹斋笺谱》期间，他将此前购得的上海有正书局翻造的《芥子园画谱三集》赠送许广平，在书内扉页，鲁迅除了对上海有正书局翻造此版加以客观评价和专业分析外，还特地题写了以下诗句：

十年携手共艰危，以沫相濡亦可哀。

聊借画图怡倦眼，此中甘苦两心知。

鲁迅对许广平携手共度艰危的感激，相濡以沫的感慨，聊借画图怡倦眼的体贴，冷暖甘苦两相知的珍惜尽在此中。

从到上海后的第二个春节，到海婴诞生，再到与许广平走到一起的10年，鲁迅或是通过花卉图谱或是借助绿色植物表达了对许广平的爱意与谢意，也或许正是因此，许广平会对涉及花卉植物的花瓶抱有别样心情，虽不是日常生活基础必需物品，却不嫌辗转保存包装运输存放的各种烦难，将这些花瓶费尽心力地保存下来，保存在其中的是鲁迅与她以及海婴共同生活的美好记忆，还有鲁迅对她和她对鲁迅那份深沉独特的情感。

宇留河泰吕与《倒立之演技女儿》

——乔丽华

在上海大陆新村鲁迅故居三楼海婴的卧室，挂着一幅有点怪异的油画，上画一个穿粉红衣服的女艺人，单手倒立，头顶一叠碗。这幅画名为《倒立之演技女儿》，画的右下角有签名：Pan.Vurugawa，即《鲁迅日记》中的宇留川，又写作パン·ウル。

关于这位《鲁迅日记》里出现过的画家宇留川，2005年版《鲁迅全集》的注释如下：

> 宇留川（1901—1986）即宇留河泰吕，日记又作パン·ウル，日本画家。1928年春与国木田虎雄、金子光晴等同到上海，经内山完造介绍认识鲁迅。

这个注释中有些信息不够确切。其实画家之子屿田英诚于1998年参观了上海大陆新村的鲁迅故居后，曾撰写《鲁迅故居里的那幅画》一文，对其父的生平有较为详细的介绍。此外，日本关西学院大学大桥毅彦教授《在上海和神户现代主义艺术圈中飞行的两颗卫星——宇留河泰吕和石野重道》一文中也做了介绍，可知20世纪20年代宇留河泰吕曾作为前卫艺术家在神户和上海两个城市表现活跃。本文根据这两篇文章所提供的资料线索，探讨这位旅沪日本画家在上海期间的文艺活动，特别是他和鲁迅、郁达夫等沪上左翼作家的关系。

需要说明的是，由于一些原因，这位画家的名字有多种不同写法，为方便起见，本文姑且统一用“宇留河”的简称。

一、从唯美主义到前卫艺术之路

屿田英诚的文章引用了宇留河晚年写的《回忆片叶》一文，在这篇自述里，宇留河追忆了他青少年时代的艺术活动，提及最初引领他走上艺术道路的启蒙者如北原白秋、竹久梦二等，他们大体而言属于抒情、浪漫、唯美派的诗人。其中北原白秋和木下杢太郎二人艺术活动基本重合，他们创办的“牧神会”及《昴》《屋

《倒立之演技女儿》（连框）

上庭园》等杂志，是日本唯美主义文学活动的大本营。值得一提的是，宇留河有一个常用的署名：Pan。对于为何有一个宇留潘（パン）的笔名，屿田英诚推测或许与北原白秋等创办的“パン之会”（牧羊神会）有关。“牧神会”（パンの会），又译作“牧羊神会”“潘神会”。潘，即 Pan，希腊神话的牧神，负责看管宙斯的牛羊。这是一些不满自然主义的作家组成的文学团体，1908 年 12 月成立，大约在 1912 年解散。核心成员为北原白秋、木下杢太郎、石井柏亭等。由此也可见宇留河受明治末期唯美主义影响之深。

1923 年前后，宇留河开始跻身于当时东京前卫的艺术圈。关于宇留河与三科会的关系，屿田英诚的文章提到的玉村方久斗、外山卯三郎、中原实、仲田定之助等，都是当时活跃的前卫画家或美术评论家，参与了日本前卫美术团体“三科会”和“单位三科”的活动。“三科会”，即三科造型美术协会。第一次世界大战后，在工业化背景下，日本画坛受到欧美未来派、达达派等影响，1924 年新兴美术团体“未来派美术协会”“行动”“MAVO”（达达）这 3 个美术团体合并组成“三科造型美术协会”，标志着大正新兴美术运动的诞生，但 1925 年就解散了。1926 年“单位三科”宣告成立，列出委员名单 35 人，宇留河名列其中，常务委员为村田实、仲田定之助、中原实、大浦周藏、冈村蚊象、玉村善之助、山崎清。确定每年 9 月定期举办绘画、雕刻、建筑等的展览，此外还进行电影制作、出版印刷工作及举办戏剧、讲演会。1927 年 6 月“单位三科”举办了在银座展出的“三科展览会”，这之后也陷入低潮。（外山卯三郎《日本洋画史》）

大桥毅彦教授还介绍了宇留河在 GE · GJMGJGAM · PRPR · GJMGEM（以下简称 G · G · P · G）杂志上发表诗作的情况。G · G · P · G 创刊于 1924 年，到 1926 年 1 月停刊，一共发行了 10 期。这本杂志与同时期的《红与黑》、MAVO（村山知义等创办的杂志）并肩，为深受未来派、表现派、达达主义影响的青年画家及文学家提供了展现自己的平台，桥本健吉（北园克卫）、稻垣足穗等现代主义诗人曾在这本诗刊上发表作品。宇留河一共向 G · G · P · G 投过六次稿，其中既有诗歌也有短文，如 1925 年 7 月号刊登的诗歌《ZZ》是一首超现实主义的短诗。其中有几篇是他和朋友一起创作的，如 1925 年 8 月号与野川隆、桥本健吉一同执笔的《银座色彩街的对话》（署名 PAN·宇留河），第三年第 1 号（1926 年 1 月）与石野重道共同完成的《诺博赛金斯克大街》。（郑体武主编《现代主义的文学世界与世界文学中的现代主义》）据外山卯三郎著《日本洋画史》所述，G · G · P · G 这本杂志由前卫艺术家中原实、玉村善之助、野川隆等人创办。（外山卯三郎《日本洋画史》第 4 卷）这几位正是“三科会”及“单位三科”的重要成员，这也显示了宇留河与大正、昭和时期的前卫美术团体的密切关系。

综上，宇留河早年深受明治末期唯美主义绘画和诗歌的影响，1923 年后参与大正、昭和这一时期的前卫美术运动，成为前卫艺术团体“三科会”“单位三科”的活跃成员，作为前卫艺术家展现其艺术创造力。

二、宇留河与上海文艺界

在“单位三科”的活动接近尾声之时，宇留河准备远渡重洋去巴黎留学，但他首先来到了上海。据屿田英诚的文章，宇留河本人在 1965 年开画展作自我介绍时自述曾任“1927 年上海艺术大学的教授”。上海艺术大学是旅居法国的画家周勤豪等创办的一所私立艺术大学，位于上海法租界善钟路（今常熟路）。据《申报》可知 1928 年、1929 年该校聘请了张资平、成仿吾、王独清、郑伯奇、段可情、

前排左六为宇留河，摄于 1927 年 7 月至 8 月

冯乃超、李初梨等一批创造社人士担任教职，1930 年前后因为从事左翼文艺活动而被国民党政府关闭。推测张资平等可能因此结识在此任教的宇留河。

关于宇留河在上海艺术大学任教的情况不详，但可以肯定的是他 1927 年夏已在上海，因为 1927 年佐藤春夫来上海期间，宇留河参加了欢迎聚会并留有合影。在田汉的邀请下，1927 年 7 月、8 月佐藤春夫游访了上海、杭州、南京、镇江和扬州等地，多数时候由郁达夫陪同。根据郁达夫日记和《申报》报道可知，佐藤春夫一行 7 月 12 日抵达上海，在 8 月上旬离开上海回国。在《中日友好的先驱·鲁迅与内山完造图集》中有两张佐藤春夫参加内山书店文艺漫谈会的合影，其中一张合影注明拍摄时间是 1927 年 7 月 27 日，前排中间是佐藤春夫（穿浅色西装），前排左二是郁达夫，此外还有内山完造夫妇等文艺漫谈会的常客。另一张合影前排中间是佐藤春夫（穿和服），屿田英诚指出佐藤的右边就是宇留河。这张合影未注明具体时间，但据此可以确认宇留河 1927 年 7 月或 8 月已在上海，非《鲁迅全集》注释中所说的 1928 年春。

宇留河来到上海后成为内山书店文艺漫谈会的常客之一，这在 1955 年内山完造发表在《老朋友》同人杂志上的回忆文章中也有记载：

> 从日本去上海的文学者一般都是通过漫谈会这个窗口进行交流的，它还有个“上海海关”的外号。我们和谷崎润一郎、佐藤春夫、松村梢

内山书店出版发行的《万华镜》杂志

风、金子光晴、森三千代以及宇留河涉、国木田虎夫等同人也有老朋友般的交情。(外山卯三郎《日本洋画史》第4卷)

文中的宇留河涉，即宇留河パン(潘)。尽管郁达夫和宇留河都参加了欢迎佐藤春夫的聚会，但他们当时并没有认识。此后经过佐藤春夫的介绍，郁达夫才知道了“宇留河”其人。1928年1月13日在致佐藤智慧子的信里他写道：

智慧子：贺年片已收到，谢谢，这幅版画实在好，太好了。哥哥和姐姐都很好吗？我们将赴日本，大抵是二月中旬。学校情况怎么样？已开学了吧。春夫先生介绍的朋友宇留河（？）——这个姓真妙啊，很象中国人——还没有见到，过几天将会见到。

我们平安无事，请放心。特此告知，再会。(《郁达夫文集》第9卷)

信中的“春夫先生”即佐藤春夫。郁达夫的日记不连贯，也可能没有记载，从这封信来看他和宇留河见面当在1928年1月中下旬。到1928年4月2日，郁达夫的日记里出现了这样一条记载：

中午在陶乐春请客，到了鲁迅及景宋女士，与日本的本间久雄氏、金子光晴氏、国木田虎雄氏与宇留河氏。午膳毕后，又请他们去逛了一趟半淞园。

回来在小有天吃晚饭，到日本人五十多人，总算是极一时之盛了，闹到晚上的十二点才回来。(丁言昭编《郁达夫日记》)

《申报》1928年3月30日第22版刊有一则《中日文艺家之交欢会》的消息，正是预告此次在小有天的聚会活动：

日本早稻田大学文学科教授本间久雄氏，现因留学欧洲，立于昨（念九）日由横滨乘箱崎丸出发，预定来月二日抵沪。留沪早稻田同学会、东亚同文会、日人基督教青年会、文艺漫谈会等，因欢迎该氏联合发起在四马路小有天举行中日文艺家交欢会，并加入现留沪上之小说家国木田虎雄、诗人金子光晴及画家宇留河泰吕诸氏等，并闻国木田、金子、宇留河诸氏等拟在沪举行文艺讲演会云。

由此可知4月2日这天的活动是为了欢迎早稻田大学教授本间久雄到上海。本间久雄（1886—1981）系文艺理论家，他的《新文学概论》是较早介绍西方文学理论的教材之一，也是最先被引进到中国的文学理论著作之一（1925年出版章锡琛中译本）。1927年鲁迅在广州演讲时就提到这部著作："倘是新的，研究文学，则自己先看看各种的小本子，如本间久雄的《新文学概论》，厨川白村的《苦闷的象征》，瓦浪斯基们的《苏俄的文艺论战》之类……"（鲁迅《读书杂谈——七月十六日在广州知用中学讲》）

根据《郁达夫日记》，中午郁达夫邀请了鲁迅等一起吃饭，之后逛了半淞园，晚上又在四马路小有天聚会。同一天《鲁迅日记》里也有记载：

> 二日　雨。……达夫招饮于陶乐春，与广平同往，同席国木田君及其夫人、金子、宇留川、内山君，持酒一瓶而归。下午往内山书店买《世界文艺名作画谱》一本，二元二角。

奇怪的是《鲁迅日记》未提及本间久雄。1932年发表的本间久雄的《关于鲁迅》一文记载了这次聚会，不过根据他的记载，中午的聚会是内山完造召集的，这次见面鲁迅还抄录了"潇湘何事等闲回"的诗句题赠给他。（本间久雄《关于鲁迅》）

《鲁迅全集》的注释说，经内山完造的介绍鲁迅与宇留河结识，其实郁达夫也可以说是介绍人。在郁达夫和内山完造召集的这次聚会上，鲁迅结识了宇留河这位日本画家。他们见面谈了些什么不得而知，在这次聚会之后，鲁迅和郁达夫请宇留河设计过书刊封面。值得一提的是，1929年4月27日鲁迅参观了宇留河举办的画作，并买了他的一幅画作：

> ……午后杨维铨来，并同柔石及广平往施高塔路看パン・ウル个人绘画展览会，购《倒立之演技女儿》一枚，泉卅。

这幅画现藏于上海鲁迅纪念馆，屿田英诚见到此画后认为"它与我长年来所见到的父亲之作品大相径庭，它少了宇留河作品的明快洒脱的灵气，绘画技法上也很难恭维"。这可能是他对大正、昭和时期的前卫艺术运动不了解，这幅《倒立之演技女儿》，无论从构图还是色调，都有着强烈的超现实主义风格。增田涉1931年在上海时，常向鲁迅请教一些翻译上的问题，他也记得这幅画：

> 顺便还想起，当时我进出着的，是他那书房兼客厅、寝室兼起坐间的颇为宽大的房间，黑白木刻画的镜框之外，只挂着一张油画，那是什么？那是画着古怪的好像滑稽演员似的画，腰弯向前方，独脚站着，另一只脚直角地往后伸，两手平伸开，头上顶着五六只碟子，穿着红衣服

的男人，是所谓超现实派的奇矫的绘画。是一个叫作宇留川·磐的日本青年画家的画。是他去法国的路上，在上海停留，为了筹旅费而开展览会，鲁迅当时是以半道义的（听说是内山先生关照的）精神购买的，挂在那儿，也许是当作装饰的意思。总之，是长时间中，他挂着那头上顶着五六个碟子，一只脚站着的小丑似的人物画。要说那跟无产阶级现实主义是什么关系呢，那怕是不通情理的话吧。总之，他喜欢绘画，所以就是奇怪的画，也看，也买。（增田涉《鲁迅的印象》）

增田涉的记忆不是很准确，画上是一位穿着红衣服的杂技少女，而不是穿着红衣服的男人。不过他也记得这幅画是“超现实派的”。根据他的记忆，鲁迅可能曾经把它挂在二楼卧室兼书房的墙上。这说明鲁迅是欣赏这幅画的。

宇留河何时离开上海去巴黎，没有公开的报道或记载，《鲁迅日记》最后一次提到宇留河是在 1929 年 4 月 27 日，据此至少可确定是在此日期之后，宇留河离开上海。

三、署名“Pan Ur”的书籍封面

以上钩沉了宇留河来到上海后的交往，可以看到，除了日本人的圈子，宇留河还通过佐藤春夫的介绍、内山书店的文艺漫谈会，进入到当时沪上著名的左翼作家和艺术家的圈子，从而以封面设计者的身份活跃在沪上的出版界。大桥毅彦引用金子光晴的话指出：“最早发现宇留河卓越不凡的艺术才华的，正是当时中国的知识分子。”（郑体武主编《现代主义的文学世界与世界文学中的现代主义》）

郁达夫创办的《大众文艺》于 1928 年 9 月 20 日出版第一期，这一期的作者除郁达夫、夏莱蒂外，还刊有鲁迅、林微音等人的译作，以及叶鼎洛的小说和画作。创刊号的封面是宇留河设计的，郁达夫在这一期的《编辑余谈》里提道：

最后，本期的封面，系日本画家宇留川潘氏之笔，他是日本最新一派的画家，这一回特肯为我们画这一张封面，我们在此地应该向他道谢。

郁达夫介绍宇留河是“日本最新一派的画家”，应该就是指“前卫”“先锋”的意思。宇留河为《大众文艺》创刊号设计的封面体现了当时流行的构成主义的设计理念。构成主义的主要特点是在平面设计上增加运用直线与基本几何体的元素，画面呈现几何化；色彩方面运用黑、白、灰、红、蓝、黄等基础色调，通过直线、几何体、基础色等构成主义元素表现工业感和未来感。宇留河设计的《大众文艺》封面由英文字母和色块组成，色块的颜色并不复杂，中间是蓝与黑，两

边是黄与红，像两股绳索绞在一起。这张封面的左下角有一个署名：Pan。

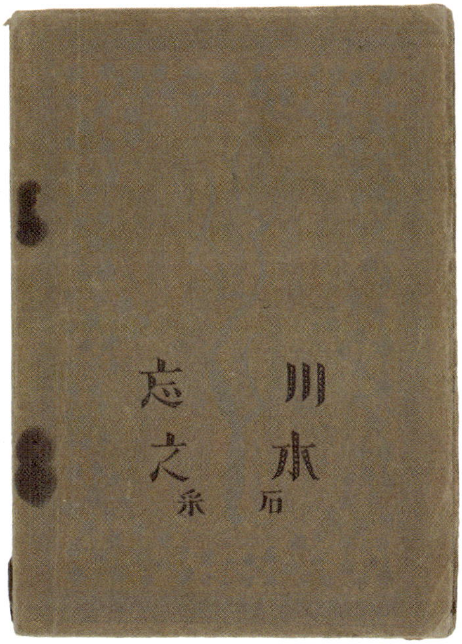

宇留河为崔真吾的《忘川之水》所作封面

鲁迅也请宇留河为采石（崔真吾）的诗集《忘川之水》设计了封面，这本书由鲁迅亲自编校，1929年上海北新书局出版。1928年11月《鲁迅日记》的记载如下：

> 七日　昙。……夜往内山书店交寄宇留川君信并泉十。
>
> 十五日　晴。……往内山书店买《最後の日記》一本，《岩波文庫》二本，三元一角。又收宇留川信并《忘川之水》画面一枚。

《忘川之水》收录崔真吾在1926年前后写的诗歌，在《前记》中记录有一位去世的青年日记中的一段话："现在我要了解'悲哀'了。唯有它才是人生的真面目，唯有它才是我们的终身伴侣。我们要弃绝它吗？除非喝了忘川之水。——但是，何处去找忘川之水呢？"宇留河设计的封面以浅淡的图案为背景，中间似是一棵枝叶垂挂的柳树，四周是连缀的叶片图案，中下方突出"忘川之水"四个字。

尽管为《大众文艺》创刊号设计了封面，但宇留海没有与郁达夫继续合作，而主要是与张资平创办的乐群书店合作。请宇留河设计封面的多数是创造社作家，如郁达夫、张资平、郭沫若、陈豹隐（即陈启修、陈勺水）、周毓英、叶鼎洛等，其中又数张资平的书籍最多，说宇留河是张资平的专属封面设计师似乎也并不过分。宇留河为《乐群》月刊设计的封面堪称构成主义和超现实主义的经典设计作品。《乐群》月刊第1卷第1期（1929年新年特大号）的封面图左侧为一个短发裸体女性，背景是红、黄三角形相间的几何色块，底部是黑白格色块。正中有：Pan Ur。第2期封面构图与第1期相同，但色调有变化：背景是红、绿三角形相间的几何色块。《乐群》月刊第1卷第5期的封面图右侧是一位正在阅读和准备书写的女性，其余画面是黑、红、黄的几何波浪形长条，靠右下侧有署名：Pan。第6期封面构图与第5期相同，只是颜色有所不同，是蓝、红、黄的几何波浪形

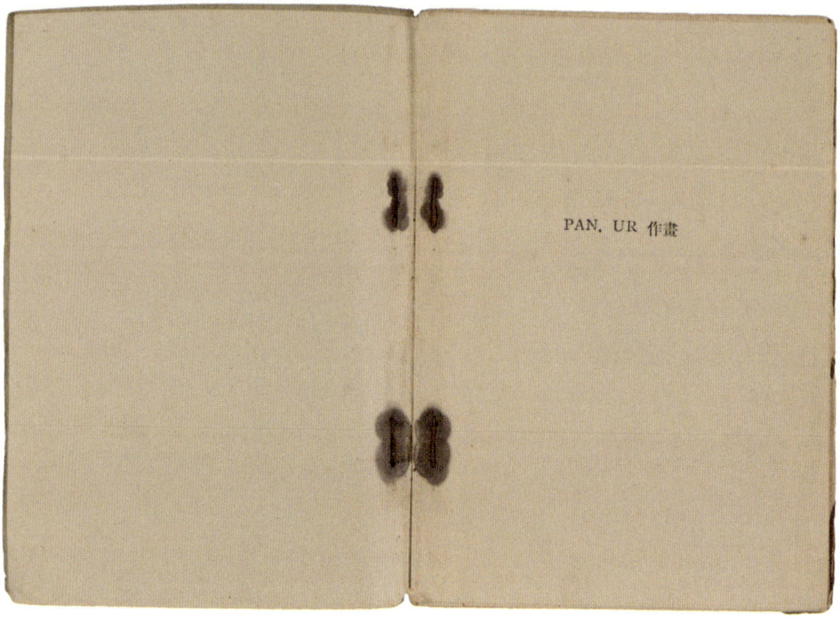

《忘川之水》内页宇留河的署名

长条。

在上海逗留的两三年时间里，即1928年下半年到1930年前后，宇留河的图案设计才能绽放异彩，署名“Pan”或“Pan Ur”的书籍封面构成上海出版界的一道风景。就目前所见，他为上海乐群书店、上海乐华图书公司、上海新宇宙书店、上海北新书局、上海光明书局、上海远东图书公司等出版社设计了至少20种封面，其中大量图书的出版时间与《大众文艺》几乎同时，都是在1928年。1928年可以说是宇留河的设计年。这自然是因为宇留河为筹集去巴黎的旅费而辛勤作画的结果，但也可以证明他的摩登派绘画深得上海出版界的赏识。正如大桥毅彦所指出的，作为前卫艺术家，宇留河的封面设计“让现代主义和革命理念互相碰撞，诞生出新的思想，与上海这座大都市的机理产生了共鸣”。（郑体武主编：《现代主义的文学世界与世界文学中的现代主义》）

鲁迅书房兼卧室内的两幅德国版画

——丁佳园

鲁迅先生是中国近代新兴木刻版画之父，他在《木刻纪程》小引开篇写道:“中国木刻图画，从唐到明，曾经有过很体面的历史。但现在的新的木刻，却和这历史不相干。新的木刻，是受了欧洲的创作木刻的影响的。”鲁迅在这篇文章中曾把“绍介欧美的新作”和“复印中国的古刻”比作“中国新木刻的羽翼”。《鲁迅日记》记载了鲁迅定居上海后大量搜集外国版画书籍、画集和名作的原拓，许广平在《鲁迅的日常生活》中也回忆到鲁迅“托了许多朋友，从国外给他带来了很多木刻和版画”。

在鲁迅收藏的众多欧洲版画中，有两幅风格清新的德国版画：《夏娃》和《苏珊娜沐浴》，现在就摆放在鲁迅山阴路大陆新村寓所位于二楼的书房兼卧室，曾是鲁迅休息消遣时欣赏的艺术品。虽然鲁迅在书信、日记和作品中从未具体提及这两幅作品及其创作者，但是鲁迅对欧洲版画作者抱有的态度是“极愿意知道作者的经历”。(鲁迅《〈引玉集〉后记》)这两幅被鲁迅挑选、摆放出来的版画的创作者是谁，他的生平如何，这两幅版画所包含的故事又是怎样的，鲁迅为何从自己的诸多收藏中选择这两幅版画摆放在案头，让我们通过对这些问题的解读，一起走进鲁迅的艺术审美世界吧。

版画《苏珊娜沐浴》摆放在鲁迅的书房兼卧室内的镜台上靠近窗台的左侧，另一幅德国版画《夏娃》就在镜台上方的墙上挂着。两幅德国版画的作者为同一人，名叫奥古斯特·贝克（August Becker），1878 年出生于德国小镇格尔恩豪森(Gelnhausen)，是一位画家和版画家，曾经在德国的缅因茨市工艺美术学校和慕尼黑学院学习，于 1942 年去世。版画《夏娃》的创作时间在 1920 年，版画《苏珊娜沐浴》的创作时间不详。比较作者 1915 年创作的另外几幅风景题材版画作品，无论是从创作技法还是风格主题角度来看，《苏珊娜沐浴》与《夏娃》更加接近，因此推断为是 20 年代同一时期作品。

鲁迅为何在不大的书房兼卧室里选取了两幅德国版画家奥古斯特·贝克的作

品作为装饰？根据 1987 年鲁迅研究专家凌月麟《鲁迅与人体美术》一文，鲁迅在 1933 年举办了为期三天的“现代作家木刻画展览”，将这两幅版画从鲁迅自己的藏品变为展品，又在展览结束后挑选出来放置在大陆新村寓所兼工作室，视为休息消遣时欣赏的艺术珍品。

鲁迅得到这两幅版画的时间推测应该是在 20 世纪 30 年代。因为许广平曾回忆 :“德国木刻是托徐诗荃先生代买来的，那时徐先生正留学彼邦。”根据《鲁迅日记》对徐去德留学和自柏林回来的记录，徐诗荃的留德时间应当是在 1929 年 8 月至 1932 年 8 月，其中初次提到徐寄来德国版画是在 1930 年 2 月，其间鲁迅每有收到寄来德国版画都有日记作为记录，所以可以推出鲁迅得到这两幅作品的时间应该在 1930 年至 1932 年期间。1933 年 4 月 11 日鲁迅移居大陆新村，这两幅版画被摆放在大陆新村寓所鲁迅的书房兼卧室内。

鲁迅对这两幅版画没有涉及任何文字性记录，在同时代人物的通信、回忆中也很难找到具体谈论这两幅作品的记录。1951 年青分书店出版社《鲁迅纪念馆》小画册中，由顾廷康所绘连环画中可以看到鲁迅书房兼卧室内的《苏珊娜与乌鸦》和《夏娃》。1956 年司徒乔在纸本粉彩作品《上海鲁迅故居》用水粉画出了鲁迅故居一角，可以见这两幅德国版画。这两幅鲁迅从未提及、却又从他收藏的众多的版画中被挑选出来欣赏的作品，应该有着鲁迅特别喜爱之处。

版画《夏娃》，德国版画家奥古斯特 · 贝克（August Becker），1920 年

两幅版画的画面风格明显倾向于唯美、清新，具有装饰性，有别于鲁迅收藏的其他德国版画刚健有力的风格，显得精致而唯美。

这两幅版画都是传统的圣经题材，不仅都具有完整的故事性，又别具艺术性。诚如鲁迅所言：“若走进意大利的教皇宫，……就能看见凡有伟大的壁画，几乎都是《旧约》《耶稣传》《圣者传》的连环图画，艺术史家截取其中的一段，印在书上，题之曰《亚当的创造》《最后之晚餐》。”（鲁迅《“连环图画”辩护》）

《夏娃》出自《圣经》故事，自中世纪以来此类题材的主人公基本都以裸体形象出现在艺术作品当中。最著名的要数鲁迅提到的梵蒂冈西斯廷教堂天顶壁画组群当中的《创世记》，上帝以自己的样貌创造了第一个人类亚当。一直以来西方艺术领域以宗教、天堂、伊甸园为主题的艺术作品中，亚当、夏娃、天使与具有美感的圣人、仙女、甚至是凡人都会以美好的裸体艺术形象出现，在视觉和精神上都给人以美的享受。

在这幅版画《夏娃》作品上，以占满画面近一半的比例横卧着用大块白色刻画出的夏娃，没有任何多余的线条或色块，显得十分干净、通透。她的周围点缀着如星星般的繁花、柔美青翠的枝条，以非常舒适的姿势躺在伊甸园中。一条用清晰细致的黑白线条勾勒出来的蛇盘踞着从画面左下角穿过灌木花丛，衔着一只生命之树上的禁果，诱惑夏娃来品尝。夏娃用手挡住口鼻并且把脸转向另一边，但是眼睛仍旧看向蛇与禁果。这幅作品将一个众所周知的结果——夏娃最终难以抵挡诱惑吃下果子之前复杂的心态刻画得十分生动，具有故事的戏剧性张力，并且人物的体态刻画得充满健康、自然的美感，整个画面细腻唯美，不失为一幅十分优秀的版画作品。

另一幅作品讲述的故事源于“苏珊娜与长老”，出自《圣经》的《但以理书》第十三章，是《旧约》故事之一。千年的欧洲绘画史上，钟情于描绘苏珊娜题材的画家比比皆是，然而在不同艺术家心目中的苏珊娜却又呈现出不同的性格和精神状态。那么苏珊娜究竟是何人呢，追溯回圣经故事里，苏珊娜是巴比伦一个美貌贞洁的女子，她的丈夫约亚金是一个富有的犹太人，她为人贤淑，丈夫非常爱她，她也忠于自己的丈夫。犹太公会中两位长老觊觎她的美貌，经常来她家做客。一次她在家中花园的水池里沐浴，被两个长老偷看到，他们想上前玷污她，遭到苏珊娜严词拒绝。两名长老怕丑行败露决意先发制人，诬告苏珊娜不贞，苏珊娜即将被判定死刑。但此事被先知但以理获悉，通过分开审理两名长老的方式发现他们的口供不一致，苏珊娜的冤情得到昭雪，两个长老按照摩西的律法被判以死刑。苏珊娜无罪获释，从此就成了希伯来民间故事中的贞女象征。这个故事的道德寓

版画《苏珊娜沐浴》，德国版画家奥古斯特·贝克（August Becker），约 1920 年

意在于美德获胜，先知圣明。圣经故事中的沐浴场景也给予画家描绘女性美好体态的合法性。历来的艺术家们多数乐于将画面呈现出一个还没有发生冲突、给予观赏者直观地享受苏珊娜沐浴中的美感，少数艺术家描绘苏珊娜与二长老起冲突的瞬间，只有一位罗马的才女画家阿特米希亚将苏珊娜这个老旧的题材画出新意，画面上表现的是苏珊娜对二长老极度的惊恐与厌恶，并竭力遮挡自己的身体。

但是鲁迅收藏的贝克这幅版画首先一反常态地将苏珊娜创作成一个完全背对画面观赏者的人物。观赏者可以欣赏到她优美的背部线条，而她深深低头的动作让人无从知晓她的面部表情。人物线条简洁唯美，身处私密幽静的花园之中，初看之下画面优美、宁静，水池里的水清澈、透明，微波荡漾，而完全以背示人的苏珊娜成为这幅作品一个特别之处。其次在这个题材的作品中普遍描绘的二长老偷窥这个元素消失，却在高高的围墙之上着重刻画了两只刚刚落脚的乌鸦，给这静谧的画面带来引而不发的戏剧性冲突。乌鸦作为大众公认的不祥之兆出现在画面中，黑色羽翼在留白的天空背景映衬下格外显著，白色的眼睛刻画得凶恶而直接，在一个居高临下的位置毫不掩饰地俯视着池水中的苏珊娜。在《圣经》中乌鸦是代表罪恶的象征，被诺亚在洪水退去后放出去探信而不归；西方文化中也可以将乌鸦看作肩负刺探、报信的使命，是警告画中人危险将至；甚至也可以理解为乌鸦本身就是二长老偷窥的化身,这是创作者刻画这幅作品的另一个特别之处。无论怎么理解，这黑色乌鸦始终是观赏者心目中打破这画面宁静的元凶，使得画作的观赏者产生一种类似上帝的视角，别有趣味。

这幅《苏珊娜沐浴》跟《夏娃》给人带来的体验一样，观赏者明知道故事接下来的发展和结局是什么，但又被主人公凝固在画面上的那一刻所吸引，因此在欣赏这部作品时产生旁观者清的快意，这是贝克这两幅圣经题材版画作品的艺术处理独到之处。此外两幅作品都诞生于创作者的技巧纯熟时期，在雕刻技法、画面的黑白分布、层次、明暗和植物的细节处理上都显示出一定的实力，是两幅十分优秀的版画作品。

对于艺术欣赏角度的不同会导致理解的不同,鲁迅曾经说过:“看别人的作品，也很有难处，就是经验不同，即不能心心相印。所以常有极要紧，极精彩处，而读者不能感到，后来自己经验了类似的事，这才了然起来。”（1933 年 8 月 13 日鲁迅致董永舒信）任何人对这两幅作品的解读都不能完全代替原作者的创作意图。

对于鲁迅选择将这两幅版画摆放在镜台前欣赏所表达出的收藏性趣味，历来也有不同的说法。李欧梵认为是鲁迅“内心深处存在悲观和颓废的色彩”，凌月麟则认为这两幅画“展现了真与假、善于恶、美与丑之间的剧烈交锋，表现出作者对纯洁无邪、美的善良的夏娃与苏珊娜的同情、赞美以及对阴险、狡诈的毒蛇雨乌鸦的鄙视、憎恨”“引起鲁迅的美感、思想上的共鸣”，因为“鲁迅一生追求光明，向往美好事物，鞭挞丑恶势力，同黑暗社会做不懈斗争”，“鲁迅在繁忙的工作之余通过观赏它们，陶醉在善恶分明、美丑清晰的氛围之中，既得到良好的休闲，又获得高尚的美的享受”。

虽然我们现在无从得知鲁迅为何会选择这两幅版画来装饰他家里的镜台，但是我们可以从他对原创木刻版画的编辑和出版，对青年人创作版画的指导意见，对其他同类版画的评价，对何为美的态度等落笔之处来探讨一下原因。

1930 年，鲁迅在《〈新俄画选〉小引》中说道：“当革命时，版画之用最广”，因而鲁迅大力推崇德国和苏联的表现主义大师的版画，如《凯绥 · 珂勒惠支版画选集》《士敏土之图》。鲁迅对西方现代木刻版画的了解相当全面，并不局限于表现主义的审美风格。鲁迅对木刻画册的出版，最初的就是 1929 年与柔石一起编辑、朝花社出版的美术丛刊《艺苑朝华》，共出外国美术作品五辑，即《近代木刻选集》一、二集，《蕗谷虹儿画选》《比亚兹莱画选》和《新俄画选》。这最初的五辑应该是鲁迅最早收藏的、十分喜爱的、大力向国内推荐的作品集，其中不乏唯美主义的比亚兹莱的作品，可见只要是美的、具有借鉴推广意义的，鲁迅照单全收。

鲁迅说“我也爱看绘画，尤其是人物”（《病后杂谈之余》），他又自谦道“我于美术虽然全是门外汉”，“但很希望中国有新兴美术出现”，那些“所研究的只是十九世纪的美术，不晓得有新艺术真艺术”的美术家，“我看这些美术家的作品，不是剥制的鹿，便是畸形的美人，的确不甚高明”。（《热风·五十三》）

鲁迅还称“我们的绘画，从宋以来就盛行‘写意’，两点是眼，不知是长是圆”（《记苏联版画展览会》），因而多次在与版画青年的通信中提到要青年注重版画的基础练习，认为青年们的通病是人物总刻不好，应当重视通过借鉴国外的优秀的人物类版画作品和加强基础练习来创作出好的人物作品。

鲁迅晚年不遗余力地帮助木刻青年，去世前 11 天还抱病参加木刻流动展览会，甚至病重时期都不忘回信指导木刻青年，可见鲁迅是极其希望木刻青年能够创作出优秀的人物版画。

“人之子”鲁迅对美术的态度是崇尚人性自由之美，注重个人的生命意识觉醒和社会批判，他对美与丑、善与恶的态度仅仅是他追求人性自由之美的一个表现，因此只要是能展现出人与生命的力量即是大美。他确信将来的光明，必将证明我们不但是文艺上的遗产的保存者、而且也是建设者和开拓者。

鲁迅与『香烟牌子』及其他

——李荣

关于鲁迅与香烟，与吸烟，大家谈得较多，而对于香烟的“衍生品”——“香烟牌子”以及它和鲁迅的关系却不甚了了。许广平在回忆里仅简单提道：鲁迅“在广州，吸的是起码的一两角一包的十枝装。那时人们生活真有趣，香烟里面比赛着赠画片，《三国》《水浒》《二十四孝》《百美图》等应有尽有，有时鲁迅先生也爱浏览一下，寻出新样的集起来，但并不自己收藏，还是随手转赠给集画片的青年”。（许广平《鲁迅先生的香烟》）

香烟牌子本质上是小型广告画，大抵可归于美术品，既然有人收藏当然也是种藏品，同时也曾是弄堂胡同“儿戏”的玩物；上面画了题材广泛的内容，因而引起资深烟民也是新兴版画运动倡导者鲁迅的注意，予以观赏，并当作藏品赠人……那么，鲁迅所见到的可能是哪些香烟牌子，上面画了些什么，他可能对哪些画面特别有兴趣，又赠送给了什么人……我们要了解作为美术家的鲁迅的眼光与生活，这香烟牌子虽小，却也是个又能说说的话题了。

从萧红所见“一张小画”说起

鲁迅抽过的烟不少，红锡包、哈德门、黑猫牌、品海牌、海军牌、金牌，包括别人送的华盛顿牌、仙果牌、“茄力克”，日本烟，还有彩凤牌、强盗（老刀）牌、美丽牌、金鼠牌……这些公司有大有小，出品有高档也有低端，想必里头的香烟牌子也是缤纷异彩，各具特色的。烟是消耗品，附赠之物不是送人就是废弃了，目前留存的与烟有关的鲁迅遗物极少。上海鲁迅纪念馆所藏除了著名的美丽牌挂历，平面印刷品只有一枚华成烟公司的金鼠牌烟壳（烟标，即外包装纸），和一组许广平用品海牌烟壳折叠而成的茶杯、茶壶垫。而那些香烟牌子，许广平说被鲁迅“转赠给集画片的青年”了，确实，向鲁迅请教、与鲁迅交往的青年，多数是文学青年或美术青年。循迹而至，无论有关日记、书信、回忆录，要找出确切的馈赠、“索取”记录很难，可能是香烟牌子太过渺小，统统“何足挂齿”掉了。

鲁迅生命的最后几个月，与剧烈咳嗽、气喘作着顽强抗争；最厉害的时候，不能读书看报，不能写东西，只能严格卧床休息。人在病中，需要分散些注意力，找点寄托以减轻痛苦，这寄托多半与平时的个人爱好有关。萧红回忆：“有一张小画是鲁迅先生放在床边不断看着的。那张画，鲁迅先生未生病时，和许多画一道拿给大家看过的，小得和纸烟包里抽出来的那画片差不多。那上边画着一个穿大长裙子飞散着头发的女人在大风里边跑，在她旁边的地面上还有小小的红玫瑰花的花朵。记得是一张苏联某画家着色的木刻。”（萧红《回忆鲁迅先生》）萧红

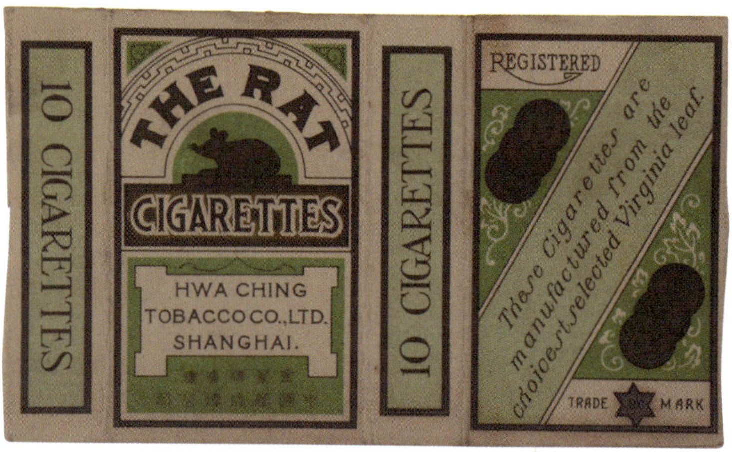

金鼠牌烟壳

许广平用品海牌烟壳折叠而成的茶杯、茶壶垫

所见这张小画，今藏北京鲁迅博物馆，收入《鲁迅藏外国版画全集》，名称为“波斯诗人哈斐支《抒情诗集》首页”，作者是米哈伊尔·伊凡诺维奇·毕珂夫，背面有许广平铅笔字迹：“鲁迅病中收到，苏联木刻家寄来，非常喜爱，为病中浏览珍品。”从画面看，其实有两个人，正面高大者可能就是诗人哈斐支（今译哈菲兹）自己，这“哈菲兹”是笔名，意为“熟背《古兰经》的人”，所以画中他手里拿着的书本也应该是《古兰经》了；当然这人也可能是读者，手里所拿即是本书诗歌集；画的右上方占居全画三分之一的则是那位双手拢着飘逸长发、作奔走状的女子，脚下绘一丛玫瑰——这应该是诗歌中的内容，据介绍其诗多颂扬爱情，从这张层次分明设色淡雅的版画看，确实是清新隽永。据标注其尺寸为横8.7厘米、纵12厘米，基本是一枚明信片大小。万国邮政联盟（UPU）规定明信片的尺寸，最大为14.8厘米×10.5厘米，最小为10.4厘米×9厘米，基本是按照书写、印刷有效信息之需并便于邮寄、传递的原则而定，由于客观实用，所以也为许多非邮政类美术画片印制时采纳。

“波斯诗人哈斐支《抒情诗集》首页”毕珂夫 作

那么，鲁迅的烟包里会不会出现类似明信片尺寸的画片？答案是肯定的。

烟包及画片的大小

烟包本身，根据所装香烟多少而分大小，其中厂家放置的画片也就大小不一，所谓“香烟牌子”基本是专指那些小尺寸的画片，此外还有大画片乃至印有日期的画历。藏家李德生在《烟画》中有《烟画的规格》一节讲得很清楚：“烟画形状多样，规格不一。但终因是香烟包中之物，尺寸大小有限，且以长方形居多。最大的为8.3厘米×6.4厘米；最小的是4.5厘米×3.2厘米；一般规格是小片的在6.2厘米×3.5厘米左右，大片的在6.5厘米×5.0厘米上下最为常见。所谓的小片，多放在十支装的香烟包内；大片，则多置于二十支装的烟包里面。……还有一些较大的画片，规格为 13.0 厘米 ×21.5 厘米和 13.3 厘米 ×21 厘米左右，甚至还有 40.0 厘米 ×27.5 厘米的大片。它们多是放在二十包烟或五十包烟的大包装里的赠品。因为是放在香烟包的外边，且背面上多印有年历，所以，笔者将其算为'月份牌'广告画之类……”所以，香烟牌子放在作为“基本单位”的小烟包里，而许多小烟包往往装成一个大烟包，在大包里再附赠大画片，自然也是促销手段。

那么，鲁迅会有大烟包吗？先要看鲁迅的买烟习惯，是零打碎敲一包两包地买，还是大包大包地买，这又得看鲁迅的吸烟量。许广平写道：“到了上海，烟的色样多了，买香烟的差事是由我去办的，就时常带买些新出品来。日子长久了，我们房间的一角，就常有一堆堆的洋铁小长方香烟盒，后来电木圆听子的也有了，……那时售价不过五角一听，里面就有五十枝。大约一元买一百枝还似乎觉得不大经济，香烟新出品又争相贬价竞售，而鲁迅先生自己又时常说：'我吸香烟是不管好丑都可以的，因为虽然吸得多，却是并不吞到肚子里。'所以一百枝装的小长方听子烟，一元可买两盒的，用得更长久了。”（许广平《鲁迅先生的香烟》）众所周知鲁迅抽烟猛，除了临时在外随买随抽的零星消费，居家购买看来每次都是大包或听装、罐装这样的大件。上述小长方香烟听，虽然不知道具体尺寸，但按香烟百支的数量看，要放置大些的画片显然毫无问题。有个辅助证明，即今存鲁迅去世时卧室张挂的美丽牌香烟广告日历，应该就是买烟所获，虽然没有遗留当年的美丽牌烟盒或听罐，具体尺寸不明，但鲁迅家大些的烟盒烟包甚多，里面装得下画片，也确实有过附赠的香烟广告画片或画历是肯定的。鲁迅把空烟盒烟包利用起来，正巧友人寄来明信片、画片，合乎尺寸的，装进烟盒烟包里，不时取出欣赏；同时，又暂时把一些小烟包里的画片——香烟牌子收起来，等有机会送给收藏的人，都是顺理成章的事。查鲁迅文章、日记，曾几次提到那位作哈斐支《抒情诗集》封面版画的毕珂夫，如在 1934 年 1 月 20 日所写《〈引玉集〉后记》里说，去年（1933 年）秋用中国宣纸作为答谢，通过曹靖华向苏联版画家请赠版画原作，得到一批馈赠，内有“毕珂夫十一幅”。1933 年 11 月 14 日致曹靖华：“十日信上午收到，并作者传；木刻在下午也收到了，原封不动，毫无损坏，请勿念。”后来在 1936 年 2 月 17 日所写《记苏联版画展览会》里又提到他。可知毕珂夫赠送原作共 11 幅，鲁迅还收到过苏联朋友寄赠的明信片。因此，鲁迅的烟包内完全装得下、也极有可能装过许多画片，只是他比较喜欢这张，放在床头多时且又被萧红看到而已。

“洋画”的“博物识小”

鲁迅抽烟，不分中外，除了中国内容的题材，他所见的香烟牌子上，应该还有不少外烟印制的世界大观；其中更能有兴趣的，可能是世界珍禽异兽、奇花异草，正如他喜欢观看非洲怪兽纪录片一样。鲁迅更有着将博物学与文学相沟通的美好用心，鲁迅自己所藏美术书籍、画册中专门涉及博物的内容如《梅花喜神谱》《日本动物图鉴》等不下 44 种。外国大公司香烟牌子作为博物的识字卡片，小巧精致，甚至直接用相片印制，在博闻增识方面在当时条件下无疑是可信度很高的普及图片。

这方面比较突出的是英国威尔斯烟草公司，其发行的野生动物香烟牌子绘画逼真，每幅图画一种动植物，下面有英文名称，包括比较罕见的犰狳、大食蚁兽都收录在内，令人大开眼界；更有甚者，笔者所见有一套 50 枚的“动物园”主题相片香烟牌子，以照相底片冲印而成，有动物特写镜头，也有与饲养人员的合影，应该是伦敦动物园的圈养野兽影集，香烟牌子背面则写有该物种的简介。另外，诺丁汉的老约翰 · 布雷公司，也是百科知识普及大户，发行了“海鱼”等成套香烟牌子，一面是图片，另一面也是该种动植物简介文字；它背面像某些邮票那样刷有干胶，因为除了被夹在烟包里，公司还印有类似邮票定位册那样的专册，供收集后粘贴，集齐全册，该册子也就成了小小的博物图鉴。其实英国人在推销咖啡、可可、茶等方面也有这样的做法，今天文物图书市场上这类“图鉴”也时有所闻。

“三弟”的“教具”

鲁迅三弟周建人在四马路商务印书馆上班时，兄弟俩经常见面，或是鲁迅去三弟那里，或是三弟来鲁迅家，周末、逢年过节通常两家人同在大陆新村鲁迅家里吃饭。三弟的烟瘾或许赶得上兄长，更重要的是，他是有记载的对香烟牌子有所关注、使用，并且和香烟牌子收藏大王冯孙眉有交集的人。冯孙眉与北京烟画收藏大家倪即吾并称“南冯北倪”。我们不清楚鲁迅有没有把香烟牌子送给过三弟，但三弟确确实实和这小小的画片有着联系，虽然时间是在鲁迅去世后的抗日战争时期。

据《周建人同志小传》：“抗日战争时期，周建人留居上海，在商务印书馆工作，后又在储能中学教书。当时他贫病交困，陈毅同志曾派人给他送去一千元，让他安心在上海养病。周建人和许多留在上海的文化界的进步知识分子一道，在敌伪统治下，与中国共产党人站在一起，坚持了民族解放斗争。周建人因积极参加民族民主革命的活动，终于离开了商务印书馆。”（《绍兴师专学报》（社会科学版）1983 年第 1 期）周建人一生中断断续续做过多年教师甚至校长，在储能中学是他最后一段教师生涯，目前有关储能中学各类资料莫不将其列为校史名人。周建人在储能中学，遇到了冯孙眉。

冯孙眉（1898—1978）出生于宁波慈溪望族。1938 年，日机轰炸宁波，名校效实中学部分师生来上海避难，校长冯度（冯氏族人）主持开办了效实中学上海分校，冯孙眉受聘为该校教师。该校在 1941 年 12 月改名为储能中学。冯孙眉工作之余，唯一爱好即收集研究香烟牌子，最后总数达 8 万张（一说 6 万张），并主持上海《宁波公报》“卷烟画片专栏”，发表大量整理欣赏心得。1937 年 1 月 10 日上海市博物馆开馆时，冯孙眉捐赠了一件用丝织绫片卷烟画片制作的烟画服饰和其他藏品，并应时任馆长胡嘉椿邀请举办了烟画展览。1939 年 5 月 31 日至 6 月 9 日举办了“筹款济难古今柬帖展”附设“冯孙眉烟画展”。1941 年 7 月，冯孙眉主持举办了“上海书画家集团展”，烟画继续作为附设展品随展。1943 年夏，冯孙眉与长子懿民联名参加“好癖展览会”，他展出香烟牌子，儿子展出用废弃烟壳烟盒制作的动物 36 只。上述活动均大获成功，冯孙眉被媒体封作“烟画大王”。其实，从收藏角度看，香烟牌子既非古董字画等珍稀国宝，也非钱币邮票等有价证券，算不上投资藏品，但是，它大众、通俗，更可以做冯老师的教学卡片，恰恰是这点，使他与同事周建人一见如故。

冯孙眉长女懿娟回忆：“有次到父亲教书的储能中学去玩，看见和父亲对面办公的一位老师，父亲把我介绍给他后，十分郑重地对我说：‘这是周建人伯伯，大学问家，大名鼎鼎，他的哥哥周树人先生名气更大。’令我肃然起敬，向周伯伯深深地鞠了一躬。周伯伯长方脸，留着小胡子，笑眯眯地和蔼可亲向我问这问那，……周伯伯与父亲都教国文与博物，二人常在一起商量教案与研讨动植物学有关的学术问题。有一次，我还看见办公桌上放着很多花、草、动物的香烟牌子，二人指指点点地讨论着，据说是用来做教具用的。教学之余，受周伯伯的帮助和影响，父亲也常参加一些进步活动。另外，父亲是位无党派人士，并有各阶层广泛的社会关系，人缘又好，上课教学效果也好，利用这些有利条件，父亲不仅常为周伯伯代课，而且也曾好几次掩护周伯伯介绍过来的进步人士。”（冯懿治等编《烟画大王冯孙眉》）

冯懿娟所引出的掩护进步人士一事，实际在冯家就有印证。冯孙眉有三位堂

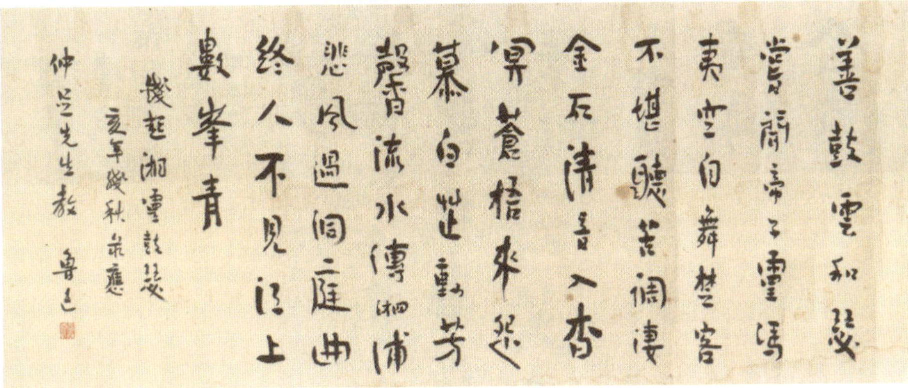

鲁迅书赠冯宾符《湘灵鼓瑟》

弟：冯定、冯都良和冯宾符。冯定从莫斯科中山大学毕业后回国，以商务印书馆职员身份为掩护从事党的秘密工作；冯都良曾任东吴大学法学教授，后任职《申报》，上海孤岛时期辞职从事抗日活动；冯宾符，在商务印书馆做校对与编辑，是《世界知识》杂志特约撰稿人，大写抗日文章以致胜利前夕遭宪兵逮捕。这三位时常居无定所、来去匆匆，冯孙眉在同乡会大楼的办公地兼寝室常常成为他们的落脚点。1935 年底，三兄弟在冯孙眉处聚会，冯宾符兴冲冲说他得到一幅鲁迅书赠的唐诗墨宝，即唐代诗人钱起进京参加省试时的五言名作《湘灵鼓瑟》，“善鼓云和瑟，常闻帝子灵。冯夷空自舞，楚客不堪听。苦调凄金石，清音入杳冥。苍梧来怨慕，白芷动芳馨。流水传湘浦，悲风过洞庭。曲终人不见，江上数峰青。”“钱起湘灵鼓瑟”。末尾落款“亥年残秋录应仲足先生教”。《鲁迅日记》1935 年 12 月 5 日有“午后为仲足书一横幅”即指此事。问起求得墨宝的缘由，却也是通过在商务印书馆工作之机向周建人提出，而得到鲁迅慨然应允。看《鲁迅日记》，12 月 5 日是周四，就在上周六即 11 月 30 日有“夜三弟来”记录，而在本周六即 12 月 7 日又有“晚蕴如携蕖官来。夜三弟来并为买得《墨巢秘玩宋人画册》一本”记录，可见周建人几乎每周末都去兄长家，委托书赠的字幅也就随时办妥了。

小小香烟牌子，见证、叙说了不少东西，包括有些显然还溢出其本身之外的历史信息。

鲁迅收藏的『纸塑』小船

——吴仲凯

鲁迅的遗物中有一件船型工艺品收藏在上海鲁迅纪念馆，是由许广平女士于1950年捐赠的，既好看又特别。

它长16.2厘米，宽4.1厘米，高4.4厘米，外形是一只小船，船体细长，褐色，以深色勾勒出吃水线，船头上翘，船尾呈“凹”状，整体近似日本的“苫舟”。船面上覆有三角屋檐状的顶篷，以深褐色勾勒出茅草材质，又以青黄二色杂染，显得斑驳可爱。船尾置一饵筐，饵筐微瘪，似已取出不少鱼饵。旁坐有一位老翁，身着唐代服装，一席蓝衣系紫色腰带，头顶黑色幞头，眉毛胡须黑中渗白，神情悠然自得，一手扶船沿，一手作持饵状。船底平直，用毛笔书写“徐没香饵”与“寿藏”两组字。又附木盒一只，盒盖正面饰壶门，也有“徐没香饵”四字，反面有“寿藏作”三字并盖“寿”字印。

特别的是，小船整体虽然流露出中国式的审美意趣，木盒的样式却是日式的，为大正至昭和初期时所常见。外面看似包裹着一层毛茸茸的纸，却又十分的扎实，这种工艺与传统陶艺、中国的纸糊和日本张子（日本传统玩具）都不相同，因此长久以来不知为何物，更难以确认是否为鲁迅购买或他人赠与。

其实这件工艺品的制作者为日本的“人间国宝”鹿儿岛寿藏，他发明了一种全新的艺术形式“纸塑”，制作的基本原料是和纸。

小船的内部是和纸纤维、黏土、木屑之类加固而成的可塑体，外面又再贴一层和纸，所贴的和纸需要重新上色描绘，鹿儿岛寿藏称之为“和纸贴装淡彩纸塑”技法，目的是可以更好的体现出和纸本身独特的“柔软感”“坚韧感”和“深涩感”。船体的用色杂而不乱，人物的细节栩栩如生，正是使用了这种技法。这种纸塑作品可以长久保存不易损毁，颜料不易褪色，而小船历经近百年确也完好如初，色泽清楚也正因此故。

关于“纸塑”的制作工艺，《日本美术年鉴》中是这样介绍的：在楮、结香之类的纤维中加入胡粉、陶土、木浆或木材的粉末加以凝练加固，以此干燥的原

“纸塑”小船 鹿儿岛寿藏制

“纸塑”小船的底部

型加上自染的和纸或金银沙子等制成。现存的鹿儿岛寿藏作品中还附有制作者所写的详细的介绍：纸塑人偶，详称“真纸塑人偶”“染色和纸贴装纸塑人偶”“金泥纸塑”。有时以制作方法的不同可以称为“和纸贴装淡彩纸塑”“漆彩纸塑”等，总称为纸塑。纸塑人偶是是本研究所独创的，埋头人偶雕塑研究 20 多年创始出来的。这种手法非常的耗费工时，简单说明的话就是先用特殊的方法把和纸中的纤维分离，以十数种配合物加以凝固，以此种可自由雕塑的可塑物为原料，也就是“纸之塑”来塑造人偶的形体，这也是纸塑之名的由来。以这种纸塑材料做成的作品非常坚牢，叩打之下有很好听的声音。在此之上以涂料防湿，再以纯粹的生漉楮纸精密的贴上几重（分各种颜色），这些染纸是自制的，在贴上前早已染色放置，有数百种，染料使用古代染色的天然染料或不褪色的高级染料，再用颜料涂色，就算浸热水色素也不会剥落，也不像一般世上的染色纸一样会褪色，这是之前提到的“和纸染色贴装法”。“和纸贴装淡彩纸塑”是先在人偶上贴上没有染色的纯粹的生漉纸，活用和纸的原色，再施以淡彩，因为素地是和纸，颜色渗透后，这一层渲染会更有味道。依靠上述的这些做法，人偶的形体会非常坚牢，难以损毁，还有其他优点，比如可免腐蚀和鼠害之忧，还可以体现出日本纸独特的坚韧感、柔软感、深涩感和其他材料所没有的特色。

船底和木箱上的“徐没香饵”四字是此物之主题，可能是取意于李渔所作的《钓便》一诗，李渔所作的《伊园十便》《伊园十宜》组诗流行于日本，江户时代的画家池大雅曾以此画成《十便十宜图》，其中又以这首《钓便》最为有名：“不蓑不笠不乘舠，日坐东轩学钓鳌。容欲相过常载酒，徐投香饵出轻鲦。”“徐没香饵”当是取自诗中的“徐投香饵出轻鲦”一句，船上老翁“不蓑不笠”不持竿只投饵，意境正与诗句相通，身着唐装作唐人扮相或许也正是取典之故，只是诗中的人物是“不乘舠”的，并不坐船。作者的署名“寿藏”二字，其中的“藏”字取于怀素草书，怀素草书对日本书法影响深远，小野道风、良宽等人都受其影响，寿藏的其他作品中亦可以找到同样的书写方式。

鹿儿岛寿藏（1898—1982）出生于日本福冈市，当地的博多人偶非常有名，内山书店的店员镰田诚一也是当地出生，就曾送过一只人偶给鲁迅。寿藏在福冈高等小学毕业后就开始从事博多人偶的上彩工作，后向冈米次郎学习人偶制作。1920 年抱着人偶改革的想法前往东京，1930 年结成人偶美术团体“甲戌会”，同年夏天开始研究一种新的人偶制作方法。1932 年完成并命名为“纸塑”，1933 年开设了“日本纸塑艺术研究所”。然而自 1932 年完成这种独特的“纸塑”之后，“纸塑人偶”并没有大红大紫，直到 1936 年参与第一回改组帝展才受到业界认可，收获好评。1961 年被评为日本非物质文化遗产的“人间国宝”。

然而鹿儿岛寿藏与鲁迅似乎并没有交往，在鲁迅生前，寿藏也还没有出名，这样一个工艺独特且做工精致，连盒带印的“纸塑”工艺品缘何会出现在远在上

“纸塑”小船的盒子

海的鲁迅先生家中呢？这或许就与鲁迅的好友，日本女歌人山本初枝有关。

鹿儿岛寿藏不仅仅是一名手工艺者，还是一位日本歌人，创作和歌。1920年他前往东京以后，以“阿罗罗木”社的土屋文明和岛木赤彦为师，开始作为歌人进行和歌创作，以后常年在该社杂志上发表和歌。(《日本美术年鉴》)之后还成立了关东阿罗罗木会,他的作品常反映生活和自然,发行过歌集《潮汐》与《新冬》等。他常常会将和歌中注重写生的特点与刚健温和的调子融入纸塑艺术，也就是追求“柔软感”“坚韧感”和“深涩感”。在这件作品中，小船与投掷香饵的人物一静一动，干瘪的饵筐又分明的表现出时间的流动，都是十分富有诗的韵味的。

山本初枝则是日清轮船公司山本正雄的妻子，1916年与丈夫来到中国，与内山书店往来。1930年认识鲁迅并逐渐成为鲁迅的好友，两人也曾多次互赠书籍、画册、照片等礼物。(李菁《鲁迅与日本友人山本初枝 》)山本初枝也是阿罗罗木社的女歌人，她的老师正是土屋文明，与鹿儿岛寿藏师出同门。作为同门弟子，两人在同一时期活跃于同一社团，1924年的《灰烬集：大正十二年赈灾歌集》中两人的名字就同列于作者一栏,1925年出版的《阿罗罗木年刊歌集》(岛木赤彦编）中亦是如此。1932年7月山本初枝回到日本，居住在东京，东京是阿罗罗木社的大本营,这年11月还请鲁迅为自己的老师土屋文明写字一幅。(1933年11月14日鲁迅致山本初枝信）这段时间山本初枝与阿罗罗木社的往来是相当频繁的，这也正是鹿儿岛寿藏初创“纸塑”的时候。

在鲁迅的日记和书信中，可以见到山本初枝赠送给鲁迅先生的礼物有奈良的人偶和热海的鸣子的记载，两者都是充满日本地方特色的乡土玩具，鲁迅在日记里记下了它们的名称。也有好些是鲁迅的日记里不具名的，如1932年6月29日载：“赠海婴玩具两事”，及1933年9月18日载：“寄赠海婴之文具、玩具等共一合。”1934年3月17日载：“并玩具二种赠海婴。”这些玩具没有详目，其中或许就有这只草创之初的“纸塑”。

现在鹿儿岛寿藏的大量作品都收藏在福冈县立美术馆中，有纸塑人偶和短歌集等约80件。这些纸塑人偶大多是1945年以后的作品，喜施金银粉，上色很鲜亮，人物的造型多用几何构图，衣物上也多用几何图案，极具装饰意味，整体的日本风格更加浓厚。在和纸上描绘的笔触也更加的工整，少了那份中国式的随意的笔触和味道，和鲁迅收藏的这件小船是很不相同的。

鲁迅在上海的娱乐之看电影

——丁佳园

自从鲁迅驻足上海，从景云里的家开始与许广平“相濡以沫两心知”，到有了儿子海婴之后“回眸时看小於菟”，还有平日里与柔石、冯雪峰、周建人、内山完造等亲友相伴“管它冬夏与春秋”，鲁迅陪伴家人和友人，总是用他认为最适合的娱乐方式——看电影，来一起度过他们的闲暇时光。

上海在鲁迅到来后的几年里，电影业得到大发展。鲁迅在他的晚年看电影的频率越来越高，是他来上海以后在生活和兴趣上的一大转变。根据《鲁迅日记》记载，鲁迅到上海后共计看了144部共计151场电影，去过21家电影院。鲁迅看电影的足迹遍布与他居家较近的北四川路（今四川北路）、海宁路、乍浦路，以及稍远一点的南京路、西藏路、淮海路，这些都是当时上海商业最繁华的地区。鲁迅选择影片比较随机，只要轻松愉快、能获得见识就可以了。有的电影在较远的影院上映，鲁迅也会“挈妇将雏”走一趟；有的电影赶上热门，到了影院门口发现满座了，鲁迅还会换个时间再去看。可以说是不折不扣的“影迷”了。

上海鲁迅纪念馆保存着一件与鲁迅看电影有关的文物：一张上海大戏院的优待券。券上用中英双语依次印有“ISIS THEATERE 上海大戏院”。沿对角线设打孔虚线，线两侧分别印编号“No. 197”。中间依次印“Complimentary Ticket 优待券”，底部印“A.F.I.”〔释义未知〕，“Manager”（经理）一处有黑色字迹手写签名。另有黑色字迹“One person”（单人），蓝紫色墨水字迹“Louis envy”当为影片名。

据周国伟《寻访鲁迅在上海的足迹》指出，这张优待券是当时在上海大戏院工作的姜椿芳赠送给鲁迅专观苏联电影所用。当时上海大戏院正在上映根据普希金中篇小说改编的苏联电影《杜勃洛夫斯基》（即《复仇艳遇》），鲁迅第二天就去看了这部电影，并在当天给友人黎烈文的信中推荐去看这部电影：“午后至上海大戏院观《复仇遇艳》（Dubrovsky by Pushkin），以为甚佳，不可不看也。”（1936年10月10日鲁迅致黎烈文信，“遇艳”应为“艳遇”，鲁迅笔误，下同）。当时

鲁迅持有的上海大戏院优待券

此片在电影检查委员会费了很多时间才通过，片名也一变再变，最终用了《复仇艳遇》这个名称，鲁迅认为这个名称被改得“使你不知道究竟是什么作品”，在给黄源的信里说“今日往上海大戏院观普式庚之 Dubrovsky（华名《复仇遇艳》，闻系检查官所改），觉得很好，快去看一看罢。”（1936 年 10 月 10 日鲁迅致黄源信）。这部电影是鲁迅生前看的最后一部电影。

鲁迅到上海后首次观影的记载是 1927 年 10 月 7 日，鲁迅初到上海第五天，“晚邀小峰、云章、锦琴、伏园、三弟及广平饮于言茂源，语堂亦至，饭毕同观影戏于百新戏院”。“百新戏院”即百星大戏院，是一家首轮电影院，交通便利，1926 年 6 月新落成。第二天他带着许广平和二弟周建人再次光顾百星。两次先后看了美国电影《剪发奇缘》和《党人魂》。《剪发奇缘》是一部美国福克斯电影公司出品的剧情电影，《党人魂》（又名《伏尔加河上的纤夫》）是一部美国德米勒公司出品的以俄国革命为背景的爱情片。

此后鲁迅在上海看电影，几乎都是与许广平、周建人一起，有时再加上其他友人如柔石、冯雪峰等，还曾与外国友人如增田涉、内山完造及其妻子内山美喜子等人同往观影。

1929 年 1 月，鲁迅与柔石、许广平、崔真吾、王方仁等人共同组织朝花社，一起致力于翻译介绍外国文艺，由此鲁迅与柔石等人不仅来往频繁，一起工作，还曾经多次一起去看电影放松。1929 年 2 月 11 日，鲁迅“午后同柔石、三弟及广平”往爱普庐观电影。他们看了美国默片《皇后私奔记》，讲述了特洛伊战争和主角海伦的故事。此片曾获第 1 届奥斯卡金像奖最佳默片字幕对白提名奖。3

《复仇艳遇》电影广告，《申报》1936 年 10 月 9 日本埠增刊第十版

《皇后私奔记》电影剧照

《痴心荡妇》电影剧照

月 8 日又跟柔石、真吾、方仁、三弟及广平往 ISIS（即上海大戏院）观《Faust》（即德国乌发电影公司出品的电影《浮士德》）。1928 年 5 月上映。1929 年 7 月 25 日鲁迅与柔石、许广平等人前往百星大戏院看由卓别林主演的《荡妇心》（《痴心荡妇》，又译《嘉尔曼》，即《卡门》）。应该是对主演卓别林的表演满意，此后由卓别林主演的电影《城市之光》上映时，鲁迅也特意去看。1932 年 1 月 4 日，“午后邀蕴如、三弟及广平往上海大戏院观《城市之光》，已满座，遂往奥迪安观《蛮女恨》”。这一回由于满座没看到，过了几天再次前往，1 月 10 日，鲁迅“午后邀蕴如、三弟及广平往上海大戏院观《城市之光》”。只是此时，柔石已经长眠于龙华，鲁迅失去了一位可以邀了同看电影的年轻友人。他说“我沉重的感到我失掉了很好的朋友，中国失掉了很好的青年”。

1929 年 9 月鲁迅儿子周海婴出生，在这前后有半年多时间鲁迅没有去看过电影。1930 年 2 月 17 日与柔石、周建人、韩侍桁前往奥迪安大戏院看了德国影片《侠盗雷森》，即《伏尔加 伏尔加》，讲述的是取材于诗歌的 17 世纪俄罗斯伏尔加河海盗的故事，这次许广平没有前往。待海婴稍长之后，鲁迅适应了家有婴儿的新生活，1931 年 5 月始与许广平在周建人家午餐后共同外出看电影。这一年鲁迅与许广平、周建人看了较多电影。其中 8 月 23 日这一天，与日本学者增田涉和三弟周建人及许广平前往山西大戏院看了美国米高梅电影出品的《哥萨克》，觉得“甚佳”，于是第二天“即并偕广平往三弟寓，四人又至山西大戏院观《哥萨克》”。当时《申报》称此片：“大文豪托尔斯泰大杰作”“述俄罗斯与土耳其国之剧（巨）战！写铁血男儿与女性男子的对照！”

鲁迅一家与周建人一家共同看了很多经典电影，比如1931年10月9日往国民大戏院看的美国派拉蒙影业出品《南极探险记》，曾获奥斯卡金像奖最佳摄影奖；10月11日四人前往国民大戏院看的美国环球影片公司出品的著名反战题材电影《西线无战事》，曾获得第三届奥斯卡最佳影片、最佳导演和最佳编剧提名奖，并且是一部黑白有声电影。

还有一次与周建人一家看电影颇有戏剧性。1931年11月13日，鲁迅晚饭后前往景云里找三弟周建人，结果未遇到，此时已经下起小雨，鲁迅返回寓所不久，周建人偕夫人王蕴如一起登门拜访，于是鲁迅夫妇和周建人夫妇前往虹口大戏院看《银谷飞仙》，这是一部美国福克斯公司摄制的关于酷爱飞行的农场主英勇救美的故事，由于感觉“不佳”，于是他们中途退场，转往同在乍浦路海宁路这个路口的威利大戏院（国民大戏院，后改名胜利电影院），换一部电影接着看，这次看的是一部美国有声浪漫喜剧电影《人间天堂》，可是觉得“亦不佳”。看完以后他们没有在附近宵夜而是直接回家了。这天深夜，鲁迅回家后并没有休息，却开始工作起来——校对《嵇康集》。也许由于当晚观影体验颇不佳，鲁迅在日记中将电影名和影院名都记颠倒了。

有时出门较晚，鲁迅去看电影也顾不上邀请三弟夫妇，就与许广平两人直接前往。两人一起看过如美国福克斯出品的大侦探系列电影《陈查理》，根据大仲马原作改编的《三剑客》、恐怖电影《故宇妖风》、描写墨西哥革命历史的《白由万岁》、科幻电影《科学权威》前后集、《电国秘密》上下集、探险类的《海底探险》《海底寻金》等。谈不上究竟是鲁迅陪许广平还是许广平陪鲁迅，但是两人看电影，选片自由度更大。

1932年“一·二八事变”爆发之后，鲁迅在这一年就没再有观影记录了。直至1933年1月15日，“夜邀三弟、蕴如及广平往上海大戏院观电影，曰《人猿泰山》”，才又恢复看电影。但是1933年这一年鲁迅看电影并不多，仅去了6次电影院。这一年的年底，鲁迅与许广平第一次带着年幼的海婴一起去电影院看电影，看的是迪士尼的动画电影《米老鼠》和《神猫艳语》。除了卡通，鲁迅也会带海婴看纪录片和探险片。“海婴的顽皮颇有进步，最近看了电影，就想上非洲去，旅费已经积蓄了两角来钱”。鲁迅在给增田涉的信中还说：“但我这里的海婴男士，却是个怎么也不肯学习的懒汉，不读书，总爱模仿士兵。我以为让他看看残酷的

《菲洲小人国》电影剧照

《仲夏夜之梦》电影剧照

战争影片，可以吓他一吓，多少会安静下来，不料上星期带他看了以后，闹得更起劲了。真使我哑口无言，希特拉（今译希特勒）有这么多党徒，盖亦不足怪矣。”

不仅带自己的儿子，鲁迅还会邀请亲友带着他们的孩子一起看电影，比如周建人的妻儿、冯雪峰与其妻儿等。1933 年底，冯雪峰前往苏区，妻女曾在鲁迅家暂住，鲁迅曾带她们一起去往虹口大戏院看电影《菲洲小人国》(Congorilla)，是美国福克斯电影公司出品的、由探险家马丁·约翰逊夫妇实地摄制的非常规丛林电影，在拍摄动物的镜头之间播放轻松的爵士乐，其中两只犀牛冲向镜头是最精彩的部分，影片中还能看到数以千计的火烈鸟。据许广平回忆，有一回，鲁迅还向茅盾要求借他的儿子一下，茅盾莫名其妙地答应了。之后鲁迅才说明是想请他的儿子去看电影，因为知道他每天在家养病很闷，特意带他出去散心。

鲁迅看电影最远去到的要数霞飞路（今淮海路）的巴黎大戏院和国泰电影院了，究竟是什么影片吸引鲁迅选择离家远的电影院呢？1934 年 6 月，鲁迅曾去巴黎大戏院观看根据西班牙塞万提斯《堂吉诃德》改编的电影《魔侠吉诃德》，1935 年观看了苏联有声电影《黄金湖》，1936 年与许广平带着海婴去看了美国音乐喜剧《恭喜发财》，广告声称此片加映五彩卡通片。1935 年 12 月 11 日，鲁迅“晚同广平携海婴往国泰大戏院观《仲夏夜之梦》，至则已满座，遂回寓。饭后复往，始得观”。《仲夏夜之梦》是 1935 年美国华纳兄弟影片公司根据莎士比亚同名戏剧改编的故事片。据许广平回忆鲁迅是受了朋友的推荐特意去国泰看了此片，可惜看过之后鲁迅觉得有些失望。

同样根据名著改编的电影，鲁迅特意前去观看的还有根据美国作家杰克·伦敦同名小说改编的美国电影《野性的呼声》，1935 年 8 月 14 日下午，鲁迅与海婴、广平特意冒着酷暑赶至南京大戏院（今上海音乐厅）观看。可惜这次鲁迅看得非常不满意，不仅在日记中写“与原作甚不合”，在给友人山本初枝的信中抱怨“但电影也没有好的，上月看了杰克·伦敦的《野性的呼声》，大吃一惊，与原作迥然不同。今后对于名著改编的电影再不敢领教了”。

鲁迅在上海期间曾多次前往上海大戏院观影，从 1928 年鲁迅第一次前往上海大戏院，直至 1936 年，共去观影 30 场，是鲁迅在上海去得最多的一家电影院。上海大戏院位于北四川路虬江支路，二层仿美新式建筑构造华丽，座位宽敞，还装备有中文字幕机。除了硬件，选片上也很重视质量，不仅取得了多家美国影片公司的先映权，还积极上映国产片和苏联电影。1933 年 2 月，鲁迅与许广平一起前往观看苏联电影《生路》（原名《人生大道》），此后三年多，鲁迅在上海大戏院共计观看了 6 部苏联电影，包括《生路》《傀儡》《抵抗》《夏伯阳》《铁马》《复仇艳遇》。

除了苏联电影，鲁迅也看德国、意大利、墨西哥、英法等相对比较小众国家出品的电影。如由意大利和德国电影公司合拍的《罗京管乐》，由当时意大利男高音伏尔毕（Giacomo Lauri Volpi）主演、主唱，是一部音乐风光片。当时《申报》介绍：“各报一致赞美的艺术作品，爱好音乐和美术者不可不看！世界闻名的歌剧大王劳尔·伏尔毕初上银幕名贵惊人杰作，浪漫歌唱热情巨片！背景完全摄自罗马，威尼斯，尼斯，奈不尔等诸名胜区域，弥足珍贵。饱含诗意的一幅画。”这可能是鲁迅通过电影与意大利男高音歌唱家出演的歌剧难得的接触。

1936 年 3 月，鲁迅在致欧阳山、草明信中说：“我的娱乐只有电影。”鲁迅在上海看了众多电影，但却没有看过中国电影。此时的中国电影在上海已经开始形成新兴且浩大的文化景观，对文化变迁最为敏感的鲁迅却不曾记载他踏足影院观看国产电影。其实鲁迅是通过“非看之看”来接触新生的中国电影的，即通过报刊、电影介绍来看，通过报刊来评论中国电影。比如胡蝶主演的《姊妹花》，鲁迅并没有去看过，但是他在电影热映之时发表文章《命运》，开篇就提到这部电影的台词。虽然台词是从他人文章中转引的，作为非在场的观众，鲁迅对影片间接作了评价。可见鲁迅还是在关注着成长中的中国电影，只是没有把它作为纯粹的娱乐罢了。

此中甘苦

关于鲁迅的『衣』 仇志琴

透过照片读鲁迅 朱圣斌

『周鲁迅先生X光胸片』梳理补白 仇志琴

鲁迅定居上海时期的家庭备药志 杨琳

看牙病的鲁迅 仇志琴

关于鲁迅的『衣』

——仇志琴

鲁迅的生活中，对于穿着是不甚讲究的，以他的社会地位、身份，对照他的实际生活，可以说是朴素而勤俭的。特别是从他留日归国后的照片上可以看到，鲁迅许多时候都是身着长衫，鲜有西装笔挺、华贵雍容的身影——仅有一幅陶元庆画的速写，是鲁迅着西装、戴领带的半身像。现实生活中，鲁迅是很少穿西装的。他出入书店，去大学演讲，参加各种社会活动，如接待萧伯纳，参加“左联”成立大会，几乎是清一色长衫穿到底的，皆有照片为证。直到鲁迅去世入殓，穿的依然是一件丝绵的棕色湖绉长袍。因为最后一年他瘦弱的身体已经经不起重压，特意做的好料子衣服，比较新，此时派上了用场。

鲁迅的简朴、平民化，在穿衣方面，有许多大家耳熟能详的故事。他到外国人的公寓去拜访，朴素的穿着竟然遭致以貌取人的电梯司机的阻拦，以为他是可疑的人，把他赶开，不准其乘电梯，说:“向那边去！”他没有法子，只好一步一步地上到 9 楼。到印刷所接洽印件，或到制版公司去制锌版。人家当他是商店里的跑街或伙计，还有些制版所因为他的生意相当忙，而且样子又质素，认为是跑街之流的人物，特别给他一个 9 折，则是少有的意外得到的优待。他到医院给不会日语的朋友当翻译，医院里面的人就当他是吃翻译饭的，大敲其病人的竹杠。鲁迅面对这些误解、遭遇并不恼怒，有时还把它当作笑话的资料。(许广平《鲁迅的生活之一》)

以鲁迅的收入，在个人置装方面略微讲究些，完全可以承受，但鲁迅反对奢华铺张，天生与花花绿绿的洋场世界、靡靡之音、灯红酒绿的生活方式不合拍；而且，他实际生活负担也确实不轻，要赡养长辈、家眷，帮衬弟弟，又乐于助人，比如补贴出版、扶助青年、倡导木刻运动，等等，所以他养成个人勤俭的习惯，抽烟不挑高级牌子，穿着更是朴实无华了。

“衣服他是绝对要穿布制的，破的补一大块也一样的穿出来。”许广平在做学生的时候，也正如一般顽童，边听讲边把这位满身补钉，不，满天星斗，一团漆黑，长发直竖的先生速写下来。后来比较熟识了，许探究过他为何如此，问他是不是特意做成这样的“保护色”，使人家不注意？他好像默认地笑了。据许广平推测，鲁迅之所以“囚首垢面”，不是故意惊世骇俗，老实说，还是浮奢之风，不期引起他的不重皮相，不以外貌平衡一般事态，对人如此，对自己也一样。（许广平《鲁迅先生的日常生活》）

另外的原因，他对于衣着极不讲究，也许是一种对奢华的反感使然。据他自己说，小的时候，家人叫他穿新衣，又怕新衣弄污，势必时常监视警告，于是坐立都不自由了，是一件最不舒服的事。因此，他宁可穿得坏些，布制的更好。方便的时候，譬如吃完点心、糖果之类，他手边如果没有揩布，也可以很随便地往身上一揩。初到上海的时候，穿久了的蓝布夹袄破了，许广平买到了蓝色的毛葛换做一件。做好之后，他无论如何不肯穿上身，说是滑溜溜不舒服。没有法子，只得把这件衣服转赠别人，从此不敢做这一类质地的衣料。他对于幼年穿新衣的不自由留下了深刻的印象，所以对于海婴的衣着，穿了之后，是不愿意叫他当心的。如果他的小手也揩在身上，那算是和父亲学样，满不在乎的……（许广平《鲁迅先生的日常生活》）但是鲁迅处理他的书籍文具时却截然相反，比如书龌龊了，急起来他会用衣袖去揩拭，手不干净，也一定洗好才翻看，似乎是比生命还看重。看看他的衣身，是不会想到这样一个迥异的对照的。孙伏园先生在《哭鲁迅先生》里，也曾经这样写过：鲁迅先生的房中总只有床铺，网篮，衣箱，书案，这几样东西。万一什么时候要出走，他只要把铺盖一卷，网篮或衣箱任取一样，就是登程的旅客了。讲究穿着的人是断不会如此从容的。

鲁迅对于穿着的态度渐渐也影响到许广平，许广平对丁自己衣着的不讲究等曾解释：“是一面不愿意和他做太相反的对比，更不愿意在不必要的地方花去他绞脑汁换来的金钱。”即使鲁迅时常笑说：“看你这样落拓，去买一些新的来吧！”许广平也只是说：“要讲究，你这点钱不够我花呢。”彼此一笑也就罢了。（许广平《鲁迅先生与家庭》）

在许广平捐赠给上海鲁迅纪念馆的鲁迅生活遗物中，“衣”的部分，面料多为棉、麻、丝、毛类天然材质；颜色较单一，黑、白、灰、青为主，素色，极不显眼，类似“保护色”；款式最多的便是中式长、短衫，颜色、厚薄不一，府绸、棉布等，适合四季穿着。一件略称得上“高级”的羊皮袄，可抵御上海冬日的阴寒湿冷。1932 年 11 月，鲁迅北上省亲期间，至多所院校讲演时穿的就是这套“盛装”。再有就是毛衣，有背心、开衫，据许广平的回忆，那是她亲手所织。

织毛衣，上海话叫作“结绒线”，是非常海派的近代女红，家庭主妇们的手

许广平手织紫色绒线背心

艺活，当然，订了婚的也可以给未婚夫结毛衣，恋爱中亦可作为定情物相赠。从“恒源祥”一类毛线店里买来一团团的彩色绒线，用两根竹针或钢针就可以织出一片温暖，一家老小的御寒衣服，便全指望这手艺。绒线起初多为羊毛制品，价格不菲，但毛衣的好处在于能拆了重新结，反复利用，可塑性和循环再生性强。小孩长大后，几件小毛衣可以拆了重织成大毛衣，花样过时、袖边磨损，各种不满意时都可拆掉重织，还可掺入新绒线，改变颜色或尺寸，甚至改成帽子、围巾、手套……编织过程自主性强，能充分发挥想象施展技能，翻出许多新花头新式样，既经济实惠，又紧跟时尚，不失为精明之选。

许广平手织黑色毛衣

有关毛线编结的图书，民国以来也是很多的。比如一种《培英毛线编结法》，早在 1927 年（鲁迅定居上海那年）就出版了排印本，由专门的培英编结公司编写，畅销一时。同品种图书更是数不胜数，往往同时请了大牌明星做模特，登出照片广告招揽。当时有位叫冯秋萍的作者，或者可称其为毛衣编织家，据称是编结界的奇才，写了《秋萍毛线刺绣编结法》《秋萍绒线编结法》等一套多种图书，介绍毛衣的各种编结方法，由良友绒线公司出版，很受欢迎，成为权威人士。这类实用性图书，作为夫人的许广平，可能也是做过参考的。在许广平捐赠书籍中现存《赤ちやん物の毛丝编物集》《防寒用の小物毛丝编物集》两册编织类图册，32 开，日文，1932 年 12 月出版，均为《主妇之友（十二月号）》附录。虽然，这两本小册子主要介绍的是儿童针织衣物的编结方法，但很多花样、款式跟成人服饰是共通的，完全可以借鉴，毫无违和感。这件毛衣基础的织法和“花头”书上可能也有列举，当然也可能是她早就掌握了的。

许广平还在广州的时候，就为鲁迅织过毛衣，《鲁迅与景宋通信集》（《两地书》的原信）中有所记述。据日本友人长尾景和的回忆，他先后两次至拉摩斯公寓访问，鲁迅都是身着毛衣的。第一次是 5 月的一个晴朗的日子，他身上穿着一件口袋很大的灰色毛衣。相隔 10 天，第二次造访，鲁迅先生像往常一样穿着那件宽敞舒适的毛衣走了出来。和鲁迅密切接触过的人，对于鲁迅身着毛衣形象的记忆是非常深刻的，我们姑且举出一件详细说明。

这件毛背心，紫色，羊毛，粗线，从花纹上看，主体是“双桂花针”法，分前、后两片，待每片的主体、领、袖边完成后缝合。前襟属于“搓板针”法，即横向 7 针，纵向 68 排，即 34 排上针、34 排下针，一上一下交替构成图案。下摆为“单立针”法。这样的织法比起平针难度高些，相对致密、厚实，结构平整牢固，御寒性佳。

我们在鲁迅的照片中，可以找出和这件毛衣有关的信息，比如鲁迅与内山完造的合影中，鲁迅内衬中式衬衣，“V”字领毛背心，最外层罩着一件长袖毛衣开衫。更著名的是另外一张 1933 年 5 月 1 日摄于春阳相馆的照片。照片里，鲁迅同样是中式衬衣加毛背心、再加毛衣开衫，看上去与内山完造合影时的衣着极其相似，可能为同款或者同件。鲁迅似乎很喜欢如此搭配，这身穿搭出镜率颇高。20 世纪 50 年代，著名画家俞云阶曾以这张照片为底本创作，画面改相馆的花叶幕帘背景为鲁迅家中内室，鲁迅一手夹烟卷，一手叉着腰，面露微笑，随意洒脱中透着机敏与深邃。这幅油画作品被普遍认为是鲁迅性格、形象的很好写照。

细细观察，照片上外套的这件毛衣开衫的编结式样、“花头”，和目前馆藏保

俞云阶作油画《鲁迅》

存的一件毛开衫很相似，纽扣也同样是大颗粒圆形塑料扣，但两者并非同一件。最明显的区别在于，照片上这件毛衣领子为“和尚领”，5 粒扣；留存的毛衣为“立领”，6 粒扣。并且，后者成色很新，穿着痕迹不甚明显，推测编织时间应更迟些。也许是因为鲁迅的身体日渐病弱畏寒，许广平在编结时才特意选择织成保暖防风效果更好的“立领”。

结绒线，针针线线、丝丝入扣，从线团编结成衣，是不断地经历重复的过程，最需要的不是编织的力度而是能够坚持到底的意志，以及善于揣摸的心思。或许，许广平曾经结过很多件这样温暖合意的“爱心”毛衣。面对馆藏中鲁迅穿过的毛衣，我们可以想象到一幅充满温馨的情景：许广平在一针一线结毛衣的时候，手里缠绕编结着柔软绵长的绒线，翻看着图册思忖款式花样。鲁迅先生在案前读书写作，幼子海婴在身边嬉戏玩耍，家常安乐幸福……

透过照片读鲁迅

朱圣斌

据北京鲁迅博物馆副馆长黄乔生说："现存鲁迅照片不足百张。这些照片，除鲁迅本人保存着以外，有的是从报刊上翻拍下来的，有的则是鲁迅逝世后向国内外人士征集来的。其中有一些，鲁迅本人生前可能并未看到。在这些照片中，鲁迅个人单独照约 30 张，其余为与他人合影。"（黄乔生《"开麦拉"之前的鲁迅——鲁迅照片面面观》）

缘于曾经参与全国可移动文物普查工作，我接触到了馆藏鲁迅的原始照片。这些珍贵的照片颇有深意，大部分是他参加社会活动和文化活动的真实记录。与此同时，我日常主要负责文物摄影工作，由此对鲁迅的照片产生了一些新的想法。在这些富有历史价值的照片中，有那么几张给我留下了深刻的印象。

断发照

在鲁迅的诸多单人照片中，有一张对他的形象奠定起到了至关重要的作用。这是现存最早的一张鲁迅照片，拍摄于 1903 年，也就是后人称为"断发照"的，它真实地塑造了鲁迅留日期间的整体形象。从照片上看，鲁迅身穿学生制服，眉目清秀，意气风发，类似于我们现在去照相馆拍的标准照，想来鲁迅当年也是特意去日本的照相馆拍摄的吧。从鲁迅 1927 年回到上海定居之后所拍摄的照片来看，他在现实生活中确实比较偏爱日本的照相馆和摄影师。他后期的照相，有相当大一部分是在日本人经营的春阳照相馆所拍摄，日记上又记作"阳春照相馆"。（周国伟 柳尚彭《寻访鲁迅在上海的足迹》）其实鲁迅自己也很看重这张照片，他本人及后来很多人，总将这张照片与一首诗相提并论。诗的最后一句"我以我血荐轩辕"，也成了鲁迅精神的标志性描述之一。在鲁迅的一生中，他曾多次将这张"断发照"连同题诗赠送给友人。

让我们来看一看此时的鲁迅所处的时代背景。当时的中国正处于民族危机空

1903 年，剪辫后的鲁迅摄于东京

前严重、人民生活异常痛苦的年代。自 1840 年鸦片战争后，中国闭关自守的局面被冲破，帝国主义列强瓜分中国的野心日益显露，不断进行疯狂的侵略。富有革命传统的中国人民则不甘忍受凌辱和压迫，不断投入反对帝国主义侵略的活动中。1901 年，斗争进入到一个新的阶段，这时的革命党人以日本东京为活动中心，大力宣传推翻清朝建立民国的政治主张和革命思想。爱国的留日学生纷纷响应，出版报纸、杂志、书籍，进行革命宣传，号召人民绝不做“清政府刀头之饿鬼”，要充当“革命之骁将”。而鲁迅正是在 1902 年怀着满腔爱国热忱来到日本。他一到日本，就积极投入到反清爱国的革命活动中。1903 年，他在《浙江潮》上发表了《斯巴达之魂》，歌颂斯巴达人以生命和鲜血抗击侵略者，借以抨击清朝统治者的丧权辱国，唤醒中国人民起来斗争。并毅然剪掉象征封建传统和民族压迫的辫子，在照片背面题写了一首诗送与好友许寿裳，以表达自己为国捐躯、矢志不移的决心。在 20 多年后写就的《藤野先生》一文中，鲁迅就讽刺了东京那些成群结队到上野公园赏樱花的清国留学生“头顶上盘着大辫子，顶得学生制帽的顶上高高耸起，形成一座富士山”。然而从这张“断发照”中看鲁迅的面部表情，虽是为纪念剪辫而未戴帽子，却并未露出喜悦的表情，反而有些神情紧张。我想，大概是因为照相时略显拘谨的缘故吧。

逝世前的绝唱

1936 年鲁迅在上海参加第二回全国木刻流动展览会上，著名摄影家沙飞拍摄了这张传神的照片。照片中的鲁迅正在与青年木刻家交谈。上海鲁迅纪念馆特意将此照片用蜡像的形式真实还原，陈列于展厅之中。据说很多怀念鲁迅先生的人，来到馆中面对这尊坐像，都会长时间观看而不忍离去。

沙飞（1912—1950）原名司徒传，广东开平人。他在摄影界被誉为“中国革命摄影第一人”。20 世纪 30 年代，沙飞在晋察冀根据地参加八路军，被聂荣臻将军任命为专职摄影记者。从此，沙飞的足迹遍及太行山区、滹沱河畔。他用相机真实记录了中国革命史，成为中国摄影事业的开拓者之一。

沙飞曾在上海美术专科学校读油画专业，经常看到鲁迅和木刻青年在一起聊天。1936 年 10 月 2 日，第二回全国木刻流动展览会在上海八仙桥青年会 9 楼举办。10 月 8 日那天鲁迅抱病到会场参观，并与木刻青年谈木刻创作问题，参加的有陈烟桥、黄新波、曹白、林夫、吴渤等。由于沙飞从小就爱读鲁迅的著作，把鲁迅当作他心目中最崇拜的偶像，曾幻想有一天能像鲁迅那样当个文学家，向社会“呐喊”，唤醒愚昧的劳苦大众。于是，激动的沙飞怀着对鲁迅的尊敬和崇拜，举起镜头，对准了“偶像”的一举手一投足。谁也不曾想到，这竟然是鲁迅生前的最后留影。数日后，鲁迅在访友归途中受了风寒，大病突发，于 19 日病逝于上海山阴路上的大陆新村，也就是现在的鲁迅故居。可以说，这张照片在当时的上海引发了不小的轰动，生动地记录了中国革命旗手鲁迅对新兴木刻家的关怀和友谊。虽然距离逝世仅有 11 天，瘦弱的鲁迅却看上去精神状态良好，成为他一生中最精彩的系列照片。

1936 年 10 月 8 日，鲁迅摄于上海八仙桥青年会第二回全国木刻流动展览会

那版画与鲁迅先生又有什么样千丝万缕的联系？新兴版画史作为我国现代美术史上的光辉篇章，正是由鲁迅先生在上海揭开的。1934 年鲁迅在《木刻纪程》的小引里写道："中国木刻图画，从唐到明，曾经有过很体面的历史。但现在的新的木刻，却和这历史不相干。新的木刻，是受了欧洲的创作木刻的影响的。创作木刻的绍介，始于'朝花社'，那出版的《艺苑朝华》四本，虽然选择印造，并不精工，且为艺术名家所不齿，却颇引起了青年学徒的注意。到 1931 年夏，在上海遂有了中国最初的木刻讲习会。"这就是中国新兴木刻版画诞生的历史。

从照片中我们可以了解到，鲁迅先生不仅是伟大的思想家、革命家、教育家，还是中国新兴版画的倡导者。他在培养新青年上鞠躬尽瘁，呕心沥血，一生都寄希望于青年。在长期的斗争中，他认识到中国青年的特点及其革命性，热情赞扬青年"所多的是生力，遇见深林，可以辟成平地的，遇见旷野，可以栽种树木的，遇见沙漠，可以开掘井泉的"。（鲁迅《华盖集·导师》）鲁迅先生一生"立人"的思想也由此展现。

全家福

说到鲁迅和家人的合影，最多的便是他在上海时三口之家的全家福。鲁迅 1927 年到上海后，因居住在北四川路附近，所以在春阳照相馆共留下了 8 帧珍贵照片。（周国伟 柳尚彭《寻访鲁迅在上海的足迹》）其中的第一帧，就是这张在儿子海婴出生 100 天时所拍摄的照片。1930 年 1 月 4 日，"海婴生一百日，午后同广平挈之往阳春馆照相"。从这张照片中，我感受到了甜蜜温馨的家庭氛围，许广平手中怀抱着小海婴，鲁迅微微低头，目视海婴，眼神温柔，十分亲切，慈父之情溢于言表。

事实上，之后每逢海婴生日那天，鲁迅都会携家人前往照相馆拍照，作为对重要日子的郑重纪念。从照片中我们不难看出鲁迅对儿子的疼爱。的确，鲁迅先生爱子也是为众人所知的，也因此当时有很多人在文章中抨击鲁迅。但鲁迅却不以为然，写了一篇《答客诮》给挡了回去，"无情未必真豪杰，怜子如何不丈夫。知否兴风狂啸者，回眸时看小於菟"。直译过来就是"无情未必就是真的英雄好汉，爱惜自己的孩子怎么就不是大丈夫了呢！你们是否知道哪怕是在山林里的老虎，离家时还要回头看一下自己家中的小老虎！""兴风狂啸者"和"於菟"都是指老虎的意思。

说到这里就不得不提鲁迅儿子周海婴名字的由来了，在大部分中国人眼里，

1930 年 1 月 4 日，鲁迅之子海婴出生百日全家照，摄于上海春阳照相馆

对于给孩子起名还是十分看重的，诸如命里缺水名字里要带水，命里缺火就要补火，这样的例子比比皆是。那鲁迅先生为什么要给自己的儿子取名为周海婴呢？其实原因很简单，因为周海婴出生在上海，是一个“出生在上海的婴儿”，故取名为“海婴”。用先生自己的话来说“名字嘛，只是一个代号，若孩子将来不喜欢，还能再改嘛！”这便是周海婴名字的由来。他对海婴的教育，完全按照他于 1919 年写的《我们现在怎样做父亲》的思想来实行，尽量创造机会让海婴自由地成长，希望海婴成为一个“敢说、敢笑、敢骂、敢打”的人。

透过照片，这些生活中的点点滴滴，也许并不被历史学家所重视，但却是鲁迅最为真实的一面，也是他最可敬可爱的一面。他对家人的关爱，对孩子的疼惜，这些细节都让人为之动容。褪下忧国忧民的重担，原来鲁迅也是一个普通平凡的人。

毛衣照

在鲁迅为数不多的标准照中，生活照可以说少之又少，而这张“毛衣照”则更是少数中的少数。

1933 年 5 月 1 日，“毛衣照”鲁迅摄于上海之一

在绝大多数人的心目中，鲁迅是高高在上的文坛巨匠，是严肃有余而和蔼不足的教育大家，是“我以我血荐轩辕”的民族英雄，而大多数人都忽略了另外同样具有真实性的一点，在褪去这些闪耀的名头之后，鲁迅也只是一个平凡普通的人。这张“毛衣照”恰恰提醒了大众，揭示了鲁迅先生作为普通人的一面。

照片中，先生左手叉腰，右手夹烟，面带微笑，引用与晚年的鲁迅有些接触的巴金先生说过的话：“瘦小的身材，浓黑的唇髭和眉毛……可是比我在照片上看见的面貌更和善，更慈祥。”（巴金《鲁迅先生就是这样一个人》）我想，这便是生活中鲁迅平易近人的形象吧。

其实鲁迅自己也将他的一生概括为“太平凡”。在《鲁迅自传》的自序中，鲁迅简要叙述了自己的人生经历，短短 800 多字，可以用以下这些词来概括：家道中落、父染重病、离家求学、留学日本、立志学医、弃医从文，其娓娓叙来，不见当初经历时的喜怒哀乐，所述就是那个时代平常百姓都会遇到的那些事儿。

鲁迅在信中这样写道：“我是不写自传也不热心于别人给我作传的，因为一生太平凡，倘使这样的也可做传，那么，中国一下子可以有四万万部传记，真将塞破图书馆。我有许多小小的想头和言语，时时随风而逝，固然似乎可惜，但其实，亦不过小事情而已。”（1936 年 5 月 8 日鲁迅致李霁野信）从这样的角度去解读，鲁迅先生在生活中也着实是一个平凡质朴的人，可爱而又可敬。

遗照

在上海鲁迅故居一楼客厅内，悬挂着一张鲁迅遗照。在他逝世后，这张照片被多家报纸刊登讣告时使用。虽然为世人所熟知，但很少有人知道这张照片拍摄的最初动机并不是拿来做遗像用的。美国知名作家兼记者埃德加·斯诺，在他编译的《活的中国》一书中，需要一张鲁迅的照片作为插页，向鲁迅提出要求。1933 年 5 月 26 日，鲁迅在姚克的陪同下到南京路上的雪怀照相馆拍摄了这张照片。照片印出后，鲁迅非常满意，他自己也评价这张照片是他一生中拍的最为满意的照片。的确，这张人像艺术照中的鲁迅神情端定，透出慈祥，让人觉得含蓄而充满温情。

《活的中国》是一部中国短篇小说翻译著作，由埃德加·斯诺先生亲自编写，书中收入了 15 位作家的 24 篇作品，光是鲁迅一人便有 7 篇作品被载入书中。这 7 篇作品有《药》《一件小事》《风筝》《祝福》《孔乙己》等。其实当年斯诺原本只是想编一本鲁迅先生的小说集，但 1933 年 11 月 5 日，鲁迅在信中提议道“现

1933 年 5 月 26 日，鲁迅为斯诺编译《活的中国》提供照片作为插页

代新出台的作家中，也很有可以注意的作品，倘使有工夫，我以为选译一本，每人一篇，绍介出去，倒也很有意义的”。于是斯诺便接受了鲁迅的建议，才有了现在我们所看到的《活的中国》。

通过对照片拍摄的历史背景的了解，我从中获取了很多重要信息。首先，鲁迅当时在中国文坛乃至世界文坛的地位——他是中国现代文学的开创者、奠基人，同时又是一座高峰。一方面，鲁迅的文学价值是由他的创作动因决定的。他不仅仅是为了文学而创作，他的文学创作是为了改造国民的劣根性，是为了重塑和振兴民族精神，他将文学作为改造中国社会的根本途径，他是真正的为人生而进行艺术创作。另一方面，鲁迅决不只是一位作家，从根本上说更是一位思想家，这就决定了他作品的思想深度与众不同。其次，鲁迅与世界的关系——像任何一位伟大作家一样，鲁迅不仅仅属于自己的祖国和人民，而是属于全世界、全人类。他站在中外古今文化交汇的十字路口，主张拿来主义，面向世界，面向未来。最后，我也了解到埃德加·斯诺的相关信息，斯诺热爱中国。他努力学习中文，去北平之前，他就接受鲁迅的建议，编选中国现代短篇小说集《活的中国》，想通过小说来向西方揭示中国的现实。

自摄影技术发明以来，许多珍贵的历史瞬间都被保留下来。作为人类文明史上一项重要的发明，从世界上第一台照相机的发明，到摄影技术的第二次革新——干板摄影的普及，到胶卷的发明，到现在的数码摄影，都记录了许多宝贵的历史资料。其中蕴含的丰富信息，成为后人研究学习历史的重要依据。可以说，摄影技术的出现为记录历史提供了一种新的手段。从这些富有鲜活历史价值的照片中，我们可以剖析背后的故事，通过照片拍摄的时间、地点、对象等分析出很多重要的历史信息。

而鲁迅的照片不但记录了他个人的风貌，透露出他的个性，也记录了他的人生轨迹和人际交往。（黄乔生《鲁迅像传》）我们可以透过这一张张看似平常的照片，来探索和分析他的真实性情和心理状态，由此走近一个更加真实、全面和深刻的鲁迅。

『周鲁迅先生X光胸片』梳理补白

——仇志琴

鲁迅于1936年10月19日清晨5时25分在上海大陆新村寓所逝世，其生命最后的轨迹并非长久卧床不起、绵延拖沓，而是戛然而止：10月17日上午仍在伏案撰写《因太炎先生而想起的二三事》，午后步行外出拜访日本友人鹿地亘谈翻译问题，为之解疑至傍晚离去；回家途中顺道在内山书店小坐，与内山完造约好次日上午10点碰头议事；晚周建人来，谈至11时；整夜未得安睡；18日凌晨3点半起咳嗽、气喘加剧，约6点半勉强支撑坐起给内山写便条，要他速请医生。虽然，鲁迅的病情是家属、亲友所周知的，也有医生诊断和治疗，但整个去世过程，从恶化到不治来得突然，始料未及。鲁迅及海婴平时看病，多承内山完造等帮助，去条件尚可的日本诊所就医。当时的主治大夫是鲁迅及家人熟识的须藤医院的须藤五百三医生，可以说他也是鲁迅的私人医生，对鲁迅的健康状况有比较全面的了解。结果，鲁迅突然去世的原因，在错综复杂的背景情势下就形成了一个疑问，在追悼会上即有人议论。甚至，鲁迅遗容、丧仪的拍摄者，极敬重鲁迅的青年沙飞，也深信是日本医生害死鲁迅的传说。在事隔14年之后的1950年，沙白住进石家庄白求恩医院治病期间精神错乱，枪杀了他的日本籍医生。直至2007年，鲁迅病逝还被作为一个疑点："鲁迅的病逝为历史和后人留下了许多疑点，一直到现在还在争论。"（常家树《鲁迅的逝世、葬礼及病情疑点》）

实际上，对于追溯探究鲁迅病情和突逝的原因，目前遗留下来最重要的证据便是上海鲁迅纪念馆所藏的一张X光胸片。在以往纪念鲁迅的活动中，为了解他去世的原因，也慎重地就这张X光胸片举行过专家读片会诊，留下书面诊断意见，并将之作为资料拍照发表。（《纪念与研究》1984年第六辑）多年来，也不断有学者就有关疑问作过研究，事实已经比较清楚。兹再作梳理，补充叙述如下。

第一，有关X光胸片的原始信息。此胸片装在医院通用的X光片牛皮纸档案文件袋中，纸袋纵46厘米，横36.5厘米，最上端印有"X-RAY PHOTO."字样，往下依次是“Name”即姓名栏（病人），用钢笔填写“周鲁迅先生”，“Data”日期栏，填写“June 15th 1936”，“No.”编号栏，空缺未填。左下端印“X-Ray Department，FOO MING HOSPITAL，Shanghai.”纸袋背面相同位置亦有此段英文水印，右下端印“上海福民医院”，表明此胸片为福民医院放射科所摄。纸袋内附黑色衬纸,（思庵《“周鲁迅”是内山书店店员的发明》）红铅笔竖行书写“周鲁迅先生”,下横行书写“15—June—1936”。查《鲁迅日记》,1936年5月中旬始，鲁迅病情加重，发热10多天。自6月5日起，“日渐委顿，终至艰于起坐，遂不复记”。日记中断多日，直至6月30日才补记了前段时间的病况，寥寥数语，没有提到6月15日去医院就诊、拍片之事。但鲁迅在9月5日写的《死》一文中讲到“后来我照了一张用X光透视的胸像”,即是此张X光胸片。至于上面写“周鲁迅先生”，据研究那是内山书店店员对鲁迅的特殊尊称，因为鲁迅就医常由内山完造办理，店员经常参与操办，于是将这称呼写在了病人姓名栏里。按照文物命名原则，这个信息可以录入该件X光片定名。

附带需要说明的是，该X光胸片外观似一大张厚玻璃，纵42.8厘米，横35.6厘米，故有医生在读片诊断书上写“玻片”，长期以来也被当作玻璃片。据上海鲁迅纪念馆资深馆员虞积华回忆，他50年代进馆从事藏品保管工作时，这张胸片存于库中已为此状态。但仔细察看下，此胸片是由两片玻璃板夹住一张胶片而形成的“玻片”，玻璃板四周还用白色胶带纸包边，以固定两片玻璃板，保持其贴合。同时，也避免了玻璃板边缘的快口伤手。两片玻璃板的大小、厚薄相当接近，但从其边缘部分的轮廓还是可看出两片玻璃板合并的痕迹，也可以看出中间夹住的赛璐珞胶片角端为弧形。因此，可以排除胸片本体为一块玻璃底片的可能。透过玻璃可以看到，胶片边缘因大部分被胶带纸遮挡，无法测量实际尺寸，估计纵、横长度差值均不大于1厘米（胶带纸的宽度），略小于玻璃板，有两角呈圆角状，胶片表面稍有小折划痕，符合胶片片基的特性。在鲁迅生活的时代，玻璃板用于印刷者称珂罗版，基本用于复制具有高度艺术、历史或研究价值的书画，如名人字画，且费用昂贵；后来玻璃片也被用来复制珍贵的历史老照片。鲁迅多次提到珂罗版，如1934年7月6日致郑振铎信中说：“但北平的珂罗版价，却也太贵。我前印《士敏土》二百五十本,图版十页,连纸张装订二百二十余元。”更主要是玻璃片不如赛璐珞轻便、易于保存，因此当时医院拍片多已用赛璐珞胶片。总之，此X光胸片的主体为胶片，即承载医学影像的介质是胶片，而并非摄影术发明之初就使用的玻璃底片。

第二，有关读片信息。目前上海鲁迅纪念馆保存有两份读片记录。为准备纪念鲁迅逝世50周年，上海鲁迅纪念馆于1984年即通过有关方面组织了本市医学界的“鲁迅先生胸部X线读片和临床讨论会”，荣独山等沪上相关呼吸科、放射科的著名专家23人经过讨论，形成一份《鲁迅先生胸部X线读片和临床讨论会的意见》，手抄存档，全文为：

鲁迅先生胸部X线读片和临床讨论会的意见

胸部X线表现

据1936年6月15日后前位X线胸片：两肺上中部见许多纤维增殖性结核病变，左肺中部有大片干酪性病变。左上肺第二前肋间外带见可疑的薄壁空洞。

两肺重度肺气肿，可见许多大小不等的肺大疱，以左下肺更为严重。

上胸均有胸膜增厚，以右侧较为明显。

右侧胸腔中等量积液。

临床讨论意见

讨论会日期：1984年2月22日下午2时。

讨论会地点：上海市第一结核病防治院。

根据病史摘录及1936年6月15日后前位X线胸片，一致诊断为：(1)慢性支气管炎，严重肺气肿，肺大疱。(2)二肺上中部慢性肺结核病。(3)右侧结核性渗出性胸膜炎。

根据逝世前二十六个小时的病情记录，大家一致认为鲁迅先生死于上述疾病基础上发生的左侧自发性气胸。

同时，根据其他有关史料，摘录了鲁迅病史。其文为：

鲁迅先生病史摘录

鲁迅先生诞生于1881年9月25日，于1936年10月19日逝世，享年55岁。

1936年3月2日发热37.6℃。诉咳嗽、咳白色粘痰，或少或多，伴食欲不振，常失眠，近一年半来常便秘。体检:体格中等，营养稍差，体重37公斤。肺部听诊：左肩胛上部、右锁骨上下窝及第三、四肋间、胸骨缘有水泡音。右胸背面第7胸椎以下，呼吸音明显降低。3月19日右下胸痛，发热较高。作右下胸腔诊断性穿刺。抽出微黄色透明液。痰检结核菌阴性，弹力纤维甚多。3月25日咳嗽咳痰甚多。第一次于右下抽出胸水300毫升。3月29日进营养食物，保持安静，经过良好。6月1日咳嗽加剧，尤以夜间为甚，有胸闷、食欲不振。肺部听诊右胸锁骨上下窝及第四肋骨以上闻及密集的大小不等的水泡音。6月15日第二次于右下抽出半透明液100毫升。6月19日感头重而痛，易感疲劳，有轻度发热。6月23日第三次抽出微黄而浓的液体100毫升。咳痰多，结核菌阳性。7月16日体温37～38℃之间，食欲仍然不振。右锁骨上下窝有微小水泡音。8月7日右胸下部有重压感，第四次抽出浓黄色半透明液体200毫升。8月14日有少许痰血。8月18日，右胸锁骨下方之水泡音减少。自8月19日后至9月份症状尚属平稳。10月初至16日情况良好，怠于服药，散步后甚感快适。10月17日下午外出，晚会客至11时，12时曾吸烟1支，18日子夜1时方睡。

18日凌晨3时半细察呼吸有些异常，似哮喘初发情况。后继以咳呛，指端呈紫绀，冷汗淋漓。体温35.7℃，脉搏软弱120次/分，常有停滞。肺部可闻及喘鸣音。经处理后有所减轻。下午2时呼吸已稍徐缓，仍有46～52次/分。脉软弱110～114次/分，体温35℃左右。自觉呼吸困难。检示情况不佳，呈衰备不堪状况。早晨以来仅进牛乳100毫升。听诊右肺喘鸣尽去，左肺亦然。叩诊左胸下半部有高音调的鼓音，心界右移约半指许。疑有“气胸”发生。虽尽量使先生绝对安静，不能安睡。频频惊醒，声称胸闷，心区有压迫感。彻夜冷汗淋漓。自19日上午5时起，胸闷加甚，辗转反侧，延至上午5时25分，因心力衰竭长逝。

过去史：26～27岁齿病严重，至49岁牙齿全脱。40岁有“胃扩张症，肠弛缓症”。44～45岁已知有肺结核病。曾有“左侧胸膜炎”，“痔核”，“支气管哮喘”史。吸烟史33年，每天约50支，55岁减至每天15支。

上海市第一结核病防治院整理

上海鲁迅纪念馆存有当时参加读片讨论的医师名单（打印件，和与会专家的日常工作照存放在一起）。

对于1984年2月22日那次鲁迅病情的临床讨论会，《解放日报》于次日即作了报道，标题是《鲁迅不是直接死于肺结核病》：

为在一九八六年十月十九日纪念鲁迅先生逝世五十周年，上海鲁迅纪念馆决定对馆内珍藏的鲁迅先生的遗物——鲁迅先生的胸部X光玻璃片进行一次读片会，以正确诊断鲁迅先生的肺部病变。

上海著名医学专家、教授们根据鲁迅先生一九三六年六月十五日拍摄的胸部X光片与有关医生的病情记录，认为鲁迅先生患两侧慢性开放性肺结核，右侧结核性胸膜炎，病情属于中等程度。因此，肺结核病不是造成鲁迅先生死亡的原因。而从X光片上看，鲁迅先生还患有慢性支气管炎与肺气肿，因此形成肺大疱，结合鲁迅先生逝世前二十六小时（一九三六年十月十八日早晨三时至十九日早上五时）的病情记录：脸色苍白、冷汗淋漓、呼吸纤弱、左胸下半部有高而紧张的鼓音、心脏越过右界等，大家认为鲁迅先生的直接致死原因，是左侧肺大疱破裂，使气体进入肺膜腔引起自发性气胸，压迫肺和心脏而引起死亡。

此外，在鲁迅逝世七十周年的2006年，上海鲁迅纪念馆应家属要求再次请上海胸科医院郭德文医生读片诊断，郭医生手写报告全文曰：

读鲁迅先生于1936年6月15日所摄的后前位X线胸片（玻片）

右肺上中见大量浸润及增殖性病变，伴右下中等量胸腔积液，液弧面在第8、9肋骨大致水平，左上肺亦见浸润及增殖性病变伴有纤维及钙化点影，左中见大片干酪实质病变。左上並见不规则透亮怀疑为数个小薄壁空洞。两下肺见透亮度增加，为肺气肿所致，並见多个肺大疱。以左下最为明显。左肋隔角钝，左隔表面有支气管影粘连。双侧肺的血管正常表现。主动脉弓大小与年龄相符，心影无扩大、形态正常、未见房室扩大。心胸比率，0.40左右。左侧第7肋骨陈旧性骨折，对合良好，有骨痂形成。

印象：双侧浸润及乾酪型肺结核，伴空洞、肺大疱、肺气肿，右侧胸腔中等量积液，慢性支气管炎，陈旧性左侧第七肋骨骨折已见愈合。心影及大血管阴影表现为正常范围内。

上海胸科医院 郭德文 2006.4.20

郭德文教授长期致力于放射医学影像诊断，擅长胸部及心血管疾病的临床诊断和研究，他的诊断报告更加细致地做了病情描述。

在鲁迅去世的当晚，上海几家晚报都发布了消息，涉及死因则取笼统的说法。《大沪晚报》为："鲁迅先生今晨逝世，昨日起突发恶性气喘症医治罔效"；《大晚报》为："患肺结核病体突变，鲁迅今晨逝世。"其中肺结核的说法比较普遍，因而在近50年之后，《解放日报》的标题点出"不是直接死于肺结核"。

因此，两次顶级专家的医学报告可视作鲁迅病情及死因的终结诊断，《解放日报》（1984年2月23日）相关新闻报道亦简洁扼要，结论明确。由此，可以说从医学角度已经基本排除了鲁迅死于其他人为因素的可能。

对于鲁迅病情突然加重而离世，有乐融先生新著《永恒的缅怀——鲁迅逝世前后追踪》第16—22页对其“去世的真正病因”作了比较全面的勾勒，脉络非常清晰。又如，许广平致曹白信中说过：“……要写明周先生的病状，可实在不容易。因为这和他一生的生活，境遇，工作，挣扎相关，三言两语，实难了结。”“大约十天以前，去用X光照了一个肺部的像，才知道他从青年至现在，至少生过两次危险的肺病，一次肋膜炎。两肺都有病，普通的人，早已应该死掉，而他竟没有死。医生都非常惊异，以为大约是：非常善于处置他的毛病，或身体别的部分非常坚实的缘故。这是一个特别现象。一个美国医生，至于指他为平生所见第一个善于抵抗疾病的典型的中国人。可见据现在的病状以判断将来，已经办不到。因为他现在就经过几次必死之病状而并没有死。”（曹白《悼文——写在永恒的纪念中》）这些叙述，说明鲁迅的离世其实并不“突然”，在由史沫特莱和宋庆龄介绍为其诊断的美国医生邓恩（Dr.Dunn）看来，假如鲁迅是个欧洲人，“则在5年前已经死掉”。鲁迅所信任的须藤医生也至少对他提出过“两三回警告”，只是鲁迅“仍然不以为意，也没有转告别人”，总以为能够挺过去，化险为夷。另外，长年的抽烟史，对于肺病是大忌，早在1928年鲁迅就病过一场，和肺有关，他在当年6月6日致章廷谦信中说从医生那里探出自己的“肺病”，是几乎要生肺炎，但现在好了，酒早已不喝，烟仍旧，“每天三十至四十支”。

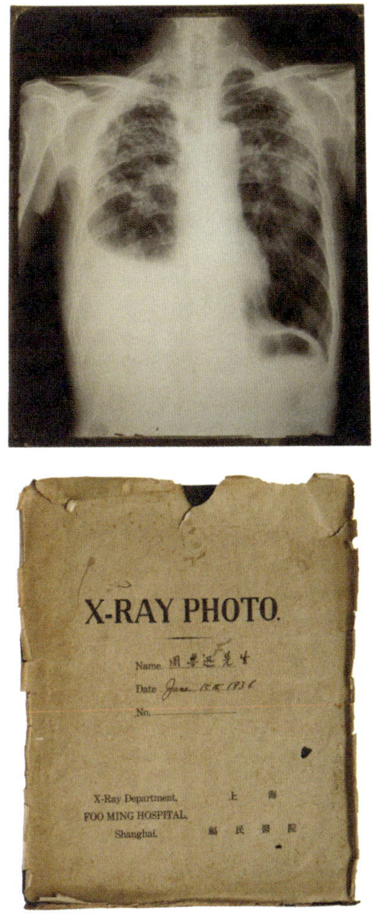

鲁迅x胸片及封套

总之，鲁迅长期超负荷透支体力和精力，所处环境也让他个人承受过重的压力，积劳成疾，自身忽视或外在条件的不容许使他始终没有闲下来休息，无论是国内还是国外疗养也都顾不上，无法做到好好调养身体。健康状况每况愈下，故而即使在他所能够“享用”的医疗条件已经尽力的情况下，还是未能摆脱死神的袭击。

鲁迅定居上海时期的家庭备药志

杨琳

1927年10月，鲁迅携许广平来到上海，开辟了新的战斗阵地，也开启了新的家庭生活。两年后，海婴呱呱坠地，给这个小家庭带来无限惊喜和欢乐，同时也伴随着婴幼儿易感染常见疾病的烦恼。20世纪30年代的上海夏天潮湿闷热，易生蚊虫，易长痱子，疟疾横行。胃病、牙周病、气喘病更是长年伴随着熬夜写作的鲁迅。种种原因，使得鲁迅家中常备一些日用药品，种类虽不多，但往往能在非常时期发挥药效，偶尔也能给三弟周建人一家应急。青年时期赴日学医的鲁迅对西方医学医药包容接纳，多次在日记中记载去医院取药、去药房买药。笔者以上海鲁迅纪念馆馆藏鲁迅药品为切入口，观察鲁迅在上海时期的家庭生活点滴。

福民医院、石井医院、筱崎医院和须藤医院是鲁迅及家人常去就诊的地方。这四家医院均由日本人开设，鲁迅除自己及家人看病外，还介绍友人入院治疗，并担当翻译。这一来一往间，与医生医护相熟，友好往来的宴请与答谢多有记录，与之相关的研究亦多。而鲁迅在日记中提及药房，并不费多少笔墨。笔者发现，鲁迅在上海生活的近10年间，有明确记载的药房有三个：五洲药房、仁济药房、佐佐木药房。

日记中提到的五洲药房，创立于1907年，由商务印书馆创办人夏粹芳、中法药房总经理黄楚九和药剂师谢瑞卿等人合伙开设。招牌的英文名称为International Dispensary，店址初设在福州路广西路口，初以贩售各种西药和配方为主要业务。（《上海近代西药行业史》）而后，由擅长经商的项松茂父子掌权发展，以完善的组织架构、科学的管理制度、先进的人才培养机制，带着五洲药房大步迈入黄金发展时期。其与各大医院、医师建立业务联系，推销产品扩展营业。到1935年，五洲药房除总店外，另有包括南京路支店、北四川路支店（北四川路老靶子路，今武进路口）等在内的6家支店。五洲药房主要销售四大类产品，即家用成药、原料药、外用敷药和化妆品。其中，麦精鱼肝油是其家用成药类的

"明星产品"。鲁迅一直有服用鱼肝油的习惯，将其视为一种强身健体之补剂，并将其推荐给母亲妻儿及亲朋好友。早在1909年，鲁迅就热情地向钱玄同"科普"鱼肝油之功效，"バーラートル是一种鱼肝油、并非专医神经的药、但身体健了、神经自然也健、所以也可吃得的、这药有两种、一种红包瓶外包纸颜色、对于肺病格外有效、一种蓝包是普通强壮剂、为神经起见、吃蓝包的就够了。"（1908年8月13日鲁迅致钱玄同信）鲁迅在厦门时期，还跟着沈兼士买了一瓶麦精鱼肝油，服用几天后，胃口仿佛渐渐好起来了，从此便认准这款补剂。海婴也是鱼肝油的"受益者"，鲁迅在给母亲的信中提道："海婴很好，因为医生说给他吃鱼肝油（清的），从一月以前起，每餐后就给他吃一点，腥气得很，而他居然也能吃。现在胖了，抱起来，重得像一块石头，我们现在才知道鱼肝油有这样的力量，但麦精鱼肝油及男在北平时所吃的那一种，却似乎没有这么有力。"（1934年12月6日鲁迅致母亲信）

仁济药房，鲁迅虽提及次数最多，但记载详细的史料最少。且鲁迅在日记中还写作"仁济堂"12次。1919年仁济堂药房设立于北四川路901号。（陈祖恩《上海日侨社会生活史（1868—1945）》）仁济堂是日本药房，代理销售日本药品，主要服务范围在日侨集中居住的虹口地区。也有资料显示，仁济药房由浅野文多郎设立，店址位于北四川路990号。（同仁会编《中华民国医事综览》1935年版）虽然始终无确切的资料进一步证实，但可以推测出这间药房的位置距离鲁迅居住地不远，且能买到治疗海婴病症的药物，所以经常前往。

佐佐木药房，也有称佐佐木洋行（Sasaki & Co.），由日本人佐佐木德四郎创立，经营进出口业务，其中兼营日本药进口业务。洋行位于施高塔路（今山阴路）22号。（同仁会编《中华民国医事综览》1935年版）另有资料显示，施高塔路7号为佐佐木洋行（Scott Road: 7 Sasaki&Co.）。根据内山完造的亲戚内山正雄的回忆和手绘示意图，更可以肯定，施高塔路7号确为佐佐木药房。周国伟先生也曾在研究内山书店的文章中写道："内山书店新店，是幢座北朝南的假三层楼房。整排房子的店铺，从甜爱路至千爱里弄口，计八间门面。右起：第一幢为花店，楼上为奥田牙科诊所，现为为民点心店；第二幢为南北货店，第三幢为佐佐木药房，这两幢现为新华书店。"（周国伟《鲁迅与内山书店》）综合以上资料，可以确定的是，佐佐木药房就在内山书店附近。鲁迅出入内山书店频繁，可能也熟识这家药房，经常去购买一些日本进口药品。

上海鲁迅纪念馆藏有鲁迅居大陆新村时期，本人及家人使用的日用药品和简易的医疗器具，系鲁迅逝世后，由许广平捐赠。这些藏品大部分为馆藏三级文物，部分陈列于上海鲁迅故居二楼储藏室里的日式四格玻璃橱内。上海鲁迅故居内的陈设及物品摆放，均是1950年在许广平的指导下，完全按照鲁迅生前居住的情况布置。所以，这些药品当年也摆放于此。鲁迅家中使用和常备药品，绝大部分为进口西药或成药（凡用两种以上之药料加工配合另立名称商标，不待医师指示即供服用者，为成药），大致分为内服药、外用药和保健类药品。内服药以治疗哮喘、止痛、止吐泻药品为主；外用药大多用以卫生消毒、皮肤止痒；保健品类成药以补充维生素C、补铁为主。

第一类：内服药之治疗缓解气喘药品

忽苏尔气喘药（Felsol），由德国爱森城罗伦化学制药厂监制，中国总经理上海华商履瀛西药行销售。长方形铁质药盒，正面印有英文品名，“THE NEW INTERNAL REMEDY FOR ASTHMA”（用于治疗哮喘的新型内服药品）。背面印有中文品名、简单的药效和服用说明，专治气喘哮病、呼吸困难，远年咳呛、神经痛性头痛等症。每日服一包至三包，每次服一包，饭后一刻钟服之，匣内附有详细仿单。

打开铁盒，中文服药说明卡嵌于内盖。说明文字自右向左排布，并特别区分了专治病症与专疗病症。专治指能消除病症，专疗则是缓解病症引发的痛苦，在当时这药品说明可以算是非常严谨了。

右部文字为：“忽苏尔，下列各症服后立能平喘止咳确有特效。专治：气喘、哮病、气急、呼吸困难、因急性慢性支气管炎发生气喘，因心脏病发生气喘，因枯草热引发气喘及其他哮喘症。服法：第一星期每日服一包，饭后服。第二星期早晚各服一包。第三星期每早服一包。第三星期以后每星期服三包至病愈止。儿童减半，幼孩服四分之一。”左部文字为：“忽苏尔，专疗：对付咳嗽，肺痨病，胸部闷痛，心痛急症，流行性感冒，伤风咳嗽，神经性头痛（偏头痛），慢性支气管炎，枯草热，各种心脏病，风咳，小儿百日咳（天哮咳）。服法：每日三服每次服一包（临时胸部闷痛，心痛急症，感冒、伤风咳嗽，头痛，随时可服）之病愈止。儿童减半，幼孩服四分之一。”

1936年10月18日凌晨，为缓解气喘症状，许广平还给鲁迅服用过“忽苏尔气喘药”，遗憾的是，气喘的病症并未得到缓解。“那时正在深夜，请医生是不方便的，而且这回气喘是第三次了，也不觉得比前二次厉害。为了减轻痛苦起见，我把自己购置在家里的‘忽苏尔’气喘药拿出来看：说明书上病肺的也可以服，心脏性气喘也可以服。并且说明急病每隔一二时可连服三次，所以三点四十分，我给他服药一包。至五点四十分，服第三次药，但病态并不见减轻”。(许广平《最后的一天》)

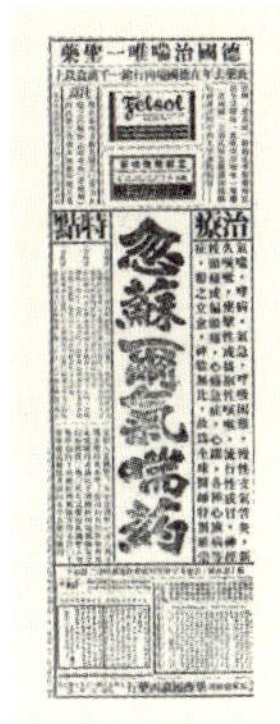

1935 年 12 月 20 日《申报》第 10 版，忽苏尔气喘药广告

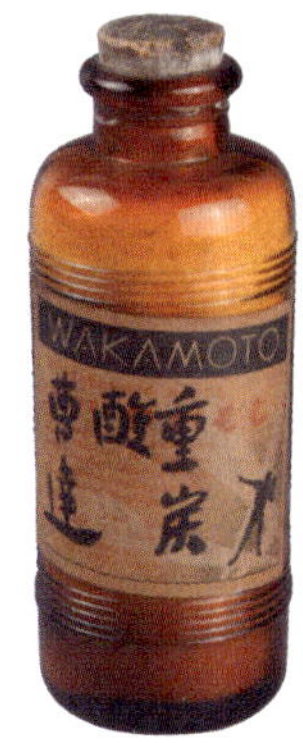

“重炭酸曹达瓶”

另一款药品“重碳酸曹达”，也是用于缓解哮喘的。馆藏的这瓶药品，系使用わかもと制药株式会社（WAKAMOTO 若本制药有限公司）的维生素消化酶营养剂瓶分装，瓶身上为鲁迅写的药品名称。“重炭酸曹达”这一名称来源于日语，曹达译为钠，重炭酸为碳酸氢根，即碳酸氢钠。在周海婴回忆鲁迅的文章中提道：“我小时候因为种下了气喘病的根子，所以每到疾病发作期间，不但自己痛苦不堪，而且也使父母劳神不止。这种哮喘病，每在季节变换的时候发作。一犯起来，呼吸困难，彻夜不眠。常用的一种方法，我且称之为蒸气吸入法。父亲架好一套吸入器皿，即在盛水小锅中卡上一支细管，加橡皮圈密封，将细管一端通入另一小杯，杯中装有调好的‘重碳酸曹达’和食盐稀溶液，用酒精灯加热烧开，蒸气将药液喷射带出，再经一玻璃喇叭口集中成为一束。这时母亲给我带上围涎，并且蒙上眼睛（怕盐水刺痛眼睛），叫我张口吸气。湿润的带药水气进入气管，药味咸而略苦。对消炎止咳，有明显的效果。”（周海婴《重回上海忆童年》）

俗话说，久病成医。海婴幼时哮喘，鲁迅也有气喘顽疾，用碳酸氢钠和食盐稀溶液调配加热后的蒸汽喷入海婴口中，来缓解因哮喘引起的咳嗽。这个方法或许是鲁迅特制的“雾化”治疗秘方。

第二类：内服药之止痛灭菌药品

鲁迅在日记中提到服用最多的药品，或许就是阿司匹林了。陈列于鲁迅故居的这个“阿司匹林”药瓶，瓶身褐黄色，贴有机打标签“100 Tab Aspirin”。瓶身下部和瓶塞上印有圆形形似“寿”字的药房或医院标识。鲁迅一直服用阿司匹林来解热镇痛，从鲁迅书信和《鲁迅日记》中处处可见：“前几天生热病，就是玉堂在厦，生得满脸通红的躺在床上的那一流，我即用 Aspirin 及金鸡那霜攻击之。”（1927 年 7 月 7 日鲁迅致章廷谦信）“牙痛，服阿司匹林片二粒。”“似微发热，

服阿司匹林两片。”阿司匹林以祛风定痛退热之特效驰名，是一种白色针状或鳞片状的结晶或结晶性的粉末，味道略带酸。纯净的阿司匹林经服食后在胃中并不融化，到肠内时一部分慢慢地分解，变成醋酸和柳酸，另一部分保持圆形而呈吸收作用。

速伐灭菌，学名为胺醯磺苯氨位，由华美大药房出品。盒内有细管一支，黑色盖塞，内含 20 片药。主治溶血性链球菌，脑膜炎球菌，葡萄球菌及淋病球菌所引起的各症。日服三至四次每次一至二片。这款药品主要用于消除由细菌引起的病症，起到消炎作用。

兜安氏霍乱吐泻圣药，玻璃透明瓶，瓶身上贴有药品说明和 DOAN’S 兜安氏著名的人脸标志。药品说明上注有此药功效：“耑治霍乱吐泻红白痢、抽筋症、绞肠痧肠、扭肚痛、小孩吐泻、夏月诸病、脏腑积血等症乃百发百中之良药也。”用法：“凡服药时先将瓶摇动使药味调和为要。如年长者每日服药四次，每次服药一茶羹；病重者多服二次，小孩十一岁者服药三十滴至四十滴；六岁者服药二十滴至三十滴；三岁者服药十滴至二十滴；二岁者服药五滴至十滴为度。可用温水或温茶和服均可。”20 世纪二三十年代，霍乱大流行，鲁迅曾于 1926 年 8 月前往日本山本医院注射过两针霍乱疫苗。到 1932 年，鲁迅在给母亲信中写道：“上海已逐渐暖热，霍乱曾大流行，现已较少，大约从此可以消灭下去。”（1932 年 7 月 2 日鲁迅致母亲信）兜安氏西药公司（Foster-Mc.Clellan Co.）是一家本部位于纽约州布法罗的美国药业公司，驻华总号设于上海，华行进口经销所产兜安氏秘制专利成药、一般西药及化妆品。产品种类繁多，内服外用的药物总量多达十多种，药品剂型多样，包括丸剂、片剂、膏方、药水等。兜安氏也是在《申报》上，发布广告量最大的一家西药公司。鲁迅在北京时期，还曾买过兜安氏补肺药服用。

口疮药，大约 50 毫升容量的圆形棕色玻璃瓶，瓶身贴有鲁迅写的“口疮药”标签。据周海婴回忆：“这是须藤医师配制的，是专门治疗口唇溃疡用的，由硝酸银液和药用甘油混合而成。每当舌头唇颊溃破，发生绿豆大的白腐点时，如果单用硝酸银烧灼，疼痛难忍，混以药用甘油，使药性和缓，涂在患处可以减轻剧烈的痛楚。每日搽二三次，创口就会愈合。大概这是为小孩子们特意配制的罢。”（周海婴《重回上海忆童年》）

第三类：外用药之消毒片剂

碘药瓶，25g 短矮型玻璃瓶，玻璃瓶盖，瓶上标明 JODUM（碘），由位于大阪市东区修道町的田边五兵卫商店（GOHEI TANBE）制药，生产日期标为“10 12 18”，指日本昭和 10 年，即公历 1935 年 12 月 18 日。“一种颗粒状的结晶碘，……可以配制碘酊，用于虫咬、无名抓痒、无名红肿、小疮初起等症，比另售碘酒便宜得多。……当时还没有发明磺胺一类消毒杀菌药品，更谈不上青霉素等抗生素制剂，这已是最好的消炎药物了。它对皮肤溃破发炎化脓，疮疖不易收口，都有较好的疗效。记得我小时膝盖部位长过一疮，出脓穿破后，一个多月总不长新肉，露着一个大洞，经常流血不止，父亲给我用这种药粉，填入伤口，过了不久，就从里向外长出新肉，伤口逐渐得到愈合”。（周海婴《重回上海忆童年》）海婴的这段父亲给自己敷药的回忆文字，读来满是浓浓的父爱，生动亲切的细节描写让人读来迅速在脑中浮现出一位慈爱父亲的模样。

定名为“粉红色气管炎片瓶”的馆藏三级文物，实则为由 PARKE. DABIS&CO.（美国帕克·戴维斯制药公司）生产的 Alkaline Antiseptic（碱性消毒剂）。美国帕克 - 戴维斯制药公司曾是世界上最大的制药公司，建立了第一个现代制药实验室。此药瓶瓶身玻璃通透，配以银色铝制螺纹瓶盖。瓶内装有 50 片粉色压制片，每片剂由碳酸氢钠、氯化钠、硼砂、苯甲酸钠、水杨酸钠、百里香酚、薄荷脑、桉树油、白珠树油按配比混制而成。使用时将一片药片溶解在两到四滴温水中，用作喷剂、漱口液或冲洗液的溶液，有消毒杀菌之效。鲁迅或使用这款药片消毒家用医疗器具。

第四类：外用药之止痛止痒药品

兜安氏止痛药水瓶，也是由兜安氏西药公司出品。玻璃扁瓶，黑色瓶盖。药品功效说明为：“此药水为风湿痛、肌肉僵硬、关节痛、淤伤扭伤、火烫水烫、刀伤及诸般疼痛之著名外搽药，对于运动家尤为适用。”鲁迅在给许广平的信中，曾肯定过这款止痛药水的功效：“我是极自小心的，每餐（午、晚）只喝一杯黄酒，饭仍一碗，惟昨下午因取书，触一板倒，打在脚趾上，颇痛，即搽兜安氏止痛药，至今晨已全好了。”（1932 年 11 月 20 日鲁迅致许广平信）这款药和前文提到的兜安氏霍乱吐泻药水，是鲁迅家中的常备药品。当年，鲁迅还居住在北京“老虎尾巴”的时候，家中书架上就整整齐齐地摆放着。“书架中格永远放着日用药品，有兜安氏霍乱吐泻药水，兜安氏止痛药水，太益水（即十滴水）等，都在永远不变的位置放着，下一格则放的是点心罐和一个福建漆的八角朝珠盒，是装蛋糕之类的”。（许羡苏《回忆鲁迅先生》）

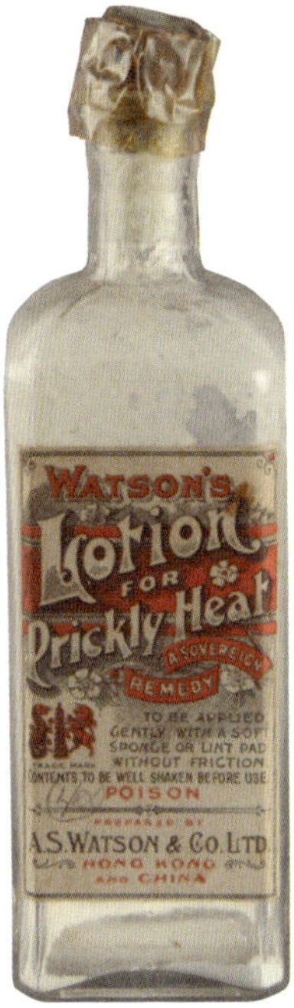

屈臣氏痱子药水

屈臣氏痱子药水（WATSON’S LOTION FOR PRICKLY HEAT），白色玻璃制大形扁瓶。药瓶上用英文介绍了使用方法，使用前先摇匀，用柔软的海绵或棉线垫轻轻涂抹，不要摩擦。鲁迅在大马路屈臣氏大药房购买，二元四角钱一瓶，一家三口大约一年用两瓶。1935 年，鲁迅曾在致萧军的信中向他强烈推荐这款药水。20 世纪 30 年代的夏天，气温普遍较高，大陆新村的房屋不能装电扇，即使能装，鲁迅也嫌电扇的风吹动稿纸，影响他写作译书。有时开着窗户，风吹进，鲁迅还将窗户关起，这闷热的房间怎能不生痱子。况且，海婴还小，更是怕热，极容易生痱子。鲁迅常在信中，与母亲、友人抱怨这炎热夏天的不便。海婴也留下了父亲给他擦药水的回忆：“记得每到夏天晚饭以后，我跑到二楼，躺在父亲床上，天色已暗，但不开灯，以求凉爽。这时候父亲就准备一个有盖的小碗和一块天然海绵（大概 1 英寸左右，呈椭圆形），将兜安氏痱子药水先行震荡，待沉淀在下层的药粉混合均匀，然后在小碗中倒上一点，用药水把海绵浸湿，轻轻涂在胸上或背上，每搽一面，母亲用扇子扇干，再搽一面。这时是我感到最大安慰的时刻，因不怕影响父亲的写作而被‘驱赶’，而有机会同时多多亲近双亲，躺在两人之间，让自己的心灵浸在无比温暖之中。”（周海婴《重回上海忆童年》）

皮肤病新治疗剂，HELMITIN（长蠕菌素），10% 软膏质地，由位于大阪修道町的日本 T.FUJISWA Co.（藤泽制药株式会社）制造，盒内有软膏一支，系外用消炎杀菌止痒药膏。

OZO 恩素简易家庭疗法药，是一款日本通用的皮肤药膏，含有丙烯醇，水杨酸甲酯，氧化锌，DL 樟脑等成分。金黄色纸盒印有黑白色图案和文字，盒内装有金属制圆形盒体和用药说明。圆形盒体内有膏状药膏，用药说明为一页纸，图文并茂地记录着功效介绍文字。这款药膏有消炎、镇痛、杀菌和渗透作用，能治疗烧伤、冻伤、皮肤皲裂、裂缝、有毒昆虫伤口、湿疹、鞋疮、皮疹、皮肤粗糙等问题。

百中药膏（PETROLEN），百中药厂出品。药盒上分别注有英文和中文版功效说明，略有区别。英文版功效说明较详细，软膏针对香港脚，糜烂，湿疹，伤口，割伤，烧伤，疖子，脓疱病，痘疾，痤疮，丹毒，褥疮，斑疹，烫伤，咬伤，水泡，冻疮，化脓性和感染性皮肤病，尤其是对链球菌引起的皮肤问题是极好的补救措施。中文版功效说明，主治疥癣、小儿胎毒、脚趾湿痒、湿毒湿疮、头皮恶癣、蚊咬肿痒、绣球风癣、刀创火伤、无名肿毒，对其他皮肤病症，无不奏效。

太平牌（HEAL-TOUCH）屠氏黄金膏，由屠坤华监制，上海太平洋大药厂（北四川路宝兴路口）发行。圆形金属盒，正面印有功效说明，主治破伤湿烂脓包，热疖狼疥顽痢，拔脓拔毒；风疹颗痳冻瘃，臁疮阴疽梅毒，止痛止痒。背面印有广告宣传，雀斑用统治霜，癣痒用愈肤水。在20世纪二三十年代《申报》上，经常载有这款药膏的广告。“太平洋药房制售新药。北四川路宝兴路口·太平洋药房、医药博士屠坤华、制黄金膏·愈肤水，治外科湿毒疥疮”。（《太平洋药房制售新药》）

第五类：保健类成药

意乐氏水果盐（FROS FRUIT SALINE），玻璃扁瓶，木塞盖。正面为品名介绍，背面印有功效、服用方法和注意事项。意乐氏水果盐内含各种宝贵新鲜成熟果子汁，用科学方法制成为一种有益人体健康的汽化品。“日常服之能帮助健康增进食欲，使人体一切废料排除外出，大便畅通内热下降血液澄清精神愉快。主治大便秘结、消化不良、饮酒过度、精神不振、肝肠上升、肥胖失眠、头痛腰痛、胃气痛等。成人每日早或夜服一至二茶匙倾入温开水或凉开水半玻璃杯，汽起时一次服下，儿童酌减。确保药品存放在阴凉干燥处，使用干净的勺取用，瓶盖须盖紧。”这款保健品类似泡腾制，入水后产生气泡。该保健品的功效类似益生菌和维生素C。

炭酸低铁丸（PILULAE FERRI CARBONATIS），又名布劳氏丸，中英药房出品。玻璃扁瓶木塞盖，总剂量0.3g（5 grains）。每次服用两粒。瓶身背后贴有功效和服用指南，“炭酸低铁丸补血成效久已著名，凡血亏力弱与妇女贫血，经期困难最宜。服法：每饭后服二丸，温水吞下，服药后忌服浓茶。”这款药大约是给许广平服用的。

仔细端详这些曾藏于鲁迅家中的药品，仿佛与先生来了一场超时空的交流。看到了先生在沪上辛苦笔耕，“战斗”不止的背后，“为人父”的柔情、“为人夫”的温情，定格了鲁迅定居上海时期平淡甚至细碎的家庭生活，也让我们看到了鲁迅先生更具烟火气的一面。

看牙病的鲁迅

仇志琴

鲁迅1936年10月19日早晨去世后，友人即前来拍摄照片，奥田杏花还为其翻制面模，现在这些都被列作珍贵文物，也为他留下最后的遗容。前来参观鲁迅生平陈列的细心观众——包括当初前来大陆新村吊唁的一些朋友民众，看见鲁迅这样的遗容，不禁会心生疑惑：临终时的鲁迅看起来异常消瘦，与平时判若两人，单纯是疾病的折磨吗？答案是否定的。鲁迅走得很突然，两天前还外出会友，那天大风降温，他受了寒引发肺大疱破裂、气胸最终导致心肺衰竭而去世。他晚年因为病情，人一直是瘦弱的，但也还没有因此而瘦得不为人识。他的遗容之所以看上去异常消瘦，颧骨突出，脸颊凹陷，是因他卸下了假牙的缘故。

根据病史摘录，鲁迅10月17日外出，晚上回家后会客（与周建人谈话到十一点钟），临睡前抽了一支烟，这应该是他最后一次抽烟，然后休息，此时照理是卸下假牙的时刻，所以，那天也应是他戴假牙的最后一天。然后进入一天两夜的病情突然恶化，直至弥留，除了18日早晨喝过约100毫升牛奶，再没有也无法进食，当然也不用再佩戴假牙。医生所写鲁迅病情《过去史》道：病人“26—27岁齿病严重，至49岁牙齿全脱。40岁有‘胃扩张症，肠弛缓症’。吸烟史33年……”（萧振鸣《鲁迅牙事考》）因此，鲁迅所患最严重的、最后夺去生命的原因当然是肺病。但除此之外，他的胃病、牙病也不轻，甚至很严重，这三者之间其实也互有牵连，吸烟对肺，也对胃都有害。牙不好，吃东西便不能充分咀嚼食物，久而久之也很伤胃。写文章他是铁齿铜牙，掷地有声，但其肉体却是疾病缠身，特别是牙痛不绝。

鲁迅1925年写过一篇《从胡须说到牙齿》，其中追溯自己从小就牙齿不好：“我从小就是牙痛党之一，并非故意和牙齿不痛的正人君子们立异，实在是‘欲罢不能’，听说牙齿的性质的好坏，也有遗传的，那么，这就是我的父亲赏给我的一份遗产，因为他牙齿也很坏。于是或蛀，或破，……终于牙龈上出血了，无法收拾……”当时绍兴城里还没有西医口腔诊所，只能借助中医；中医认为牙不好就是阴虚、肾亏，得多吃风干了的栗子，但这一方法对急性牙周炎、蛀牙之类不能根治，另一方面更严重的是有长辈因此斥责他“不自爱”，似乎是种耻辱了，因为牙病就想到肾亏，加上父亲死于庸医，使鲁迅对中医素来不以为然。同年，鲁迅在《忽然想到》（一）里也谈到中医对牙病基本束手无策：“我幼时曾经牙痛，历试诸方，只有用细辛者稍有效，但也不过麻痹片刻，不是对症药。至于拔牙的所谓‘离骨散’，乃是理想之谈，实际上并没有。西法的牙医一到，这才根本解决了；但在中国人手里一再传，又每每只学得镶补而忘了去腐杀菌，仍复渐渐地靠不住起来。牙痛了二千年，敷敷衍衍的不想一个好方法，别人想出来了，却又不肯好好地学……”自述是“牙痛党”的鲁迅吃了不少苦头。

鲁迅在南京读书时，经常边读书边吃零食。自此时起，他离家开始外出闯荡，生活起居不比在家里那么规律，开始自由随性了。对于三餐之外的零食，一种是“照例地吃侉饼，花生米，辣椒，看《天演论》”模式。但这个侉饼又应该算点心，不是纯粹的零食，它是用面粉烙出来的薄饼，卷了油条之类吃的，类似于包烤鸭皮的小卷饼。鲁迅生活节俭，钱大多用来买书了。按许广平的回忆，天冷了鲁迅也不多购置一些衣物，而是吃辣味驱寒，侉饼要卷了其他东西才吃，辣椒在南方人这边也不单吃。从鲁迅记载看，应该就是用饼卷了辣椒、花生米一起吃，又香又辣。吃得饱了，或许正餐也就省下了。第二种是因为功课成绩好，得了奖，鲁迅一定买了点心零食请大家分享。鲁迅吃辣，也爱甜食，夜读饥饿，吃些糕饼、糖果……从以后的健康状况看，一些对护牙洁齿不利的生活习惯恐怕就是在南京求学时形成的。这样，到日本读书时，就有看牙医的记录了，日本有西医的齿科医生，鲁迅自己又是学医的，自然稍作打听就能求诊。有一次牙痛的治疗，是在长崎找到一个牙医，为鲁迅刮去了牙石，洗了牙，于是牙龈不再疼痛。而且，从鲁迅回国后在北京买牙粉的记录看，是在日本开始用上了牙粉，推测此前未遇此种舶来品，想要洁齿，大约只能是漱口了。

鲁迅回国后，牙痛时常发作，据统计，仅仅从日记看，自 1912 年 5 月 5 日现存日记开始到 1936 年 10 月去世，23 年多的时间里（有一年日记遗失），记录牙病发作、看牙医的有 100 多处。在北京时，起先去王府井的徐景文诊所看牙，在 1913—1916 年间有 18 次记录，补牙、拔牙都有。后来可能是迁居的原因，改去前门的台湾人陈顺龙牙医诊所就医。陈曾留学德国，据称给慈禧太后看过牙，鲁迅在他手里至少拔去 3 颗蛀牙。再后来是在崇文门内八宝胡同日本牙医伊东丰作的诊所看牙，也曾陪母亲前去就医。鲁迅 1923—1926 年来此 10 多次，拔去

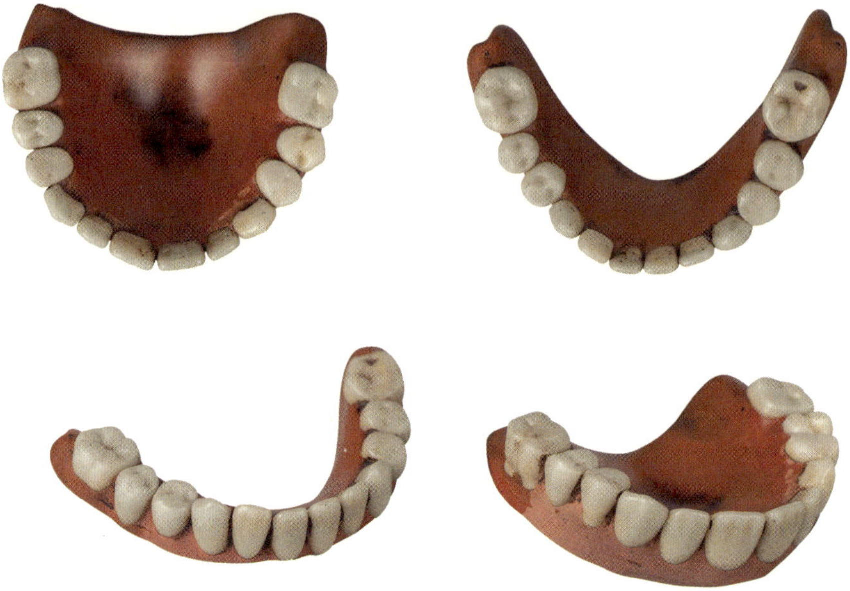

鲁迅的假牙

10 颗牙。1929 年鲁迅从上海赴北京看望母亲时，也顺便去那里看过牙。而鲁迅、许广平自 1927 年起定居上海后，经常去宇都齿科医院治疗。1930 年 3 月 24 日，“下牙肿痛，因请高桥医生将所余之牙全行拔去，计共五枚”。牙齿全拔光了，这年鲁迅 49 岁。有人仔细统计过鲁迅牙齿数目的变化。假定鲁迅在 1912 年 5 月之前牙齿没有脱落，以后又将牙齿数目的变动全部写进了日记，那么经统计可以发现，自 1912 年至 1930 年 3 月 24 日拔去最后 5 颗牙齿为止，鲁迅一共损失了 28 颗真牙，包括自行拔掉 1 颗，自行掉落 2 颗，摔落 2 颗，经医生拔掉 17 颗。另外据日记从 1913 年 5 月到 1916 年 1 月，鲁迅共补牙即镶牙 6 颗，同时也就意味着还拔牙 6 颗，总数 28 颗。人的真牙在 28—32 颗，起板是 28 颗，另 4 颗是智齿即尽根牙，是最后一组牙齿，在成年后长出，且经常会长歪，造成牙痛，最终拔掉了事；但因为遗传或后天生活习惯等个体差异，有人终生不长。鲁迅应该就是没长尽根牙，否则很有可能雪上加霜，痛上加痛。（侯桂新《读鲁迅札记五则·鲁迅牙齿的历史的变迁》）

这么看来，鲁迅嘴里最早一批假牙是在 1913 年 5 月到 1916 年 1 月这 3 年期间陆续镶补的，是固定义齿；然后，是 1923 年 3 月 25 日那次参加祭孔大典回来出了车祸，人力车失控，“坠车落二齿”，当时天冷鲁迅可能手插在衣袋里来不及抽出做缓冲，人被甩出车外后，头着地，两颗门牙磕掉了。这样就有 4 个多月上课说话漏风，还破了相，直到 8 月 8 日在伊东牙医那里补完牙才复原，当然真牙已变成两枚固定假牙了。

鲁迅于 1930 年 3 月 24 日拔光最后 5 颗真牙后，开始定制假牙托(活动义齿)。3 月 29 日就往上海齿科医院做准备，先“除去齿槽骨少许”，30、31 日继续；然后在 4 月 7、14、21、24、26、28、30 日，连续“试模”、矫正，5 月 2、3、5、7、26 日，“再去”，颇费周章。好在接着基本太平，大概戴上以后适应了。两年后即 1932 年 4 月 23 日上午，鲁迅前往前园齿科医院，晚上再去，“以义齿托其修理”。24 日下午、晚上去取货，都“未成”，晚上再去，第二天才修好取回。又隔一年，1933 年 5 月 1、2、4、6 日，鲁迅连续去高桥齿科医院修假牙。再过一年半后的 1934 年 12 月 17 日，鲁迅“病后大瘦，义齿已与齿龈不合，因赴高桥医师寓，请其修正之”。1935 年 4 月 8 日，鲁迅去高桥医院看牙龈，12 月 27 日又去那里付治疗费。总之，整副活动假牙虽几经修正还可以使用。

照日记看，鲁迅配过的活动假牙可能就一副，即 1930 年 3 月定制的这副。1950 年，许广平连同其他鲁迅生活用品一起捐赠给了上海鲁迅纪念馆。1951 年，纪念馆在大陆新村鲁迅故居开馆时，义齿也被陈列出来。这副义齿，全口，上下颚共 24 枚牙，口型较小，基托系老式橡胶制品，上颚基托内衬金属支架（防止基托折断），金属呈黄色，可能为 14 ～ 18K 金。假牙系日本松风（Sofu）型磁牙。基托为橡皮红色，因使用较为仔细，上下基托无污垢沉积，仅有少量烟迹，牙略黄。

这副假牙是牙病困扰鲁迅一生的见证之一，而鲁迅又喜欢吃硬的东西，戴假牙之后咀嚼效果显然不如真牙，长此以往对于胃也不好，而胃病正是另一个折磨鲁迅的慢性疾病。

居于沪上

鲁迅在景云里的居住

——俞天然

景云里位于今上海虹口多伦路与横浜路之间。1927 年 10 月，鲁迅与许广平从广州乘船来到上海，在共和旅馆（今延安东路 158 弄）暂住。当时鲁迅三弟周建人在商务印书馆做编辑工作，听说哥哥来了上海，每天到旅馆陪伴。几天后，鲁迅和许广平与周建人商议，决定在上海寻求一个暂时的栖身之所，周建人打听到自己居住的景云里内还有余房可租赁。当时景云里位于闸北东横浜路，属于“中国地界”，房租比较便宜；而且茅盾、叶圣陶等文化名人也在景云里居住，颇不寂寞；闻名中外的商务印书馆、东方图书馆也离得不远，于是鲁迅与许广平决定迁入景云里居住。10 月 8 日，鲁迅在日记中写道：“上午从共和旅店移入景云里寓。”从此，进出景云里的人中多了一位“穿蓝长衫的，身材小而走着一种非常有特长的脚步，鼻下蓄着浓黑的口髭，有清澄得水晶似的眼睛，有威严的，那怕个子小却有一种浩大之气的人”。（内山完造《鲁迅先生》）

一、景云里 23 号

景云里左首内有三排坐北朝南的灰砖墙、朱红窗户、黑门三层楼房。鲁迅在景云里租住的第一个寓所是 23 号，位于左首第二弄的最末一家。在这里，他与许广平开始了同居生活，“购置家具，每人仅止一床、一桌、二椅等”。（许广平《景云深处是吾家》）吃饭和周建人以及他的同事们在一起。王映霞曾经这样回忆当时的场景：“楼下是会客室，前楼一大间是鲁迅和许广平的卧室兼书房，一张黑色的半新不旧的中号铁床，安放在东南向角上，床上挂着帐子和帐沿，这白色十字布绣花的帐沿，不用说一定是许广平的手艺了。”（王映霞《我记忆中的鲁迅与许广平》）有了许广平帮着抄写校对，整理各种稿件和书籍，鲁迅的房间也不像在北平时那样的凄苦和冷清，即使没有客人，也有说有笑了。

景云里各色人等鱼龙混杂，并不清净。据许广平回忆，23 号“隔邻大兴坊，北面直通宝山路，竟夜行人，有唱京戏的，有吵架的，声喧嘈闹，颇以为苦。加之隔邻住户，平时搓麻将的声音，每每于兴发时，把牌重重敲在红木桌面上。静夜深思，被这意外的惊堂木式的敲击声和高声狂笑所纷扰，辄使鲁迅掷笔长叹，无可奈何，尤其可厌的是在夏天，这些高邻要乘凉，而牌兴又大发，于是径直把桌子搬到石库门内，迫使鲁迅竟夜听他们的拍拍之声，真是苦不堪言的了”。（许

景云里

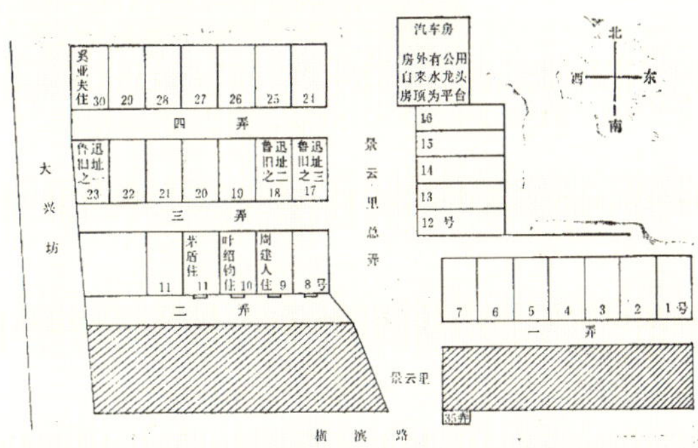

景云里平面图

景云里 23 号

广平《景云深处是吾家》）鲁迅与许广平在居家时甚至还经历过枪战，流弹打穿了 23 号的一扇玻璃窗。他在给学生李霁野的信中写道："寓邻近巡警围捕绑票匪，大打其盒子炮和手枪，我的窗门被击一洞，巡警（西洋人）死一人，匪死二人。我无伤。"（1928 年 3 月 16 日鲁迅致李霁野信）

环境不佳之外，律师邻居奚亚夫的顽童更是搅扰得鲁迅一家无法安心居住。许广平回忆：自从鲁迅搬到 23 号不久，鲁迅向周建人提议两家合伙烧饭，以免和同事们一起诸多不便。一切柴、米、油、盐等杂务，托周建人爱人王蕴如的一位亲戚兼管，就在 23 号楼下煮食。然而奚亚夫十四五岁的顽童乘煮食时丢进石头、沙泥，影响到周建人孩子的安全和食物的清洁。鲁迅几经忍耐，才不得已地向奚亚夫一家婉言。不料律师家的气焰更甚，顽童在 23 号后门上画白粉笔的大乌龟，并且向鲁迅家的后门撒尿，这是当时上海流氓最可鄙的行为。恰巧弄内 18 号有空屋，于是鲁迅一家便搬迁了。从 1927 年 10 月起，鲁迅在 23 号共住了 11 个月。

值得一提的是，在鲁迅居住在景云里 18 号时，就把 23 号介绍给柔石等文学青年居住。柔石一听能住在鲁迅家的旁边很高兴，和几人商量后立即搬了过去。鲁迅不仅悉心指点这些文学青年，还让他们来家中搭伙用膳。青年们在这段时期发表了大量创作和翻译作品。"左联五烈士"牺牲后，鲁迅怀着悲愤的心情与冯雪峰等人共同刊印了《前哨·纪念战死者专号》，两年后又写下名篇《为了忘却的记念》以作纪念。

二、景云里 18 号

在经历几次看房之后，鲁迅与许广平搬迁到了景云里 18 号。他在日记中写道："1928 年 9 月 9 日，……晴。下午移居里内十八号屋。"周建人全家也从原来的住处搬到鲁迅家一起住。许广平回忆："在十八号，鲁迅和建人先生怡怡相处了五个多月，深感建人先生相助之忱。蕴如同志在上海久居，一切事无大小，俱获她竭诚相助。鲁迅在这个时期，算是和兄弟怡怡相聚、朝夕相处的最快活的日子了。"（许广平《景云深处是吾家》）

三、景云里 17 号

1929 年 2 月，鲁迅听说隔壁 17 号空出来了，他喜欢 17 号朝南又兼朝东，是弄内第一家两面能见到太阳的寓所，于是租了下来。鲁迅迁入新居后，将 17—18 号之间打通并设一木门，出入仍在 18 号，卧室兼书房设在二楼。半年后，49 岁的鲁迅有了自己的儿子，并取名为周海婴，意为"在上海出生的婴儿"。许广平分娩以后，鲁迅为了让她安静休养，使海婴不受烟熏，好好睡觉，一度把底层客堂的会客所改为书房。

虽然鲁迅在景云里 17 号喜得贵子，但当时的上海处于令人窒息的白色恐怖当中。1930 年，鲁迅参加了"中国自由运动大同盟"。因为政治上的压迫，鲁迅一家屡次避居。5 月 12 日，由内山完造先生介绍，鲁迅一家搬到北四川路的拉摩斯公寓去了。至此，从 1927 年 10 月 8 日至 1930 年 5 月 12 日，鲁迅先后住过景云里 23 号、18 号、17 号，生活了两年零 7 个月又 4 天。

周建人一家仍住在景云里。"一·二八"事变时，日本军国主义者蹂躏了上海，景云里也陷入火线中。许广平回忆："周建人先生住的房子，他楼上的眠床，直穿炮弹。幸而他躲在楼下，才免于危险。但日本军队如狼似虎地到处捉人，看见了他，就加以拘留，经过鲁迅托内山先生去查询才得放出来和家人相见。可是景云里还拘着不少的人，有一家还有人被打死，有一家灶被毁坏，扔了不少脏东西。景云里当时遭到这样浩劫。"（许广平《景云深处是吾家》）

鲁迅初到上海时并不习惯这里的生活，他曾告诉萧军萧红，"我生在乡下，住了北京，看惯广大的土地了，初到上海，真如被装进鸽子笼一样，两三年才习惯"。（1935 年 1 月 4 日鲁迅致萧军、萧红信）景云里周围的嘈杂环境也不适于创作，有时"夜邻街失火，四近一时颇扰攘"，有时"四近喧扰，失眠"，有时"夜大风雨，屋漏不能睡"，有时"上海大热，夜又多蚊，不能做事"，有了孩子之后多次"携海婴往福民医院诊"，但鲁迅在景云里居住期间仍然笔耕不辍。他在写给学生韦素园的信中描述了在景云里的"我的'新生活'，却实在并非忙于和爱人接吻，游公园，而苦于终日伏案写字"。（1929 年 3 月 22 日鲁迅致韦素园信）他还参加

《马克思读本》，日本神永文三著

了中国自由运动大同盟和中国左翼作家联盟，成为左翼文艺运动的旗手。其间所作杂文分别编入《而已集》《三闲集》和《二心集》，主编或与柔石、郁达夫等合编诸多刊物，比如《语丝》周刊、《萌芽》月刊、《文艺研究》、《朝花周刊》（后改《朝花旬刊》）、《奔流》月刊等，翻译了《艺术论》《文艺与批评》等外国文学理论作品。在景云里，鲁迅还与许多文学青年如柔石、冯雪峰等结为挚友，并与不少国际友人如美国进步作家、记者史沫特莱，日本友人内山完造等，建立了深厚的友谊。

鲁迅在景云里居住期间精心为许广平挑选了日文授课教材，教授许广平日语。“书中几乎每页的重点词语都被鲁迅用铅笔密密圈点着，有的词语旁还标有中文注释，原书中的错误之处也由鲁迅校改了”。（赵丽霞《许广平的日文读本》）空白处还标明每日阅读的进度，可见鲁迅教许广平的用心。许广平在她的回忆录中深情地写道：“我又一次当学生。而且是专人教授，单独一个人学。教师是精通日文而又尽心诚意、不遗余力地罄其所知以教的鲁迅先生。做为一个有幸在他旁边学习的学生，我共学了一年零五个月的日文。”（许广平《我又一次当学生》）

《马克思读本》是鲁迅为许广平选用过的日文读本。据许广平回忆，《马克思读本》日文读本的授课时间为 1928 年 10 月 30 日至 1929 年 4 月 7 日。书的原著者为日本人神永文三。除了序文外，书的内容共分十讲：一、马克思的生涯及事业。二、唯物论辩证法。三、唯物史观。四、阶级斗争说。五、马克思主义与国家。六、劳动价值说。七、剩余价值说。八、资本积蓄说。九、利润说。十、资本崩溃说。许广平谈道：“马克思的著作，本来是比较艰深的，再经过日文的转译，其术语和整个句子对我说就更加难懂，自是不难料想的了，但是鲁迅能够深入浅出地说明这些道理，有时把整个句子拆除开来向我讲解，并且随时改正课本上所有的错字，使我听来就明白易懂得多了。”（许广平《我又一次当学生》）从鲁迅为许广平授课至今，时光已过去近百年，《马克思读本》上密密圈点的词句让人依然能够真切地感受到鲁迅对许广平的深情。

景云里的生活对于鲁迅有着特殊的意义。鲁迅在上海居住了近 10 年，虽然在景云里居住了两年多，只占在上海生活时长的五分之一，但却因为许广平的陪伴和海婴的出生使鲁迅有了自己的家，让他体会到作为丈夫和父亲的喜怒哀乐，这成为了他人生中重要的转折点。在鲁迅居住景云里期间，章廷谦见到的鲁迅是这样的："不但是精神愉快、旺盛，而且使我对他有一种新鲜的感觉，脸上气色很好，不像以前那么沉郁而带着苍白色了；人也似乎胖了一些；身上的衣着也比以前整洁得多。"（川岛《忆鲁迅先生一九二八年杭州之游》）鲁迅后来居住的拉摩斯公寓和大陆新村 9 号，也都离景云里的距离在方圆一公里以内，说明他已熟悉虹口一带的生活和创作环境，在短期内也不想离开。

景云里还成为鲁迅在上海时期的创作起点。鲁迅在上海居住的近 10 年是他文学创作最为旺盛的时期。他将主要精力投入了杂文写作和外国文艺理论的译介，《三闲集》《二心集》《且介亭杂文》等 10 余部集子以及 600 多篇杂文犀利地对社会现实和制度进行了深刻的批判。他以笔为枪，创作了大量抨击黑暗、冲破恐怖的杂文，引领了中国左翼作家联盟与左翼文化运动。此外，他还倡导新兴木刻版画，为大众的觉醒做了不懈的努力。这些都与鲁迅在景云里时期创作翻译著作，参与革命文学团体，辅导进步青年的经历息息相关。

而景云里也因为鲁迅、茅盾、叶圣陶、冯雪峰、陈望道、柔石等一众文化名人的到来成了"现代文学重镇"。他们中有的隐姓埋名，有的冒着被通缉的危险在景云里度过艰难的岁月，有的从事创作、编辑，领导革命文学活动。今天，景云里成为了闻名中外的一条弄堂，经常有国内外游客到景云里瞻仰参观。虽然时间已过去近百年，但弄堂口刻有"景云里"字样的牌坊仍旧保存完好。

鲁迅选择景云里也许只是一念之间的选择，但他在这里与许广平同居、共同养育两人的爱情结晶周海婴、与弟弟周建人同住，感受着从未体会过的家庭温暖；他参与革命团体，辅导进步青年，不再以公务员和教师的身份，而是第一次以纯粹的自由撰稿人身份翻译和撰写文章。而景云里浓厚的文化氛围也滋养着鲁迅的创作，成为了鲁迅在上海创作的起点。鲁迅与景云里，两者彼此成就、相互成全。

拉摩斯公寓新探

——杨琳

1930年，鲁迅因参加中国自由运动大同盟和中国左翼作家联盟，被反动政府密令通缉。3月19日避居内山书店楼上及内山完造家。4月1日回家，6日再度避居至19日返寓。形势紧张，让他所居住的景云里不再安全，要尽快另寻住处。好友内山完造提议，他刚好有一个朋友因工作调动去了青岛，腾空了拉摩斯公寓的住处。鲁迅听后，立即响应，用内山完造的名义租下了这套房间，并于当天搬了进去。这是内山完造回忆鲁迅搬入拉摩斯公寓前后的信息。但在鲁迅1930年4月8日、4月18日的日记中，分别载有，“下午看定住居，顶费五百，先付以二百”及“付新屋顶费三百”。而5月2日的日记中，记录了“下午同广平去看屋”。从日记可以推断，虽然鲁迅迫于局势危险，急于搬迁，但也是经过一月有余的寻觅比较，最终定下了拉摩斯公寓。

1930年5月12日晚，鲁迅同广平携海婴迁入北四川路楼寓，在这里居住了近三年，直至1933年4月11日迁出。这套房间的原房客是日本人赤谷喜久子女士。在鲁迅入住7天后的日记中，还有提及“寓中前房客赤谷赠作冰酪器械一具”。当时的邻居是英国人和日本人，相互都不认识。

拉摩斯公寓整体建筑及鲁迅寓所布局

北四川路楼寓即拉摩斯公寓（Ramos Apartments），也有称雷玛斯公寓、北川公寓，坐落于北四川路底。英商字林洋行定期会出版一册《字林西报行名录》（《The North-China Desk Hong List》），在1925年和1926年版中已有北四川路192-5拉摩斯住宅公寓的记载。1927年版至1931年版中统一记录为北四川路192-5拉摩斯住宅公寓。由此可以确定，拉摩斯公寓当时地址确为北四川路192-195。由于北段的北四川路为越界筑路，中国政府与租界当局为了争取“越界筑路”

的警权、管理权争论不休，导致北四川路（今四川北路）的门牌号十分混乱。20世纪40年代末，四川北路的门牌号进行了重新调整。（《老上海百业指南——道路机构厂商住宅分布图》）现在拉摩斯公寓的住宅对应4个门牌号，由东向西分别是四川北路2081、2087、2093、2099号。

1932年4月11日，鲁迅在致许寿裳信中提到了详细地址，“弟寓为‘北四川路（电车终点）一九四A三楼四号’”。至此，可以得知，鲁迅居住在拉摩斯公寓194A三楼四号。当时，拉摩斯公寓所处的地区为闸北地域，因而鲁迅在一些文章、书信中常把此寓所写为“闸北寓庐”“闸北寓楼”等。关于20世纪30年代拉摩斯公寓住宅门牌号与现门牌号之间如何对应，现仍无法查证到原始档案

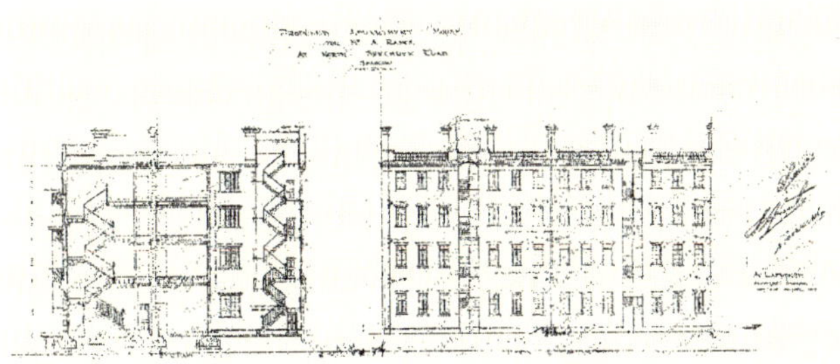

拉摩斯公寓侧立面图及背立面图，原图收藏于上海城市建设档案馆

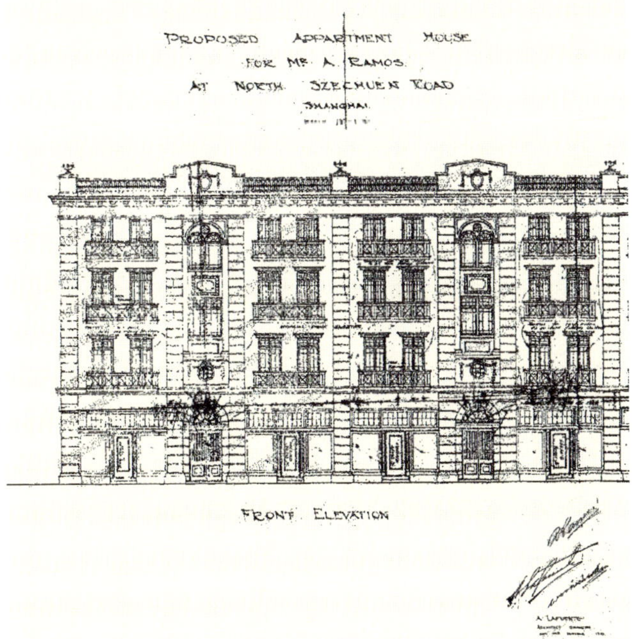

拉莫斯公寓 正立面图（局部）

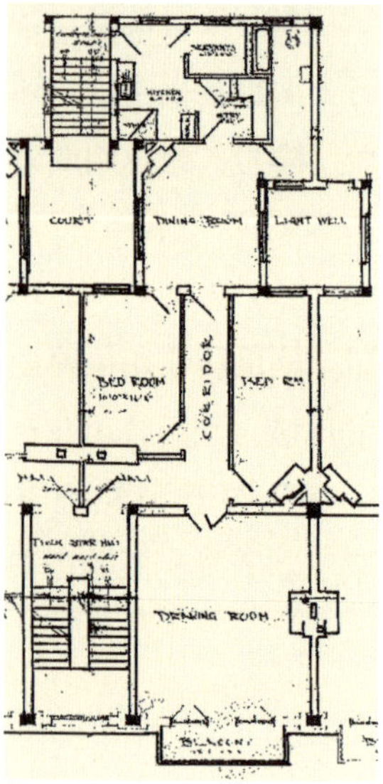

拉摩斯公寓平面图（局部），是鲁迅居住的套间平面图。原图收藏于上海城市建设档案馆

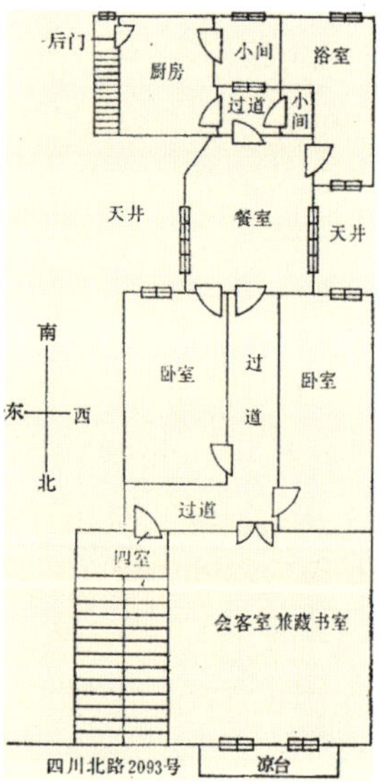

原载于凌月麟《鲁迅在上海居住和活动过的地方 鲁迅在上海的住所》。此图经过翻转，以便与上图作对比

资料，故无法用史料证明鲁迅当时居住的套间究竟对应现在的哪个门牌号和室号，但上海鲁迅纪念馆的业务资料和一些出版物记录了拉摩斯公寓194A 三楼四号就是今四川北路 2093 号三楼右首间，或许这是根据许广平或去过鲁迅寓所友人的回忆记录的。

拉摩斯公寓（Ramos Apartments）于 1923 年 12 月由西班牙建筑师阿贝拉多·拉富恩特（Abelardo Lafuente）设计，也有将他音译为阿韦拉多·乐福德，建于 1924 年。除早期的传教士建筑师外，阿贝拉多·拉富恩特是有记载的近代上海唯一的一位西班牙建筑师。1871 年出生在马德里，他的父亲是市政府建筑师。1913 年来上海成立了赉丰洋行（A. Lafuente Garcia-Rojo, Architect&Contractor）。（郑时龄《上海近代建筑风格》）阿贝拉多·拉富恩特最杰出的作品是 1917 年建造的礼查饭店孔雀厅、1918 年建造的飞星公司。他的作品还包括教堂、清真寺、电影院、公寓、别墅等。而与拉摩斯公寓相邻的雷玛氏别墅（今多伦路 250 号），建于 1924 年，也出自这位西班牙建筑师之手，且拉摩斯公寓和雷玛氏别墅的所有权同属一人——西班牙商人安东尼奥·雷玛斯（Antonio Ramos），也有音译为雷玛氏、拉摩斯、拉莫。实际上，“拉摩斯”“雷玛氏”“雷玛斯”“拉莫”“拉摩”都是 Ramos 这位西班牙商人名字的不同中文译音。值得一提的是，安东尼奥·雷玛斯是公认的中国电影放映事业的先行者。拉富恩特为雷玛斯这位好友兼雇主设计了一些电影院和不动产投资项目，其中就包括拉摩斯公寓。1931 年 6 月 28 日《申报》第 20 版载有一条新闻，西班牙商人拉摩回国，将其在沪经营的剧场、戏院及北四川路之西式公寓（指北四川

拉摩斯公寓，摄于 1951 年，从图中亦可见“雷玛氏别墅”

路拉摩斯公寓）一并出售。再次证明了拉摩斯公寓在建造之初的所有人正是西班牙人安东尼奥·雷玛斯。

拉摩斯公寓是雷玛斯的投资类不动产，以租赁业务为主。尽可能多的配置单元数，将业主利益最大化是该公寓的设计理念。该公寓是一排钢筋混凝土的四层楼建筑（拉摩斯公寓于 1978 年加高了一层，现为五层楼建筑，原有顶部建筑装饰已经消失），共有四个楼梯，以楼梯为中心对称分布。从图纸上看，四个楼梯，对应八栋。但实际上，最终建成是七栋，最西面的那个楼梯只对应了一栋。拉摩斯公寓为古典主义建筑，南北两面均有门梯通往底层，这个设计在西班牙建筑中很常见，而中国建筑却鲜有此类结构，可以说，拉富恩特用西班牙建筑语言赋予了拉摩斯公寓独特的魅力。公寓的底层是商铺，二层至四层均有挑出阳台，阳台栏杆为几何图形铸铁栏杆，下饰一对小牛腿，古朴秀气。整体外墙立面为纵横线条排列，拉毛外墙有勾缝。楼梯间外墙式样多变，通向第二及第三层的楼梯间窗户为带有装饰花环及纹饰的圆形窗和方形窗。通往第四层楼梯间窗户顶部设半圆券。通过正立面设计图和旧照可以看到，整个建筑的顶部装饰有像希腊神庙一样的檐口及低矮的石山墙，但这些装饰因为 20 世纪 70 年代的加层而消失。

室内楼梯栏杆为螺旋式，转角立柱雕刻精致。每个楼层有两个单元，布局整齐，功能完备，每个单元的北面都有个阳台。从大门拾级而上，来到 194A 三楼四室，鲁迅寓所的总门。整套寓所是一个套间设计，内分会客室、卧室、餐厅、厨房、浴室以及作为储藏用的小间等，共八间。最北面临街的大间，鲁迅将它用作会客室兼藏书室，有时还作为自己的卧房，房间里有两扇落地长窗，窗外是阳台，书桌放在左首的长窗前。从孔另境 1932 年冬天拜访鲁迅的回忆中，可略知房间的布置，“他就把我让进去，这屋子构造的很别致，前边一间很宽大，后面连着几间小的，望去很黑暗，他让我进去的一间并不是会客室，就是最大的一间，是他的写字间兼卧室，墙壁的一面全是书架”。（孔另境《我的记忆》）中间倒 L 形的过道两侧为两间卧房，卧室朝南的窗户望出去是两个天井，天井的设计很有西班牙建筑特色。中间是餐室，亦是过道，浴室的东侧为小间，厨房东侧通后门扶梯，直至楼下后弄堂。整套寓所设备齐全，底层正门有两道大门，楼内各单元有总门，住户各自分门进出，可以算是当时上海比较高级的公寓之一了。

正如前文提到，鲁迅为租拉摩斯公寓的这套寓所分两笔共支付了 500 元顶费。彼时的顶费，是指前房客让与后房客的一部分不能搬移的装修设备或家具等件的作价。前房客赤谷喜久子女士在迁出之时，有意出让公寓中摆放的西式家具，鲁迅将其买下，依然放置在房间里，后来再度迁居时一并将其移至大陆新村 9 号寓所。所以，这看似高昂的顶费中，实际包涵了这套西式家具和少许赤谷女士不方便搬走的设备。

当时，拉摩斯公寓东北面是汉璧礼西童公学（今上海市民办新复兴初级中学），这是一所工部局管理的侨民子弟学校，因得到汉璧礼爵士资助，故名。西北面是上海日本海军陆战队本部（今人民解放军某部军事管理区），西面是陆战队医院（今人民解放军第四一一医院）。上海日本海军陆战队本部连同附属医院于 1932 年 11 月动工，1933 年 9 月完工，是“一·二八”事变后，日本强化军事统治的标志。本部将旧有兵营拆除，在原址改建了最新式坚固之永久大兵营，全舍可容纳五六千人。长方式口字形，四层建筑三面环绕，中间一广场，可容数百士兵纵横操练，底层放置铁甲车、坦克车、轻炮车、机枪、军用运输车等。（1933 年《申报》《触目惊心之日本新营房》）同时建成的还有四层陆战队医院。鲁迅居住在拉摩斯公寓期间，每日在阳台上或外出时，都能看到这座犹如压在国人心上的大石般的堡垒日益“长高”，压抑的心情可想而知。这座陆战队本部日后几乎成了日军军事统治上海的中心。

从阳台东望施高塔路（今山阴路），是坐落于施高塔路 11 号（今四川北路 2048 号）的内山书店。内山书店是鲁迅在上海进行革命活动和文化交流的重要场所，与他的生活和战斗有着极其密切的关系。鲁迅经常在内山书店买书、寄信及从事会客等社会活动。选择拉摩斯公寓作为自己的居所，想必最重要的一个原因也是其得天独厚的地理位置，从拉摩斯公寓延北四川路步行至内山书店，路程较之前更近了。

那些与鲁迅同住拉摩斯公寓的人

鲁迅、许广平、海婴及许妈四口人同住在这个寓所里。许妈是继阿花后，专门雇佣来照顾海婴的保姆，江苏南通人，50 多岁，善良淳朴，尽心尽责，对海婴很慈祥，不由令人想起长妈妈，鲁迅让海婴叫她姆妈。通常情况下，海婴和许妈居住在一个卧室，鲁迅与许广平住在另一个卧室。每当鲁迅一家在餐厅吃饭的时候，许妈就来到朝北的大间打扫或带海婴在这里玩耍。据许广平的回忆，有一次许妈陪海婴玩耍，将鲁迅书架内的一本书撕去大半做蝴蝶和纸鸢，在三楼阳台和海婴一页页地吹纸片，看到纸片飞舞，海婴高兴极了。后被阻拦，鲁迅体谅许妈不识字，不懂得书的内容，也不了解他爱书的脾气，并没有责备，只告诫以后不要再做了。除许妈外，似乎在拉摩斯公寓，还有一位女佣同住，但鲁迅并没有在日记或者书信中过多提及，仅从 1932 年 4 月 13 日致李小峰的信中略知，“不料因为谣言之故，一个娘姨吓得辞工而去，致有许多杂务须自己去做”。猜想这位女佣可能住在厨房与浴室之间的朝南小间，从设计图纸上看，这间小间标注“servant”（佣人），至少设计初衷确是为佣人考虑的。

与鲁迅并肩作战的“邻居”冯雪峰，在拉摩斯公寓地下室住了约两年时间。

冯雪峰所居住的拉摩斯地下室（外景），摄于 1986 年

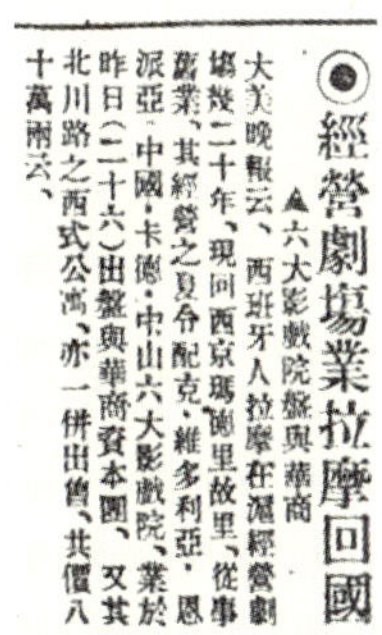

◎經營劇場業拉摩回國

▲六大影戲院盤與華商

大美晚報云、西班牙人拉摩在滬經營劇塲幾二十年、現回西京瑪德里故里、從事農業、其經營之夏令配克・維多利亞・恩派亞・中國・卡德・中山六大影戲院、業於昨日(二十六)出盤與華商資本團、又其北川路之西式公寓、亦一併出售、共價八十萬兩云、

1931 年 6 月 28 日《申报》第 20 版，第 20916 期

拉摩斯公寓地下室位于建筑西面，从拉摩斯公寓及雷玛氏别墅之间的弄堂进入。整座大楼，仅此一间。从图纸上看，这个空间可能是因为上文提及的，拉摩斯公寓设计规划建 8 栋，但实际建成 7 栋，改了方案后产生的。所以这个空间并不是用来居住的，用来堆放物品或许更合适。所谓地下室，实际上比地面仅低 40 厘米左右，大部分在地面上部。房间约 15 平方米，条件很差，只有 2.1 米高，房间矮光线暗。（周国伟 柳尚彭《拉摩斯公寓地下室》）这座公寓的其他住户均是从北面大门进入，唯独这间从西面弄堂进出，只要把弄口铁栅门锁上，其他人是不会进出的，为冯雪峰从事革命活动提供了一个相对安全的环境。从楼适夷悼念冯雪峰一文中，可以看到拉摩斯地下室异常艰苦的居住环境，“那时你已结婚，生了个女儿，叫她‘小瘪三’，因为你住在北四川路一个公寓大楼的地下室里，壁上无窗，白天也得点灯，床架子上还挂满孩子的尿布”。（楼适夷《雪峰啊雪峰》）而就在这里，冯雪峰印了《前哨·纪念战死者专号》上烈士的照片，并与楼适夷、江丰等人完成了敲印报头、粘贴照片，装订成册等工作。“曾有一时住在我们比邻，他大约每天下午十时才能回家，时常见他的太太手抱小孩在门外伫候，饿久了，小孩手拿干面包充饥。他不管家里人的心焦，非到相当时间不回，回来饭后已十一时了。敲门声响，他来了，一来就忙得很，《萌芽》《十字街头》《前哨》等刊物的封面、内容固然要和先生商讨，要先生帮忙”。（许广平《鲁迅和青年们》）许广平的这段回忆也从侧面佐证了鲁迅与冯雪峰共同战斗的革命情谊。雪峰是鲁迅家的常客，两人一起谈工作、吃饭。在鲁迅租住拉摩斯公寓期间，日记中提及冯雪峰近 30 次，往来相当密切。甚至海婴生日、年夜饭这类家宴，都邀请雪峰，1930 年 9 月 27 日，“为海婴生后一周年，晚治面买肴，邀雪峰、平甫及三弟共饮”。1933 年 1 月 25 日，“旧历除夕也，治少许肴，邀雪峰夜饭”。可见，两人相当亲近。

另一位革命人士瞿秋白，在鲁迅的拉摩斯公寓寓所内度过两次避难生活。许广平曾回忆，“第一次是在 1932 年的 11 月，日期记不清了，只记得鲁迅这时正因母亲生病回到北京去，是由我接待他们的。我还记得：他和杨大姐晚间到来的时候，我因鲁迅不在家，就把我们睡的双人床让出，请他们在鲁迅写作兼卧室的一间朝北大房间里住下”。（许广平《瞿秋白与鲁迅》）许广平特意将公寓内最大的一个房间和自己睡的双人床让给瞿秋白夫妇居住。而后，陈云秘密接瞿秋白转移，1936 年 10 月 30 日在巴黎《救国时报》上发表的《一个深晚》（署名史平），详细记述了他到鲁迅家护送瞿秋白转移的情景。“到了北四川路的一路电车掉头的地方就停下黄包车，付了车钱。望四边一看，没有人‘钉梢’，我就迅速的走进了沿街的一座三层楼住宅房子的大门，这是一座分间出租的住宅，走进大门就是楼梯。大约是在三层楼的右首的那间房间的门口”。这段描述也让人清楚地知道鲁迅寓所的具体方位。第二次避难是在 1933 年 2 月间，鲁迅与瞿秋白就萧伯纳来上海一事交换了意见，出版了《萧伯纳在上海》一书，也是此次避难的一个纪念。3 月 1 日，鲁迅就替瞿秋白夫妇在北四川路底施高塔路（今山阴路）日照里租了一个亭子间。拉摩斯公寓见证了鲁迅与瞿秋白之间这段“人生得一知己足矣，斯世当以同怀视之”的友谊。两人志同道合、思想契合，如亲兄弟一般。

1932 年“一·二八”战事发生，拉摩斯公寓面对日本海军陆战队司令部，一时成为险要之地。从司令部的大院里开出许多机车，局势紧张，能够隐隐地听到枪声，鲁迅寓所还遭遇枪弹，“突陷火线中，血刃塞途，飞丸入室，真有命在旦夕之概”。万幸的是，只是震破五六块玻璃及有一二弹孔外，其他无太大损失。但附近区域损失严重，商店凋敝。在这种情况下，鲁迅不得不考虑搬离。况且，鲁迅在拉摩斯公寓租住的套间，一旦有客人避难，空间就会显得局促。海婴又一天天长大，需要的活动空间越来越大，而拉摩斯公寓常年阳光不足，并不利于海婴成长。考虑之下，鲁迅于 1933 年 4 月 11 日搬至大陆新村 9 号。

鲁迅在拉摩斯公寓期间，白色恐怖严重，还曾两次避难于花园庄旅馆和内山书店等处。但他仍不怕艰危，在这里发表著作译作 170 多篇。日本友人增田涉曾回忆说，“有一次夜里两点钟的时候，我走过他所住的大楼下面，只有他的房间还亮着灯，那是青色的灯光。透过台灯的青色灯罩发出青色的光，在漆黑的夜里，只一个窗门照耀着，那不是月光，但我好像感到这时的鲁迅是在月光里”。（增田涉《鲁迅的印象》）

如今的拉摩斯公寓被虹口区政府公布为文物保护单位，经历了近百年的风雨沧桑，仍散发着它的魅力，因为建筑本身，也因为曾在建筑里生活的那些民族斗士。

大陆新村建筑设计简介

——施晓燕

《鲁迅日记》1933年4月11日条目下，写道："是日迁居大陆新村新寓。"这一天，鲁迅、许广平、周海婴正式入住大陆新村9号，从此，这里成为鲁迅生命最后三年半的栖身之所。与之前居住在景云里、拉摩斯公寓的颠沛流离和喧嚣吵闹不同，他在大陆新村，过的是比较安静的日子，稚子承欢膝下，扶持青年们在文坛闯荡，不需要时不时的出去避难，在这个房子里，鲁迅创作颇丰，写下了收在《准风月谈》《花边文学》《且介亭杂文》《且介亭杂文二集》《且介亭杂文末编》等集子里的杂文，编选《伪自由书》《南腔北调集》《集外集》《故事新编》等作品集，修订《中国小说史略》，翻译《表》《俄罗斯的童话》《死魂灵》，编印《木刻纪程》《引玉集》《凯绥·珂勒惠支版画选集》；还为挚友瞿秋白编校出版译文集《海上述林》上下卷。可以说，大陆新村9号，给了这位疲惫的新文化闯将、文坛巨星鲁迅很好的休息地。鲁迅这个最后的居所，很值得认真研究描述。

关于大陆新村9号的情况，在郭凤珍、杨志华的《大陆新村建造的年份及其他》和虞积华的《上海鲁迅故居沿革》都有所叙述，现在想利用档案、文献等资料，来系统地论述一下大陆新村9号。

先来看大陆新村的整体面貌：大陆新村（the Continental Terrace），三层楼砖木结构建筑，共61幢，分6条里弄，位于今虹口区山阴路132弄、144弄、156弄、168弄、180弄、192弄6条弄堂，占地面积约5760平方米，建筑面积约1万余平方米。

上海市城市建设档案馆馆藏的大陆新村建筑图纸，对这批建筑有比较详细的记载，图纸的第一张，标明了大陆新村所处的位置，在南北向的施高塔路中段的右手边，美册道契322-323，就是大陆新村的建筑范围。它右下角有表格形方框，标题栏为"建造施高塔路住宅图样"，下面六栏分别写了建筑师、登记号、住处、比例尺、份数、时间。从中可以看到，大陆新村由大陆银行储蓄信托部投资兴建，

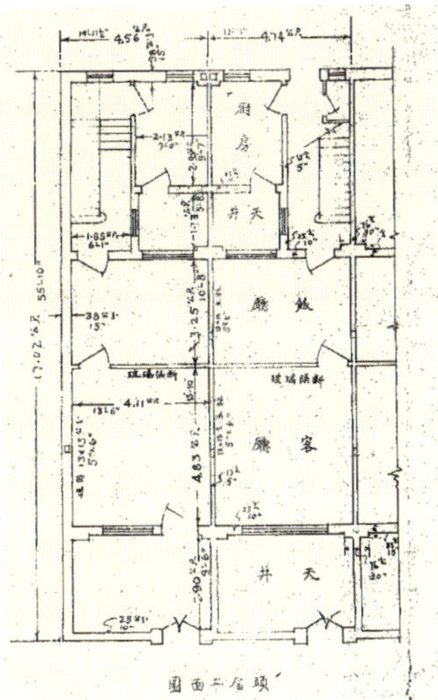

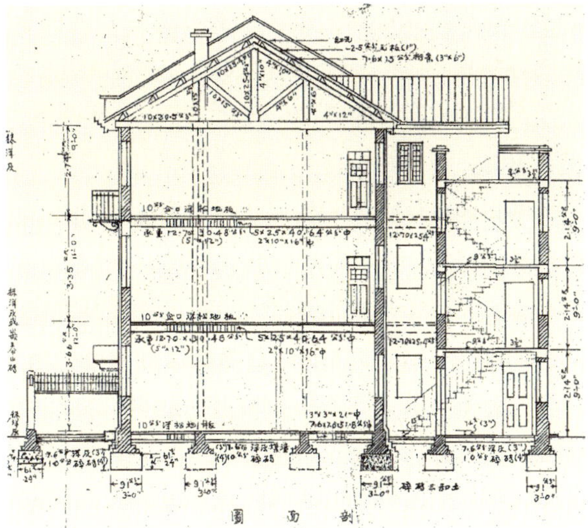

大陆新村头层平面图，原图藏上海城市建设档案馆

大陆新村剖面图，原图藏上海城市建设档案馆

罗邦杰建筑师设计，落款日期为民国二十年一月十二日，也就是1931年1月12日。

对于以上几个关键元素，可以凭相关资料作出具体理解。所谓道契，是指租界的地契，上海史专家薛理勇解释说："根据条约，侨民只能在租界里'永租'（实际上就是绝卖）土地，侨民向华人'永租'土地时，须将'永租'土地的面积、位置向他们的领事馆登记注册，然后由领事馆向上海道署备案，再由上海道署与领事馆派专人到实地会同丈量，绘出土地的'四至'和实际面积后，加盖道署钤记，就成了一份由政府机构确认和公证的地契，所以租界的地契叫作'道契'。"（薛理勇《老上海房地产大鳄》）当时虹口区施高塔路也就是现在的山阴路，属于美租界，所以就叫作美册道契。（但是在第二张英文图纸中，道契变为324-325，前后不一，存疑）

大陆银行1919年4月由谈荔孙发起创办，总部设在天津，和金城银行、盐业银行、中南银行一起被称为北四行，是民国时期著名的私人银行。1930年，谈荔孙在上海筹建了大陆银行信托总部，它的业务虽然包括储蓄、信托等方面，但当时最主要的却是房地产经营，不但买卖活跃，还陆续兴建了一些出租房屋，如著名的上海大陆商场。（王贺雨《大陆银行概况述论（1919—1937）》）大陆新村就是大陆银行出资建造并命名的建筑，主要面向它的高级职员及用来出租。

关于罗邦杰，1930年9月30日《大陆银行季刊》二卷三期有《通告派罗邦杰为本行建筑师并订定服务规程希查照》："查有罗邦杰 游学美国 专习工程 担任

清华大学教授有年 极有心得 兹由本处派定该员充本行建筑师。”他是大陆银行专用的建筑设计师。从1930年代的《中国建筑》等杂志可知，罗邦杰还设计过上海江湾的国立音乐专科学校校舍，上海、青岛的大陆银行等，在建筑设计这一行极为著名。

鲁迅所入住的大陆新村9号，为现山阴路132弄9号，即大陆新村建筑第一排倒数第二幢。

罗邦杰的设计图非常具体，一排建筑为十幢房子，其中相邻的单双号房子以共用的墙为中轴线，两边布局对称，比如单号的楼梯靠右手边，双号的楼梯靠左手边，卧室、厨房、浴室等皆以此类推。看建筑的立面图，一楼有围墙和铁门，铁门内有天井，一楼内门有两种设计，第一式是尖顶拱形门，门旁为窗；第二式是一楼整面朝南墙作门，分六扇，不作窗。二楼窗台至一楼窗户（或大门）为一水泥匾额，二楼朝南窗户六扇，三楼有外挑阳台，通往阳台的是对开门，两侧分别有窗。

房屋的剖面图显示了地基、承重、每一层的层高、桁条、坡形屋顶等专业数据，很多细节都注明了，比如地板是10厘米的洋松地板，瓦片为红瓦。

接下来每一层的平面图，可以看出设计者的考虑。一楼从围墙铁门进去，是一个天井，天井过后即为内门，内门入内为会客厅，客厅后面为饭厅，两者用玻璃阻断。饭厅后面的空间，一边为楼梯，一边为天井及厨房，后者是前后排列的关系。楼梯与天井、厨房之间夹着的通道，走到底就是后门。楼梯下面有一个厕所。

一楼跟二楼之间楼梯转角处，即厨房顶上所对应的位置，是一个浴室，二层楼分为前后两个卧室，前卧大，后卧小。

二楼到三楼的转角处，浴室所对应的位置，是一间役室。三层楼同样分为前后两个卧室，前卧大，后卧小。在楼梯跟后卧的通道一侧，有一个厕所。楼梯继续往上几层，有一个晒台。

房子的后面图，设计者在后门同样做了一个三角形拱顶，拱顶与二楼后窗之间，二楼后窗与三楼后窗之间，都有一个四边形做装饰，在屋顶上有一个烟囱。

房子的侧面图，显示了在房顶的三角形墙壁区域，有一个装饰，为一个圆环中套着一个圆圈，圆环到圆圈之间有四条线将之均匀分割。

和图纸相比，现在实地建筑的结构与之基本一致，略微有改动。以鲁迅故居为例，房子整体为清水红砖墙，一楼有围墙，与设计的围墙上部为铁栅栏不同，实际则是上部做了一个镂空结构，在镂空部分加入了铁栅栏，围墙靠右是一扇铁门，铁门两侧有三角形的尖顶水泥柱，柱上有三条凹槽作为装饰，进入铁门，就是一个天井，作为单号，水泥通道靠右，左手边种了一些绿色植物，内门设计用了第一式，即有窗有门，但也有所改动，比如门上用来挡雨的拱顶，设计图为三角形，实际变成了拱形顶。进屋后一层楼的布局不变，前面客厅，后间餐室，把这两个空间分隔开来的是一道嵌有压花玻璃的白色屏门。饭厅后面，隔着天井就是厨房，天井内有自来水，厨房内有煤气灶。一楼至一楼半的楼梯转角处可见卫生间，内有浴缸及抽水马桶。二楼的朝南大卧室，为鲁迅及许广平卧房，后面一间卧室改为储藏室。二楼三楼之间的亭子间为佣人房，三楼朝南卧室为周海婴卧室，外有挑阳台，后卧为客房。三楼厕所所对的楼梯上去，打开一个木门，就是晒台。全楼除一楼天井、厨房、阳台、晒台以及一楼浴室的楼梯为水泥质地外，其他均为木质地板，窗户都用木制。一楼窗户和二楼窗户之间的水泥匾额，设计图上要求抹洋灰或用泰山石做装饰，现在可以看到还是用了洋灰（即水泥）。

房子的后门，并没有做三角形拱顶，只是一扇普通的长方形木门，门跟二楼后窗，以及三楼后窗之间的装饰四边形也没有实现。

房子的侧面，由于大陆新村 9 号夹杂在联排房子中间，没有侧面，只能从 1 号加以观察，可见到圆环套圆圈的装饰，在实际中变成了菱形水泥装饰。

大陆新村一共 61 幢房子，也就是说，它有一排是多一幢房子，但在最后一排，即 192 弄，它却是 51—62 号，这是什么原因？我们看设计图，即可以发现，最后一排到 60 号，旁边的日本住宅区有一个转弯，给大陆新村腾出了一点空间，设计师因地制宜多造了一幢。但这个多出来的空地是个折角，所以这第 61 幢配合地势，与其他房子并不在同一水平线上，它是缩进去的，它的客厅相对应的位置是 60 号的饭厅。由于向后缩，它的厨房、天井、楼梯都要往后，这些部分都被设计师放在一个三角形空间里，像尾巴一样横在 61 号和 60 号之后。整个 61 幢像个倒置的大写 L，大门是朝东开的，厨房、浴室、亭子间都没有跟客厅、卧室在同一水平线上，出入的门又多，所以这幢房子很容易拆分成两个独立空间，变成了 61 号和 62 号。但如果按照设计图的原貌，每幢房子布局完整的条件来讲，一共就只有 61 幢房子。

罗邦杰作为名设计师，不仅帮大陆银行设计商场、银行，还为他们设计住宅，说明大陆银行对大陆新村非常上心。在总体设计上，大陆新村也是较新的款式，《上海名建筑志》将大陆新村归在石库门与新式里弄房之间："1920 年以后，新式里弄房屋兴起，主要建造于 1924—1938 年。它比新式石库门有了更多的变化。建筑物的开间不但有单开间、双开间，还有间半式。屋数一般为 3 层，也有假 3 层或假 4 层的。它取消了石库门，改用铸铁大门。形式上，更多地模仿西式住宅。

鲁迅故居外景

大陆新村，是介于新式石库门住房与新式里弄房屋之间的一种房型。”

大陆新村从室内来看，厨房有管道煤气，天井有自来水，卫生间有抽水马桶，还有铸铁浴缸，生活水准是比较高的。所以当时大陆新村的居民，大多为银行高级职员、外国人和高级知识分子。

和景云里、拉摩斯公寓一样，鲁迅居住在大陆新村同样是租住。他在日记里记载了居住于此的花费，1933 年 3 月 21 日他写道：“决定居于大陆新村，付房钱四十五两，付煤气押柜泉廿，付水道押柜泉四十。”

民国时期银钱币制繁琐，房钱 45 两究竟是多少钱？鲁迅在《病后杂谈》中有谈道：“‘采菊东篱下，悠然见南山’是渊明的好句，但我们在上海学起来可就难了。没有南山，我们还可以改作‘悠然见洋房’或‘悠然见烟囱’的，然而要租一所院子里有点竹篱，可以种菊的房子，租钱就每月总得一百两，水电在外；巡捕捐按房租百分之十四，每月十四两。单是这两项，每月就是一百十四两，每两作一元四角算，等于一百五十九元六。”

照这样算起来，一两银子算一元四角，四十五两即六十三元，这跟茅盾的回忆相符：“四月十一日，鲁迅从北四川路底的公寓迁往施高塔路大陆新村，十四日我去拜访他兼贺乔迁之喜。鲁迅知道我也有搬家的念头，就说，你何不也搬到这里来，这里还有空房。大陆新村是新建的一片楼房，包括若干条弄（不记得有多少弄了），每弄是接连十个门牌的一幢楼，三层，靠马路的是一号，到弄末就是十号。鲁迅住在一弄九号。我当即参观了鲁迅的住所，又问了房租，甚贵，每月 60 元。”（茅盾《我走过的道路》）后来茅盾也居住于大陆新村，在第三排 29 号。

鲁迅租住大陆新村，没有提到顶费，这是一个很待考究的问题，旧上海普遍为租地造屋，“由于土地属于业主，房地产商只拥有在这块土地上建造的房子的 20-30 年的经营权，所以，上海的房屋无法进行直接的买卖，而是租赁，就是房地产商通过‘经租’（这是旧上海房地产行话，就是代理房屋租赁的商事机构，相当于中介公司）将房屋长期（一般就是房地产商与土地业主签订的合同有效期内）租给房客，房客支付的费用包括这几项，第一项就是一次性支付给房东‘顶费’，房客就获得合同规定年限的房屋的使用权，在合同有效期内，房客可以转租给任何第三人、第四人，向他们收取‘顶费’，也可以将房屋中的部分房间，或将房间重新分隔后出租。”（薛理勇《老上海房地产大鳄》）

鲁迅在日记里，记载了景云里的顶费 55 元，拉摩斯公寓的顶费 500 元，但是在大陆新村，只提到房钱，他连自来水及煤气的押金数目都写了，不太可能疏漏了没写顶费。这个 60 元的房钱，从茅盾的印证来看，只是房租，而不是顶费，而且茅盾也只需要付房租，并没有付顶费，因为 60 元的租金，他当时已经觉得“甚贵”，如果需要出顶费，他肯定不会租这个房子。所以当时大陆新村的租房，为何不付顶费，只需付房租，这个问题很可以研究。

大陆新村 9 号后来的沿革，在虞积华老师的文章里写得十分详细，因此不再赘述。

鲁迅藏书室

杨琳

1933 年 3 月 21 日，鲁迅决定从拉摩斯公寓迁居至大陆新村，所存的藏书于 6 日后先移至狄思威路藏书室。日记中提到的藏书室所在位置为狄思威路 766 号，即今溧阳路 1359 号（为叙述方便，本文后续说到这一地址采用今址）。狄思威路，以上海公共租界工部局总董英国人狄思威名字命名。20 世纪初，上海公共租界工部局开始在租界以外筑路，狄思威路即是越界筑路的产物。该路原是贯通全区南北的主干道，南起虹口港，沿港口东侧与其美路（今四平路）相交，又向西与北四川路（今四川北路）相交，沿路与东大名路、东长治路、东汉阳路等相连。（上海市虹口区档案馆《虹口（1843-1949）》）狄思威路、施高塔路（今山阴路）、千爱路（今甜爱路）属于越界筑路区域，租界与华界争相管理，反而使这里成为管理上的“真空地带”。

19 世纪末 20 世纪初，上海居住建筑的发展主要表现在里弄住宅与私人花园住宅两类建筑上。自 19 世纪 70 年代上海开始出现里弄住宅后，各老牌洋行纷纷将业务重点转向这种利润极高的房地产经营。针对不同的市场需求，建造不同物业，并用于出租，有的是直接租给住户，有的是租给企业或机关，再由企业或机关分配给雇员居住。

藏书室的地理位置

鲁迅生平酷爱书籍，甚于一切身外之物。在上海，每月必大量添购书籍。（许广平《鲁迅手迹和藏书的经过》）其中包括大量进步书籍。1931 年“九一八”事变后，反动派强化法西斯统治，鲁迅的处境更加险恶。“一·二八”淞沪战争发动时，有日本海军陆战队 10 多个人，拥到鲁迅寓所去搜查。“此地也变化多端，我是连书籍也不放在寓里”。（1933 年 10 月 21 日鲁迅致曹靖华信）为安全起见，

藏书室外景

鲁迅决定把寓所与书库分开。在鲁迅迁居至大陆新村后，为了能妥善存放珍爱的藏书，他通过日本好友内山完造，租了一间房间来存放，即溧阳路 1359 号二楼东前间。

溧阳路 1359 号是一幢红瓦灰墙砖木结构的三层新式里弄房屋，坐北朝南，占地面积140平方米，建筑面积386平方米，建于1920年。(《上海文物博物馆志》)1933年间，该幢房屋的实际管理者为内山完造的朋友，日本人，姓坂本。在《鲁迅日记》中曾有支付藏书室房租的记载，1933年5月2日，“付坂本房租六十，为五月及六月分”。内山完造几经细心考察，才决定选择此地作为鲁迅的藏书室。一是藏书室的地理位置十分优越，自此步行至内山书店、大陆新村寓所都十分便利。鲁迅可将从内山书店购置的书带到大陆新村寓所阅读，近期翻阅的书籍放置在家中，将已经阅读完，抑或是不便存放于家中的书籍、杂志等搬移至藏书室。而藏书室和内山书店、大陆新村寓所的位置刚好构成了一个近似等腰三角形。二是整栋房屋除了鲁迅之外，租住着日本侨民。日常有所照应，亦可增加安全系数。

藏书室内陈设

鲁迅藏书室面积20.5平方米，内有两扇门，朝北的门通向楼梯间，平时由此门进出，另一扇门通向二楼中间阳台，因阳台属邻居所有，此门常年关着。藏书室东、南两面有窗，南窗下有书桌和椅子，中间一张方桌。方桌上放着一个文具盒和一个烟灰缸。靠墙是用本色无漆的木板制成的书箱叠成书架，由上而下，几乎到顶，存放着鲁迅从寓所移存的马、恩、列、斯著作及其他社会科学、文学、美术等方面的书籍约6 000册，并珍藏着瞿秋白、柔石等人的手稿和纪念物。据许广平回忆，瞿秋白同志研究中国语言文字问题的原稿，“几经改动、誊抄完整，……他临行前交给鲁迅一份，鲁迅妥慎保存于离寓所不远的旧狄思威路专藏存书的颇为秘密的一个书箱内。里面还存放着一些鲁迅的书籍和柔石等同志的遗著”。(许广平《瞿秋白与鲁迅》)

鲁迅1933年3月29日、30日的日记中，分别记录着“午后理书”“下午理书籍”，花了两天的时间整理藏书室。藏书室内的书架，全部是用粗糙的原木版钉成的，鲁迅曾对朋友说，这些书架全部是木箱，装满书就是书箱，打开来成了书架，任何时候都可以装上汽车运走。(长尾景和《在上海“花园庄”我认识了鲁迅》)书箱是由鲁迅自己设计的，用书箱叠成书架，外有活门，并可加锁。关上活门可以减少尘土，迁移搬运，书籍也不致散失混乱。周海婴曾跟随鲁迅去过藏书室，据他回忆，这个藏书室虽是白天也光线昏暗。只有一盏不过25瓦的普通白色灯泡的电灯吊在屋子中间，罩着圆伞形的灯罩，灯罩也未见裹上纸筒。室内没有可供长时间阅读的桌椅，房内因为久不住人，感到有点潮湿阴冷，且因久不开窗，有一股发霉的气味。待不多久，即感到有点寒气袭人，沁入肌肤。（周海婴《鲁迅与我七十年》）鲁迅 1936 年 3 月 2 日因至藏书室翻书受寒，发热并发支气管炎，后引发肺气肿。所以，这间藏书室是不可能在里面长时间看书的，鲁迅到这里去主要是拿要看的书，或者存放已经看过的书。

据《鲁迅日记》每年的年底书账统计，自鲁迅于 1926 年 8 月底离开北京至 1936 年 10 月 14 日逝世前五天，共买书及收友人赠书画册计 6 888 册，除去在寓所保存的一部分，藏书室约存书 6 000 册。（1926 年 9 月至年底 325 册；1927 年 497 册；1928 年 569 册；1929 年 560 册；1930 年 474 册；1931 年 514 册；1932 年 395 册；1933 年 482 册；1934 年 1265 册；1935 年 987 册；1936 年 1 月至 10 月 14 日 820 册。）

住在藏书室楼下的日本邻居——木村重

溧阳路 1359 号的三楼住着坂本一家。二楼除了朝南小间为鲁迅藏书室外，两个大间被日清汽船的职员小岛正七郎租住着。一楼居住着当时任职于上海自然科学研究所的木村重先生。鲁迅如果要去二楼藏书室，一定得通过木村重房间边

藏书室内景

的阶梯。自此，他可以看到鲁迅进进出出，有时能听到楼上传来搬动椅子找东西的声音，但听不到说话声。而木村重借书不能去二楼，必须到内山书店交接，有事也在内山书店办理，无论什么场合，关于书库的存在和与鲁迅的交往，这些日本邻居在30年代期间未向任何人透露过。“尽管一些包括日本人在内的‘可疑的人’拐弯抹角寻问，一楼和我们的女佣人也能很快地把他们赶走”。（横地刚《鲁迅与镰田诚一》）

这位日本侨民木村重与鲁迅颇有渊源，两人交往前后有三年，在同一幢楼的时间仅一年多。木村重生于1903年，毕业于日本东京帝大水产学院。1928年，木村重由日本外务省资助来到四川省。根据中日签订的文化协定，参与完成在上海建立自然科学研究所的任务。1931年，在成立上海自然科学研究所之际，他前往上海。在位于施高塔路11号（今四川北路2048号）的内山书店，木村重第一次见到了鲁迅。据他回忆，内山书店的读者来自四面八方，常常有一位身穿蓝长袖衫，脚穿棉布鞋，留着胡须的老人坐着，噻罗罗吸着烟的老人，那就是鲁迅。两人交谈后，木村重发现鲁迅不仅仅是一个文豪，他对动物、植物、中药等领域都有所涉猎。熟识后才知道，鲁迅曾在日本仙台学过医,后弃医从文。从日本回国后，曾在浙江两级师范学堂传播新知，担任化学和生理学的教课，还兼任博物科植物学教员铃木珪寿的翻译。木村重在上海工作期间，需要调查海洋生物的习性做研究，而中国的古籍中有对应的详细介绍，但有些书却很难买到。鲁迅不但向木村重介绍书的内容，还指出去哪里买，甚至还带着他去买书。鲁迅还经常托内山书店店员打电话告诉木村重，发现了研究自然科学的新书，以便他去买。

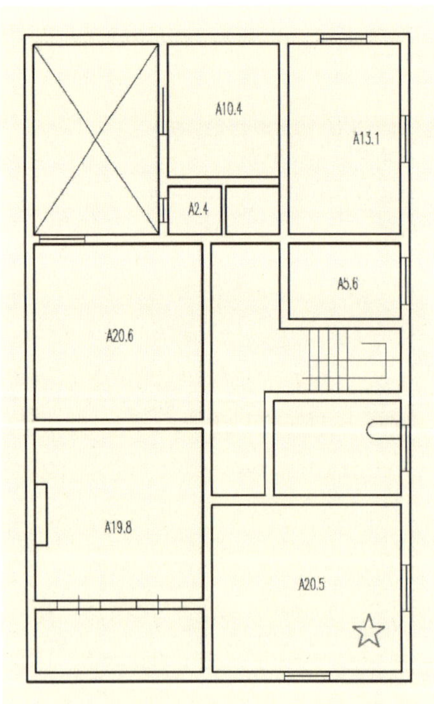

根据上海市房产管理局资料室制的溧阳路1359号二楼平面图绘制而成，原图保存于上海川北物业有限公司。标☆为鲁迅藏书室

1932年“一·二八”事变后，木村重家属返回日本。1933年春，战火稍有平息，一家三口又在上海重聚。在内山完造的帮助下，租住

到了溧阳路 1359 号一楼。这年二月末三月初，木村重去内山书店，内山完造对他说："周先生住你那二楼房子，请多关照。"他当即表示："可以，可以。"木村重曾在《在上海的鲁迅》一文中提道："有时鲁迅也来我的房间，大约喝上一杯茶。鲁迅很喜欢孩子，常常抚摸我孩子的头。孩子们高兴地叫他'周先生'。当然，对于伟大的鲁迅先生，孩子们是不知道的。女佣人只知道他是'周先生'。"

木村重与鲁迅平均每周有一小时于内山书店在一起畅谈，在他的印象里，鲁迅说话镇静、慢条斯理，态度温厚。鲁迅常常把手放在口袋里，燃着香烟走路。但鲁迅决不走马路中央，而是在路边悠悠地走着。

1934 年 12 月，木村重因二儿子患赤痢过世，悲伤不已，搬离了溧阳路。后因参加广岛大学动物学会会议，匆忙返回了日本。木村重还请鲁迅为其二儿子写了悼文，可惜的是这篇文稿因战后混乱丢失了。在上海自然科学研究所工作时，木村重曾出版《自然》同人杂志。在创刊前，曾请鲁迅为刊物题签，亲书"自然"二字。而后木村重赠鲁迅《自然》创刊号一册。1936 年 7 月 29 日，《鲁迅日记》载："得《自然》（三）一本。"鲁迅遗物中还珍藏着《自然》1—3 期。创刊号的目录上，注明"自然"由鲁迅书写。《自然》及其题签，就是鲁迅与木村重交往和友谊的物证。

藏书室的"名义"租客——镰田诚一

鲁迅顺利完成藏书搬迁，有一位日本友人不得不提，那就是镰田诚一。1930 年 3 月镰田诚一进入内山书店工作，初识鲁迅。在白色恐怖的笼罩中，国民党将鲁迅作为"堕落文人"提出逮捕申请。1930 年 4 月 6 日，鲁迅到内山完造家中避难，夜寄宿在此。镰田诚一自觉地承担了帮助鲁迅的义务。一来二往，他成了鲁迅信任的友人之一。内山书店是鲁迅对外联络的场所，信件、手稿也通过这里寄出，当鲁迅不能前往的时候，许广平会将信件、手稿交由镰田诚一。据镰田寿回忆，鲁迅全家迁居拉摩斯公寓，也是镰田诚一帮忙搬家的。1933 年 3 月的藏书搬家也仍然是镰田诚一一人帮助的。木村重看见镰田诚一运书箱，"当时诚一一件一件地搬行李，行李也没什么重量，但他每次却拿得很少，大概运了两天或三天。我每天去研究所，晚上回来都能看到他在搬家"。（横地刚《鲁迅与镰田诚一》）

1961 年 7 月，上海鲁迅纪念馆在馆藏鲁迅遗物中发现了一块长方形木牌，长 233 毫米，宽 115 毫米，厚 17 毫米，本色无漆，墨书"镰田诚一"字样。遂向周建人请教，周老回忆说，此木牌系挂在溧阳路鲁迅藏书室门口，以迷惑敌人。（《上海鲁迅纪念馆大事记》）周海婴曾在《重回上海忆童年》中记载："一九八〇

“镰田诚一”木牌

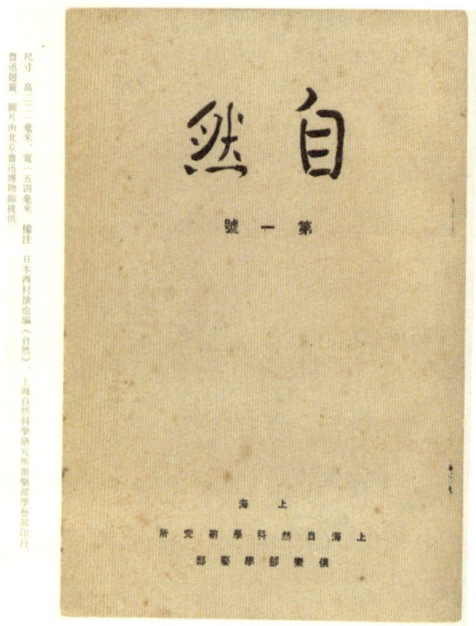

《自然》杂志创刊号，引用于《鲁迅手稿全集》71 杂编八，第 153 页

年十一月中旬的一天，我去看望叔父。……问起那块‘镰田诚一’木牌的来历，他说，鲁迅住在景云里的时候，柔石、雪峰常来交谈。后来柔石被捕，国民党进一步搜捕，风声很紧，鲁迅就携带全家人到花园庄避难。中间似乎还在内山先生家里住过一夜。等到稍稍平静一点，鲁迅回家，看到门口钉了一块木牌，上写‘镰田诚一’，大概是内山先生出于好意，利用这种方法，借以掩人耳目的。鲁迅立即拆下，收藏起来。……我问叔叔，溧阳路藏书室外边，是否也钉过写着‘镰田诚一’的木牌，他说，我没有注意到有这么一块木牌。”

两个时间段的回忆有所出入，一段是说挂在藏书室门口；另一段则说是鲁迅在他处避难时，挂在家门口。但无论如何，都是通过镰田诚一的名义，默默保护着鲁迅。横地刚此前在研究文章中提到木牌为镰田诚一手迹，但这个说法无法考证。这块木牌虽历时久远，但风雨之迹不甚明显，大约正像周建人所说的，在室外钉的时间不太长的原因吧。

镰田诚一喜欢绘画、电影，与鲁迅共同话题很多。两人常常探讨爱罗先珂的故事，俄国艺术、日本文艺家论思想问题，毕加索、珂勒惠支画家等。1933 年 7 月 14 日，镰田诚一因病回国。次年 5 月去世，年仅 28 岁。1934 年 5 月 17 日《鲁迅日记》记载：“午后闻镰田政一（诚一）君于昨日病故，忆前年相助之谊，为之黯然。”翌年 4 月 22 日，鲁迅又为之作墓记。这是鲁迅为日本人写的唯一的一个碑铭。鲁迅在碑铭里把镰田诚一作为朋友，深表哀悼之意。

鲁迅藏书搬移及藏书室保护

1936 年 10 月鲁迅逝世后，夫人许广平迁往淮海中路淮海坊（原名霞飞路霞飞坊）64 号，这些鲁迅的藏书也随之移往，存放在 64 号三楼。1950 年 10 月许广平来上海协助筹建鲁迅纪念馆之际，将经过战争炮火劫余的鲁迅藏书，计 41 箱，2691 种，携往北京交鲁迅博物馆保管。（唐弢《草创之忆》）因鲁迅藏书绝大部分北移，鲁迅藏书室未按原状恢复，现为居民住房。但溧阳路 1359 号房屋基本上保持了历史原貌。1977 年 12 月，鲁迅藏书室由当时的上海市革命委员会公布列为上海市文物保护单位。1979 年 8 月，经上海市政府批准鲁迅藏书室的保护范围，除溧阳路 1359 号藏书室旧址外，还包括溧阳路 1367、1373、1365 号以及 1359—1373 号前面马路和东北面弄堂。（上海市文物保管委员会《关于划定市级文物保护单位保护范围的请示报告》）1981 年 9 月，在鲁迅诞辰一百周年之际，在溧阳路 1359 号鲁迅藏书室旧址东门边墙上，由上海市文物保管委员会镶立汉白玉“文物保护单位”标志一块。

鲁迅四次版画展览会的举办场地

——高方英

一、"购买组合"第一店楼上日语学校

1930年10月4日《鲁迅日记》记载："今明两日与内山君同开版画展览会于购买组合第一店楼上，下午与广平同往观。"1930年10月4日至5日，鲁迅与内山完造在上海狄思威路（今溧阳路）812号"购买组合"（即供销社）第一店楼上日语学校的教室举办世界版画展览会。这是在中国举办的第一次外国现代版画展览，共展出德国、苏联为主的现代版画70多件。日语学校由内山完造经办，郑伯奇任校长。

据许广平《鲁迅与中国木刻运动》一文记述："一九三〇年的十月间，由先生发动，内山先生赞助之下，同开'版画展览会'于北四川路'购买组合'第一店楼上。这里值得纪念的一位内山先生的故友镰田诚一先生，他是一位青年画家，一切会场布置，以及图片的安排，都是煞费苦心的。配合光线，引起美感，固然要紧，而因为当时对于版画的不谅解，甚至有以弄版画的人就是共产党来看待。（参看《且介亭杂文末编·写于深夜里》三——五段）平常借地方开画展实在不容易，不得不借日本店楼，不得不顾到版画的范围，除了特意安排不少日本版画之外，对于凯绥·珂勒惠支女士的连环版画，富含反抗的刺激性的，为了减轻空气的重压，特地把它分散在几个房间。"此文回忆了展览地点是"购买组合"第一店楼上，展览举办场所的选择是受到当时政治气候影响的。另外，协助鲁迅布展的是有着美术特长的内山书店店员镰田诚一。

内山完造在《关于鲁迅》文章中也说明了展览场所的情况："正巧，那时候和在北四川路的狄思威路角上的'上海购买组合'公司的二楼租了来，开了个日语夜校，就把那里的教室，当作了会场。先生已然把德国和俄国的版画，大大小小地整理出七十多件来，都已配好镜子，编好了号儿，标上了国名及作者的原文及汉文名称，又印了个目录，想着在星期六同星期日展览两天。"

“世界版画展览会”旧址狄思威路（今溧阳路）812 号第一店

内山嘉吉在回忆中也曾提及该展览会举办场所的情况：“作为展览会会场的供销社是在北四川路狄思威路（今溧阳路——译注）的拐角上。从家兄的书店（北四川路底）看去，一眼就能望得到。家兄原来是借这个二楼给中国人开办日语学校的。校长是郑伯奇先生，他是京都帝大出身的通晓日语的作家。关于此事他还说过：‘这间二楼房间的窗户是朝北的。所以光线较适宜。’”文章不仅说明了展览地点，还提到房间窗户朝北，光线适宜，与许广平回忆中“配合光线，引起美感”相互补充，不约而同都说明了当时在布置展览时对展览地点的选择是考虑多方面因素的，不仅从安全出发考虑政治因素，还考虑了展厅环境、光线等问题对展品展示效果的影响。

二、上海瀛寰图书公司

上海的瀛寰图书公司（Zeitgeist Book Store）是德国柏林瀛寰图书公司的上海分公司，《鲁迅日记》中也记作“瀛寰（环）书店”，其店主是德国人伊蕾娜或译为艾琳·魏德迈（Irene Wiedemeyer）。据说，伊蕾娜是一位“长着雀斑、拥有天蓝色眼睛和一头乱糟糟红发的德国犹太人”。瀛寰图书公司曾刊登广告并以中英文列出了 10 种图书及其价格：

1. 马克斯著《政治经济学批判》5.6 美元
2. 柯治基著《阶级斗争论》1.1 美元
3. 拉发戈著《财产进化论》2.7 美元
4. 片山潜著《日本劳工运动小史》2.7 美元
5. 马丽著《严格主义》2.7 美元
6. 恩格斯著《家族起源论》2.7 美元
7. 恩格斯著《空想与合理化社会主义》1.1 美元
8. 潘满谷博士著《马克斯主义与达尔文主义》0.45 美元
9. 西门斯著《美国阶级斗争小史》0.45 美元
10. 马克斯著《德国革命与反革命》2.7 美元

从这些列出的图书看，这是一家倾向于共产主义思想的书店。鲁迅曾多次去瀛寰图书公司买书，因而结识店主。据鲁迅日记，1930 年 12 月 2 日，鲁迅“午后往瀛寰书店买德文书七种七本，共泉 25 元 8 角”，第二年 1 月 15 日“上午往瀛寰图书公司买书四种六本，共泉 37 元 2 角”。在上海鲁迅纪念馆馆藏中有一册鲁迅收藏的柏林马利克出版社（Malik Verlag）的书目清单，这册书目清单封面的下方部位敲着瀛寰图书公司的英文公司名称章。马利克出版社也是当时德国一家倾向于共产主义思想的书店。《鲁迅日记》1932 年 6 月 4 日记载：“往瀛寰图书公司观德国版画展览会，并买《wirinea》一本，四元二角。”鲁迅去参观在瀛寰图书公司举办的德国作家版画展并买了一本《wirinea》。它是德语翻译的俄罗斯小说，约翰·哈特菲尔德（John Heartfield）设计封面，柏林马利克出版社（Malik Verlag）1925 年出版。这本书在鲁迅从瀛寰图书公司处获得的马利克出版社书目清单中，标价为 3.8 金码克。鲁迅收藏的乔治 · 格罗斯的画册中有三本也是马利克出版社书目清单上列出的书。由此可见，瀛寰图书公司不仅直接出售外文图书，还曾为德国其他出版社散发书目发售宣传册、办理代购手续。鲁迅不仅从瀛寰图书公司直接购买德文图书，也请其代购其他外国出版社图书。

由《申报》1930 年 11 月 9 日刊登的瀛寰图书公司一则名为“德商瀛寰图书公司十一月十日（明日）开幕”的广告可知，瀛寰图书公司于 1930 年 11 月 10 日开业，地址在北苏州河路 130 号，之后由于战火等原因搬到静安寺路 425 号。《中国论坛》1932 年 6 月 4 日发表的展览宣传文章《Zeitgeist Exhibition》提到该展览地址在静安寺路（又叫泡泡井路）瀛寰图书公司，即静安寺路 425 号瀛寰图书公司店内。

1932 年，鲁迅与瀛寰图书公司在其店内共同举办了德国作家版画展，当时该书店店员——侨居上海的德国人汉堡嘉夫人（Mrs.Hamburger）出面筹办此展。《鲁迅日记》1931 年 6 月 11 日记载：“晚冯君及汉堡嘉夫人来，赠以《士敏土之图》一本。”这应该是汉堡嘉夫人第一次拜访鲁迅。为举办这次德国作家版画展，鲁迅与汉堡嘉夫人交往频繁，在《鲁迅日记》中也有多处记载：1931 年 11 月 26 日“下午汉嘉堡（堡嘉）夫人来借版画”。1931 年 12 月 15 日“夜得汉堡嘉夫人信，并赠海婴玩具一件”。1932 年 4 月 28 日“上午汉嘉堡（堡嘉）夫人来”。1932 年 4 月 29 日“午后汉嘉堡（堡嘉）夫人来，借去镜框四十个”。1932 年 6 月 30 日“汉嘉堡（堡嘉）夫（人）来还版画”。据《中国论坛》报道，此次展览展品为 60 多件德国现代版画，展览展期约为 1932 年 5 月 29 日至 6 月 25 日。这次展览是鲁迅举办展览中展期最长的一次。

三、千爱里 40 号

1933 年 10 月 14、15 日在上海施高塔路千爱里 40 号（今山阴路 2 弄 40 号），鲁迅与内山完造合办第二次木刻版画展，展览定名为“现代作家木刻画展览”，展出罗马尼亚、捷克斯洛伐克、德国、美国、荷兰、苏联 6 个国家 29 位版画家的现代版画 66 件。关于展览场地，1976 年 10 月，上海鲁迅纪念馆周国伟到日本参观学习期间访问了鲁迅友人内山嘉吉。内山嘉吉不但提供了这次展览的作品目录复印件，而且还回忆了这次展览的相关场地等信息。据内山嘉吉说：“当时鲁迅要举办木刻展览会，请内山完造借会场。”千爱里 40 号原是一个日本人的住宅，后迁往它处，此屋空着，内山完造就给鲁迅借用了这套房间。（周国伟、彭晓《寻访鲁迅在上海的足迹》）而且，在这份展览目录上，也清晰地印着地址“北四川路底施高塔路千爱里四〇号”。许广平也有回忆：“经过一九三二年‘一·二八’上海的事变，再兼两三年来的避难等等，惟恐所保存的新旧版画散失，有机会总想法展览的。至一九三三年的十月，假北四川路千爱里开‘木刻展览会’。”（许广平《鲁迅与中国木刻运动》）至于为什么要选择日本人的住宅，原因主要还是在于当时的政治因素，出于安全考虑。

据日文报纸《上海每日新闻》1933 年 4 月 28 日的一则房屋出租消息：东亚兴业株式会社出租施高塔路 1 号和千爱里 40 号。由此可见内山嘉吉所说原居住千爱里 40 号这幢房子的日本人迁走，屋子空着是事实。又据 1933 年的 *Rosenstock's Business Directory of China* 即《罗斯托克的中国商业目录》：千爱里

“现代作家木刻画展览会”旧址（千爱里 40 号）

共 46 户，46 个电话号码，46 号是 East Asia Industrial Co. 即东亚兴业株式会社，管理着千爱里的房屋。

据 1946 年 1 月 17 日“上海区敌伪房地产登记表”显示：业主东亚兴业株式会社，产业地点（施高塔路）#1、3、5、7、9、11、13、15、17 又千爱里

#1—46。建筑情形：西式式样，洋松、柚木装修，木窗，二层，五十五幢。面积21.176 亩。其中沿施高塔路的房子是店铺，千爱里 1—46 号房为住宅。又据上海社会科学院出版社出版的《上海百业指南——道路机构厂商住宅分布图》，千爱里的每排房屋都直接连通东边的千爱里道路和西边的甜安路（即今甜爱路），没有设置围墙，门牌号码千爱里 1—46 号，从南开始往北编号，且每排房屋从东到西排序。

现今，千爱里房屋依然都在，即山阴路 2 弄 1—43 号和其后面的独立院子，也是二层的西式房屋。山阴路 2 弄 1—43 号门牌号码也是从南开始往北编号、每排房屋从东到西依次排序。其后面的独立院子靠甜爱路一侧门牌为甜爱路 59 号，从甜爱路进出。"现代作家木刻画展览"会址千爱里 40 号即现在的山阴路 2 弄 40 号，靠甜爱路。但 40 号现在门牌又挂甜爱路 40 号，单独一门甜爱路进出。

许广平在回忆这次版画展时说："这次的展览比较第一次更丰富了，看到过的没有不留一好印象，先生更兴高采烈，从我们住的大陆新村楼窗上望到隔墙的千爱里川流不息的人群，有时喜不自禁地又从寓所跑到会场中去照料一下呢。"（许广平《鲁迅与中国木刻运动》）的确，我们通过鲁迅先生居住的大陆新村 9 号寓所二楼、三楼楼梯的北面窗户可以清楚地看到 40 号房屋和院子。

四、老靶子路 40 号海能路角青年会馆

1933 年 12 月 2 日、3 日鲁迅举办了第四次版画展览会，合办人是内山完造。内山完造回忆："先生一一编写了编号和作者名，并据此作了目录。"（内山完造《上海漫语》）事实确如此，为这次展览会，鲁迅还印制了一份《俄法书籍插画展览会目录》，列出了这次展览的展品清单，写明了展览时间和地址。该目录现藏上海鲁迅纪念馆，由许广平捐赠。从观众须白石发表于《申报》的观后感看，展览现场有这份展览目录可以取阅。

据上海鲁迅纪念馆馆藏鲁迅举办此次展览的《俄法书籍插画展览会目录》，展览名称为"俄法书籍插画展览会"，地址在上海老靶子路（今武进路）40 号海能路（今海南路）角青年会馆，时间是 12 月 2 日、3 日上午 9 点至下午 5 点，展品 40 件，包括法国书籍插画复制件 30 幅和苏联木刻原拓 10 幅。在开办"俄法书籍插画展览会"前，《申报》1933 年 12 月 1 日和 2 日都刊载了此次展览会的广告，包括作品情况、时间、地点等简单情况。上海《申报》登载广告内容如下："俄法书籍插画展览会　作品一百余幅，作家十六人，木刻居半。日期 十二月二日至

“俄法书籍插画展览会”旧址（老靶子路 40 号）

三日，每日上午九点至下午五点 地址 老靶子路四十号海能路角青年会 门卷（券）不要。”此广告中的作品数量有误，应该是 40 幅。地址与鲁迅印制的展览目录所示一致。

上海老靶子路 40 号是一幢二层楼的教堂式建筑，当时是日本基督教青年会。鲁迅请此次展览合办人内山完造商借了这一展览场地。据内山完造回忆：“那时日语学会已经迁移到其他地方，不再能使用教室了，便以老靶子路的日本人基督教青年会馆的二层作为会场。”（内山完造《上海漫语》）“日语学会”是指鲁迅与内山完造举办第一次外国版画展览会时的展览场地，在上海狄思威路 812 号“购买组合”（即供销社）第一店楼上的日语学校。

在“俄法书籍插画展览会”结束后两天，即 12 月 5 日鲁迅致姚克信中说：“二、三两日，借日本基督教青年会开了木刻展览会”，又在19日的信中感慨道：“那一次开展览会，因借地不易，所以会场不大好”。该展览结束后三天，即12月6日，鲁迅致吴渤的信中也提道：“现在开一个展览会颇不容易，第一是地址，须设法商借，又要认为安全的地方。”一位观众在参观后撰写的观后感中也对这一场地颇不满意：“房子很小，而且灰色……是二层楼上两间小室。”（须白石《俄法插画展览会》）当时的木刻青年白危（吴渤）也在回忆文中提道：“这是一次公开的展览会，地点设在老靶子路日本基督教青年会。……但是展览会场仍旧是在楼下一间不大的客堂间里，一次参观，只能容纳有限的几个人，否则就会肩碰肩，人碰人，转不过身来。我们有了上次经验，心里都明白鲁迅先生为什么安排这么一个场所。可是对于愚蠢如猪的国民党特务来说，有时就能把他们蒙混过去，以为这是东洋人办的展览会，捣乱不得的，即或知道了，也无可奈何。再说在展览作品内容上加上法国书籍插画做掩护，就连狡黠的日本领事馆，也给瞒住了。”（白危《不平常的展览会》）白危回忆中的展览地点是在楼下一间不大的客堂间里，与内山完造和须白石的说法不同。须白石的文章发表于该展览会结束6天时，对于展览场地的记述相对更可信，即该展览场地是日本基督教青年会二楼，且占据两间。另外，三人的记述中都反映出鲁迅为了展览的顺利举办煞费苦心，也表现了鲁迅在白色恐怖时刻对敌斗争的一种巧妙战术。

展览的第一天，鲁迅就前往观展，下午往日本基督教青年会观俄法书籍插画展览会。鲁迅利用自己的名望为此次展览作了宣传。据黄新波回忆：“一九三三年冬，就在鲁迅先生亲自组织的那次版画展览会上（在上海北四川路日本青年会），我第一次看到鲁迅先生。他身穿一件深蓝色的长衫，脚上穿的是珠帆布造的、黑面胶底陈嘉庚式布鞋。他当时正步履轻捷、神采奕奕地在观看展品，并不时跟人作简短交谈。那神态庄重严肃，又淳厚朴实，没有那种名流学者孤高的架子，亦无教授权威那种矜持不逊的风度。平凡中隐寓着深沉、幽默中透露出豁达。当时我觉得他确是年青人的良师益友。”（黄新波《不逝的记忆》）这番回忆立体地再现了鲁迅参观该展览会时的外貌、动作、神态以及其表现出的亲和力。

1936年后半期鲁迅与内山书店的经济往来

——吴仲凯

鲁迅晚年的经济生活与内山书店有着紧密的联系。许广平曾说内山完造："他尽了朋友的责任，甚至好友的责任。鲁迅因为避免政治上的迫害，人事上的纷扰，我们的住处是经由内山先生作为中国店员的宿舍去租赁的。房租、水电、煤气都是先交款给他代办的，因之通信往来就不便直接收发，也统由他们代理了。这是生活的一种权宜办法。"（许广平《内山完造先生》）

"先交款给他代办"其实说的是代付款。最晚1936年，鲁迅留了两笔钱在内山书店，分国币（1936年为法币）和日元，用以代付书款和其他款项，如房租、邮寄、出版等。此外内山书店还为鲁迅和他的朋友们寄售书籍，记为收入。鲁迅留下的钱款始终保持"有款可扣"的状态，没有欠款。

上海鲁迅纪念馆收藏的一批清单就反映了这种代付和寄售的细节。这些清单共33张，由许广平1950年捐赠，绝大部分是1936年7月至12月，内山书店开给鲁迅家的寄售书清单和代付款清单，另有两张零星清单。清单的制作人是内山书店的店员镰田寿，账务是镰田寿的职责之一，他曾回忆："我在书店的工作是经营一切邮购。老板很慷慨地赊卖，他对中国人总是'好！好！'地满不在乎地赊给他们，于是，那些请求、收款、督促都成了我的事。"（镰田寿《鲁迅和我》）代付的账目大多每一至两个月结算一次，寄售书的收入则有三个月以上，多从7月13日开始，这天夜里内山完造来拜访过鲁迅，前一天镰田寿也去了鲁迅家。账记得很细，会标明余额、款项摘要、金额和结余，如购书和寄售书的清单皆有详目。

国币账里的款项最多，覆盖面最广，主要包含鲁迅在内山书店买书的书费，与房租、看病、邮寄、杂志等杂费，还有寄售书的收入。凡涉及日元的全都按汇率换成国币计算。日元账则简单的多，主要的支出是出版《海上述林》。

一、国币账

1. 书费

鲁迅在内山书店买过很多书，大多是日语书，这些日语书全部以日元记价后按汇率换算成国币结算，使用的汇率是日元对国币 1:0.98。许广平曾说："鲁迅向内山书店购置了大量图书，有时甚至并不需要，可有可无的书也特地购置了，以增加书店的营业收入。"（许广平《内山完造先生》）

许多书籍是内山书店先记了账，第二天送到鲁迅家中的，在日记中一般记为"内山书店送来……"这些书大多是鲁迅曾经买过的成套图书的缺本，如《漱石全集》《法国小说全集》等。

成套图书在内山书店有着自成体系的序号，用于记账，与书上的卷数是不同的。如 1936 年前后出版的漱石全集刊行会版《漱石全集》，第 6 卷出版于 1936 年 8 月 10 日，14 卷出版于 1936 年 9 月 10 日，内山书店却记为 10 与 11，第 9 卷出版于 1937 年，也记在 1936 年的账上。

直到鲁迅去世后，内山书店仍在为鲁迅买书，依然多是一些成套图书的缺本，如《牧野植物》《漱石全集》和《法国小说全集》等。

鲁迅买书常在日记中记录，日记后也写书账，但也并非每一本都记，比如 1936 年 7 月 20 日买的《死ノ舞踊》就不见于日记。

鲁迅在日记里所记的书籍价格也并不都是实付的钱，尤其是内山书店送来的书。因为书钱是代付的，在看到账单以前，鲁迅是不知道自己付了多少钱的。比

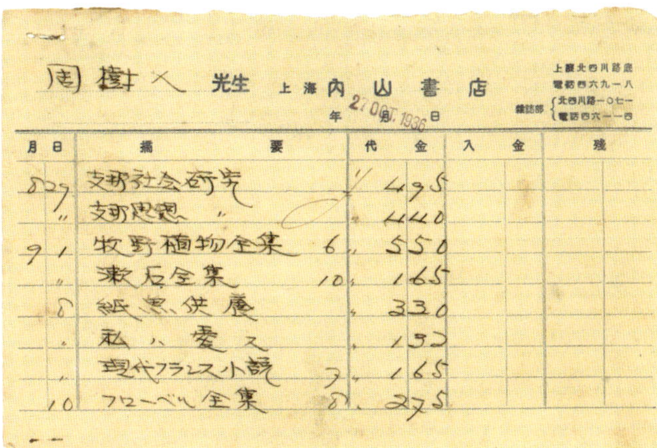

周樹人 先生 上海内山書店

上海北四川路底 電話四六九一八
雑誌部 北四川路一〇七一 電話四六一一四

年 月 日 27 OCT. 1936

月	日	摘要		代金	入金	残
8	29	支那社会研究		4.95		
	〃	支那思想 〃		4.40		
9	1	牧野植物全集	6	5.50		
	〃	漱石全集	10	1.65		
	8	紙魚供養		3.30		
	〃	私ハ愛ス		1.92		
	〃	現代フランス小説	7	1.65		
	10	フローベル全集	8	2.75		

1936 年 9 月份鲁迅在内山书店的代付款清单

如 7 月 13 日买的《近世锦绘世相史》和《契科夫全集》各一本，票据上开 4.18 日元和 2.15 日元，换算成国币是 4.1 元和 2.1 元，《鲁迅日记》记“共泉八”，书账上记 5.5 元和 3 元，记得高了。也有记得低的，如 9 月 1 日买《牧野植物全集》《漱石全集》各一本，票据上开 5.5 日元和 1.65 日元，换算成国币是 5.39 元和 1.62 元，日记里记“共泉五元九角”。

2. 万国储蓄会

内山书店 7 月 8 日付万国储蓄会款 60 元，8 月没有付款，从 9 月开始到 12 月每个月都付 27 元。参照《上海房地产志》，储蓄会的业务很多，其本身是比较特殊的有奖储蓄，会单分全会、半会及四分之一会 3 种，每一全会从第一年至第十三年每月缴储 12 元，第十四年前十个月每月储 12 元，第十一个月储 8 元，以后即无须缴储，但必须等到 15 足年方始还本 2000 元。每期按会单开奖，15 年间一旦停缴会按比例没收存款。1934 年马寅初揭露有奖储蓄的利害，1935 年该会被政府禁止，各地陆续停办，但上海还在继续开办。

万国储蓄会还经营房地产，其自身不仅拥有大量地产，还附有中国建业地产公司，此外储蓄会还利用储款，购买了中和地产公司、普益地产公司、英法产业公司以及业广、中国营业公司等股票及公司债，并派出自己的人去做这些公司的董事。付万国储蓄会的钱究竟是存款还是房租，在内山书店开具的清单中没有说明。

3. 邮费

鲁迅的信件很多，许广平曾说：“每天上午，经常由我到店看有没有书信，或下午由鲁迅自己去取。除非我们一个人都没去，到晚上才让店员送来。”（许广平《内山完造先生》）但其实并非每一笔邮费都需要由内山书店代付，需代付的多为发往外国的信件或包含书籍的普通邮件。如 1936 年 7 月 17 日寄给杨之华的信，此时她正在苏联；7 月 24 日寄给 prusek 和增田涉信；9 月 7 日则为了求购《南陵无双谱》“寄豸华堂信并邮票一元二角三分”，这本书 10 号送来，“价一元，往来邮费二角五分”；10 月 2 日邮费 0.69 元，当日鲁迅得知《海上述林》上卷印成，“即开始分送诸相关者”。

民国时期上海的邮费按邮件的目的地、种类和重量来确定价格。目的地从中国境内到外洋分为八资，租界内外亦有差别。邮件种类分为普通、挂号、快递等 5 种，普通邮件下还细分信函、明信片、书籍印刷等 6 种。差价也是比较大的，反映了时代和地域特色，比如起始重量的信函寄往日本的价格为 4 分，国内跨省邮寄却要 9 分。（商务印书馆 1930 年版《增订上海指南》）

4. 房租

房租 1936 年 8 月至 11 月每月都是 61 元，是大陆新村每月的房租。鲁迅在大陆新村的房子是以内山完造的名义租下的，在字林西报 1934 年刊登的行名录里，施高塔路 22 弄 9 号登记的就是内山完造的名字，房租也由内山书店代办。12 月没有房租，同时 12 月 16 日，内山书店收到闸北水电公司押柜退款 62.13 元，是 1933 年"付煤气押柜泉廿，付水道押柜泉四十"的退款，这表明大陆新村此时已不再续租。值得留意的是，内山书店开具的清单里仅有押柜，每月的水电煤气费用是没有的。

5. 诊疗费

在鲁迅生命的最后几个月里，须藤医生和护士常来为鲁迅注射，鲁迅也常去医院看病，频率很高。须藤病院的诊疗费并非每次出诊后结算，而是每个月结算一次。8 月 10 日付 7 月份的诊疗费 116 元；8 月 29 日付 8 月的诊疗费 95.5 元；10 月 6 日付 9 月的诊疗费 144.8 元。10 月的诊疗费并没有收，也许是因为鲁迅去世了的缘故。

此外 11 月 6 日还付给石井医院 10 元。内山完造回忆，这是因为 10 月 18 日晚鲁迅病情加重，须藤医生看过后觉得棘手，"想要请松井博士诊察一回，所以就马上把汽车驶到福民医院去接松井博士；但，偏巧博士今为礼拜天的缘故，不在家……这时候，石井医生偶然地跑来了，把先生今天发病的情况告诉了他，说是马上要去问候一下"。（内山完造《忆鲁迅先生》）之后须藤和石井一起为鲁迅进行了诊断。

6. 杂志费

杂志费是给"杂志部"的，即内山书店杂志部。原是石田末次郎开设的，借用内山书店的名字，后转让给长谷川三郎。鲁迅在此期间的 5、6、7 月份总计订杂志 4.8 元，8、9 两月共 3.41 元，11 月 21 日结算了 10 月份的杂志费后停收。

7. 鲁迅丧仪使用的费用

10 月 19 日鲁迅去世，当天上午内山书店的店员往多处报丧，胡风就回忆道："一九三六年十月十九日黑早，被捶门声惊醒了，是许先生打发内山书店一个店员来通知我：'周先生死脱啦！'我震动了一下，马上穿起衣服来，告诉梅志一声，就坐着那个店员坐来的汽车赶去了。"（胡风《鲁迅先生》）下午万国殡仪馆派柩车来接鲁迅的遗体，（孔海珠《鲁迅——最后的告别》）书店为此代付 15.9 元汽车、黄色车（即人力车）钱。此外还有电报费 3.52 元。

10 月 21 日是吊唁的第二天，这一天下午三点举行了入殓，鲁迅遗体被安放

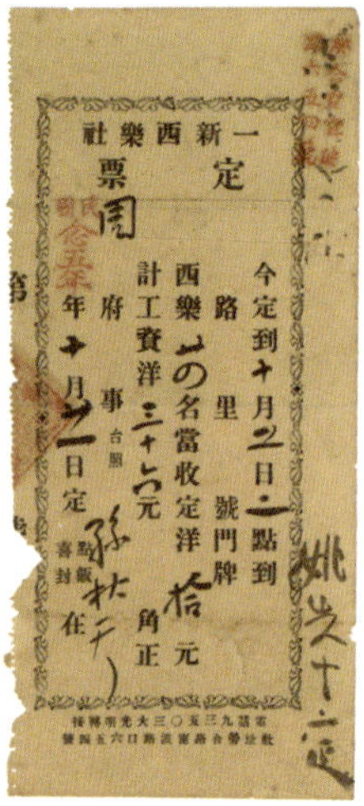

1936 年 10 月 21 日一新西乐社定票

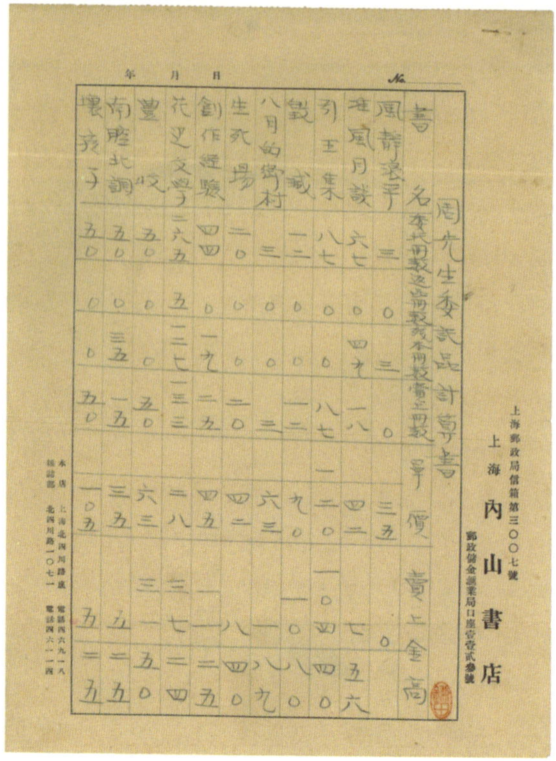

1936 年 7 月 13 日至 11 月 6 日鲁迅在内山书店的寄售书清单

到灵柩内，当日还决定了出殡的流程。（孔海珠《鲁迅——最后的告别》）内山书店代付了 400 元，鲁迅纪念馆藏的一份一新西乐社的定票就写于 10 月 21 日，预定 10 月 22 日 24 人的乐队，收定金 10 元，共 36 元。

8. 入账

鲁迅在内山书店寄售书籍，这些寄售书款是鲁迅在内山书店的入账里占比最大的。其中有鲁迅自己的《准风月谈》《花边文学》等，也有朋友的书，如王志之的《风平浪静》和萧军的《八月的乡村》等。1934 年鲁迅与王志之通信说：“小说我只能放在通信的书店里寄售，因为我和别店并无往来，即使拿去托售，他们收下了，我也无此本领向他们收回书款，我自己印的书就从未有不折本的。”（1934 年 12 月 23 日鲁迅致王志之信）朋友的书款内山书店会先结算给鲁迅，再由鲁迅一并结算给他人，这种结算并不是实时的，到了 1935 年 9 月鲁迅又致函王志之：“小说卖去三十六本，中秋结算，款已取来，今汇上，希签名盖印，往分馆一取。”（1935 年 9 月 19 日鲁迅致王志之信）

1936 年 7 月到 11 月共有寄售书款入账 1094.21 元。《海上述林》上卷卖得最好，共卖出870.67元，有零星的内山书店清单显示，直到1941年1月《海上述林》还在内山书店售卖。

但光靠寄售书的钱并不能完全满足支出，而且寄售书款不是实时结算，收入并不稳定，鲁迅想要在内山书店保持“有余额可扣”的良好循环，时不时存入钱款是必要的。一些存款在《鲁迅日记》中可以找到线索，如7月17日鲁迅“得陈蜕信并还泉五十”。而当日就有入账的50元。8月21日“得孟十还信并稿费六十”。隔日又入账60元。

二、日元账

鲁迅在内山书店的日元账目，主要是赴日出版《海上述林》，11月9日内山书店付岩波书店500日元，即标注了是为《海上述林》。《海上述林》上下卷的印刷是内山书店交由日本岩波书店完成的，5月22日，镰田寿把上卷的纸型带至岩波书店，8月底印出样本，9月底书运至上海，（周国伟编《鲁迅著译版本研究编目》）下卷付印时间不确，从版权页信息看应该是10月。《海上述林》上下卷精装200本，平装800本，书后分别标价3.5元与2.5元，所以印刷费应该不便宜。洪洋社出版《引玉集》时，三百本的工料和运送费就有340元，500日元应该只是印刷费的一部分，鲁迅曾对曹白说：“钱都差不多印光了：印柯勒惠支的选集，印《海上述林》。”（曹白《写在永恒的纪念中》）

日元的收入账很少，鲁迅生前仅有8月31日改造社入过20日元。鲁迅曾为改造社作文多篇，如1936年2月在日本《文艺》上发表《陀思妥耶夫斯基的事》，4月在《改造》上发表《我要骗人》，6月发表《〈中国杰作小说〉小引》。

鲁迅去世后少数国际友人送来慰问的钱款，内山也将其划入此处，如内山嘉吉和山本初枝两人共给予15日元。

附录

《上海鲁迅研究》（《纪念与研究》）所刊相关文章目录

——邢魁 李浩 辑

凌月麟	《鲁迅在上海活动场所的调查》	《纪念与研究》第 1 辑，1979 年
庆雄	《台灯见友情》	《纪念与研究》第 2 辑，1980 年
凌月麟	《鲁迅在上海第一次避难的地点》	《纪念与研究》第 2 辑，1980 年
朱嘉栋	《鲁迅的遗印》	《纪念与研究》第 3 辑，1981 年
王寿松	《鲁迅在申报〈自由谈〉上发表多少文章？》	《纪念与研究》第 3 辑，1981 年
伯英	《鲁迅设计的书刊封面》	《纪念与研究》第 3 辑，1981 年
匡揆	《鲁迅的身高》	《纪念与研究》第 4 辑，1982 年
方吉	《镜框》	《纪念与研究》第 4 辑，1982 年
陈小琴	《鲁迅先生的齿病》	《纪念与研究》第 4 辑，1982 年
张才生	《周树人柔道入门志愿书》	《纪念与研究》第 4 辑，1982 年
[日] 吉田雅代	《三桥旅馆》，丁义忠译	《纪念与研究》第 4 辑，1982 年

[日] 池上正治	《弘文学院》，丁义忠译	《纪念与研究》第 4 辑，1982 年
[日] 松本绿	《伏见馆》，丁义忠译	《纪念与研究》第 4 辑，1982 年
华	《“民族魂”旗的颜色》	《纪念与研究》第 5 辑，1983 年
王锡荣	《鲁迅演讲概观》	《纪念与研究》第 5 辑，1983 年
虞积华	《“铅字二十粒”何用？——略谈鲁迅与北新书局》	《纪念与研究》第 5 辑，1983 年
杨志华　张妙法	《鲁迅遗物——牛若丸》	《纪念与研究》第 5 辑，1983 年
郭凤珍　杨志华	《大陆新村建造的年份及其他》	《纪念与研究》第 5 辑，1983 年
[日] 丸山新男	《中越馆》，丁义忠译	《纪念与研究》第 5 辑，1983 年
[日] 冈崎昌史	《伍舍》，丁义忠译	《纪念与研究》第 5 辑，1983 年
荣独山　洪应中等	《鲁迅先生胸部 X 线读片和临床讨论会的意见》	《纪念与研究》第 6 辑，1984 年
麟	《Cerase 是什么针剂？》	《纪念与研究》第 6 辑，1984 年
月	《内山嘉吉赠鲁迅的操人形》	《纪念与研究》第 6 辑，1984 年
虞积华	《雷峰塔 · 保俶塔 · 保叔塔》	《纪念与研究》第 6 辑，1984 年
[日] 山本登	《独所房子》，丁义忠译	《纪念与研究》第 6 辑，1984 年
[日] 川上哲正	《民报社》，丁义忠译	《纪念与研究》第 6 辑，1984 年
陈子善	《也谈〈海上述林〉赠书名单》	《纪念与研究》第 7 辑，1985 年
国伟	《瞿秋白寄存鲁迅寓所的遗物》	《纪念与研究》第 7 辑，1985 年
凌月麟	《珍贵的遗物 质朴的艺术——鲁迅收藏的民间艺术品欣赏》	《纪念与研究》第 7 辑，1985 年
吴长华	《一支金笔见深情》	《纪念与研究》第 7 辑，1985 年
杨志华	《由“漆果子皿”说到鲁迅与坪井》	《纪念与研究》第 7 辑，1985 年
蒋思一	《从两张照片引起的回忆》	《上海鲁迅研究》第 1 辑，1988 年
王锡荣	《从一件囚犯的赠品说到鲁迅与监狱》	《上海鲁迅研究》第 1 辑，1988 年
虞积华	《司徒乔和他的〈馒店门前〉》	《上海鲁迅研究》第 2 辑，1989 年
邓啸林	《鲁迅先生的书箱》	《上海鲁迅研究》第 2 辑，1989 年
刘月仙　雪融	《鲁迅书信究竟有多少？》	《上海鲁迅研究》第 2 辑，1989 年
	《新发现的鲁迅早年在日本照相》	《上海鲁迅研究》第 2 辑，1989 年

钱君匋	《〈鲁迅遗印〉序言》	《上海鲁迅研究》第 6 辑，1995 年
王寿松　整理	《鲁迅家用菜谱》	《上海鲁迅研究》第 6 辑，1995 年
王寿松	《鲁迅生活的真切记录——关于〈鲁迅家用菜谱〉的说明》	《上海鲁迅研究》第 6 辑，1995 年
许羡苏	《鲁迅家用收支帐》，吴长华整理	《上海鲁迅研究》第 7 辑，1996 年
吴长华	《平凡之中见精神——鲁迅家用帐读后记》	《上海鲁迅研究》第 7 辑，1996 年
祝文品	《鲁迅在厦门大学使用的砚台收藏记》	《上海鲁迅研究》第 7 辑，1996 年
虞积华	《上海鲁迅故居沿革》	《上海鲁迅研究》第 8 辑，1997 年
周学鲁	《内山书店史实寻踪——纪念内山书店创建 80 周年》	《上海鲁迅研究》第 8 辑，1997 年
华文	《雪中送炭——鲁迅捐款》	《上海鲁迅研究》第 9 辑，1998 年
[日] 内山嘉吉	《火凤凰戒指与鲁迅遗像》，张嵩平译	《上海鲁迅研究》第 9 辑，1998 年
唐应光	《鲁迅藏志浅探》	《上海鲁迅研究》第 10 辑，1999 年
伯雄	《与鲁迅有关的二位篆刻家》	《上海鲁迅研究》第 10 辑，1999 年
唐应光	《且说且介亭》	《上海鲁迅研究》第 11 辑，2000 年
[日] 嶋田英诚	《鲁迅故居里的那幅画》，张嵩平译	《上海鲁迅研究》第 11 辑，2000 年
郭翠兰　刘月仙　整理	《上海鲁迅纪念馆藏鲁迅剪报（上）》	《上海鲁迅研究》第 12 辑，2001 年
李浩	《关于“鲁迅剪报”》	《上海鲁迅研究》第 12 辑，2001 年
赵敬立	《鲁迅与茶》	《上海鲁迅研究》第 12 辑，2001 年
吴长华	《鲁迅与〈海上花列传〉》	《上海鲁迅研究》第 13 辑，2002 年
郭翠兰　刘月仙　整理	《上海鲁迅纪念馆藏鲁迅剪报（中）》	《上海鲁迅研究》第 13 辑，2002 年
郭翠兰　刘月仙　整理	《上海鲁迅纪念馆藏鲁迅剪报（下）》	《上海鲁迅研究》第 14 辑，2003 年
[日] 泉彪之助	《托马斯 · B · 邓恩——为鲁迅诊察的美国医师》，李明军译	《上海鲁迅研究》第 15 辑，2004 年
李浩	《天物·思想·美化：鲁迅与书籍装帧艺术》	《上海鲁迅研究》第 15 辑，2004 年
张岚	《鲁迅和碑帖研究》	《上海鲁迅研究》2005 年夏辑
张岚	《鲁迅与碑帖研究 (二则)》	《上海鲁迅研究》2005 年秋辑

周国伟　史伯英	《"上海三义里"探究》	《上海鲁迅研究》2005 年秋辑
张岚	《鲁迅收藏的〈鲁孝王刻石〉》	《上海鲁迅研究》2005 年冬辑
裘士雄	《鲁迅与绍兴黄酒》	《上海鲁迅研究》2006 年春辑
曹树钧	《鲁迅戏剧电影活动年谱（上）》	《上海鲁迅研究》2007 年春辑
曹树钧	《鲁迅戏剧电影活动年谱（中）》	《上海鲁迅研究》2007 年夏辑
曹树钧	《鲁迅戏剧电影活动年谱（下）》	《上海鲁迅研究》2007 年秋辑
李浩	《〈君车〉残石及其他》	《上海鲁迅研究》2010 年夏辑
李浩	《浮世绘片谈》	《上海鲁迅研究》2011 年夏辑
张翔　吴萍莉	《鲁迅与中美图书公司》	《上海鲁迅研究》2013 年春辑
朱杰莉	《浅谈鲁迅所藏陈洪绶〈博古酒牌〉》	《上海鲁迅研究》2013 年春辑
劳动	《鲁迅的古钱收藏及其〈泉志〉》	《上海鲁迅研究》2013 年冬辑
吴萍莉　张翔	《鲁迅与瀛寰图书公司的交往》	《上海鲁迅研究》2014 年春辑
张翔　吴萍莉	《"昙花一现"的食旧廛》	《上海鲁迅研究》2015 年春辑
缪君奇	《写在〈鲁迅藏笺〉出版的时候》	《上海鲁迅研究》2015 年夏辑
施晓燕	《大陆新村建筑设计简介》	《上海鲁迅研究》2015 年秋辑
虞积华	《回答鲁迅纪念馆关于鲁迅著作纸型的若干问题》	《上海鲁迅研究》2015 年秋辑
顾音海	《鲁迅与九华堂笺纸》	《上海鲁迅研究》2015 年秋辑
萧振鸣	《鲁迅用笺考》	《上海鲁迅研究》2015 年冬辑
丁佳园	《〈夏娃〉与〈苏珊娜沐浴〉——记上海鲁迅故居的两幅德国版画》	《上海鲁迅研究》2016 年春辑
张翔　吴萍莉	《鲁迅与中国书店》	《上海鲁迅研究》2016 年春辑
朱圣斌	《透过照片读鲁迅》	《上海鲁迅研究》2016 年春辑
纪维周	《鲁迅与江南图书馆》	《上海鲁迅研究》2016 年冬辑
沈雪晟	《上海鲁迅故居家具类文物初探》	《上海鲁迅研究·鲁迅手稿研究》，2017 年
乐融	《偶见鲁迅所摄照片》	《上海鲁迅研究·鲁迅与美术暨纪念李桦诞辰 110 周年》，2017 年

陈明远	《鲁迅在广州中山大学的月薪及开支——与严春宝、陈占彪二位博士商榷鲁迅经济收入和支出状况》	《上海鲁迅研究·鲁迅与美术暨纪念李桦诞辰110周年》，2017年
乐融	《电影——鲁迅洞察社会的另一窗口》	《上海鲁迅研究 · 鲁迅与上海》，2017年
顾音海	《鲁迅存北新书局版税收据所见欠款事件》	《上海鲁迅研究 · 鲁迅与上海》，2017年
乔丽华	《鲁迅笔下的“革命咖啡店”是哪一家？》	《上海鲁迅研究 · 鲁迅与上海》，2017年
施晓燕	《〈鲁迅家用菜谱〉年代疑云》	《上海鲁迅研究 · 鲁迅与上海》，2017年
高方英	《回忆鲁迅在上海资料概述》	《上海鲁迅研究 · 鲁迅与上海》，2017年
陈占彪	《江南水师学堂考（上）》	《上海鲁迅研究 · 鲁迅与上海》，2017年
张翔　吴萍莉	《〈鲁迅日记〉中的伊文思图书公司》	《上海鲁迅研究 · 鲁迅与上海》，2017年
乐融	《鲁迅最讲究的一次出版》	《上海鲁迅研究·鲁迅与出版》，2017年
陈占彪	《江南水师学堂考（下）》	《上海鲁迅研究·鲁迅与出版》，2017年
陈占彪	《江南陆师学堂考》	《上海鲁迅研究·赵家璧与出版研究》，2018年
施晓燕	《鲁迅与共和旅馆》	《上海鲁迅研究·〈狂人日记〉100年》，2018年
丁佳园	《略谈鲁迅在上海所看电影类型》	《上海鲁迅研究 · 鲁迅与翻译》，2019年
陈祖恩	《峨眉路108号：从里见医院到须藤医院》	《上海鲁迅研究 · 鲁迅与翻译》，2019年
翟猛	《早期左翼木刻展览与上海青年会之关系探微》	《上海鲁迅研究 · 新文化100周年》，2019年
乔丽华	《关于朝花社的合作者“合记教育用品社”》	《上海鲁迅研究 · 鲁迅与期刊》，2019年
吴萍莉　张翔	《鲁迅与日本文求堂交往二三事》	《上海鲁迅研究 · 鲁迅与期刊》，2019年

仇志琴	《鲁迅与早期木刻社团及主要活动》	《上海鲁迅研究 · 鲁迅与中国古代文化》，2019 年
张阳	《馆藏美丽牌香烟挂历背后的历史信息》	《上海鲁迅研究 · 鲁迅与中国古代文化》，2019 年
詹秋洁	《鲁迅与绘图本〈山海经〉》	《上海鲁迅研究 · 鲁迅与中国古代文化》，2019 年
杨朝晖	《从两枚闲章看鲁迅少年时代的梅花情结与田园梦想》	《上海鲁迅研究 · 鲁迅与中国古代文化》，2019 年
丁佳园	《〈泰山情侣〉——鲁迅观看三次的电影》	《上海鲁迅研究 · 鲁迅与中国古代文化》，2019 年
郑亚	《由印章探究鲁迅的世界》	《上海鲁迅研究 · 鲁迅文物研究》，2020 年
仇志琴	《鲁迅的“衣”——从一件毛衣说起》	《上海鲁迅研究 · 鲁迅文物研究》，2020 年
邹晏清	《朴素餐具，寻常生活——鲁迅家中的锅碗碟》	《上海鲁迅研究 · 鲁迅文物研究》，2020 年
顾音海	《关于鲁迅的字》	《上海鲁迅研究 · 鲁迅文物研究》，2020 年
李浩	《上海鲁迅纪念馆藏明信片》	《上海鲁迅研究 · 鲁迅文物研究》，2020 年
乔丽华	《九华堂笺纸及其他——略述馆藏鲁迅遗笺》	《上海鲁迅研究 · 鲁迅文物研究》，2020 年
施晓燕	《上海鲁迅纪念馆鲁迅藏书简介》	《上海鲁迅研究 · 鲁迅文物研究》，2020 年
施晓燕	《鲁迅居沪期间生病考（上）》	《上海鲁迅研究 · 鲁迅生平研究》，2020 年
高方英	《鲁迅对文艺活动的另一种探索——北新书屋》	《上海鲁迅研究 · 鲁迅生平研究》，2020 年
吴萍莉　张翔	《关于〈鲁迅日记〉“传经堂”注释的补充》	《上海鲁迅研究 · 鲁迅生平研究》，2020 年
仇志琴	《“周鲁迅先生 X 光胸片”梳理补白》	《上海鲁迅研究 · 鲁迅生平研究》，2020 年
吴仲凯	《鲁迅与日本人偶》	《上海鲁迅研究 · 鲁迅生平研究》，2020 年

邹晏清　詹秋洁	《鲁迅的藏笺与用笺》	《上海鲁迅研究 · 鲁迅生平研究》，2020 年
施晓燕	《鲁迅居沪期间生病考（下）》	《上海鲁迅研究 · 鲁迅与江南文化》，2020 年
月绒	《鲁迅与王钧初——从鲁迅故居一幅油画谈起》	《上海鲁迅研究 · 鲁迅与江南文化》，2020 年
郑亚	《从鲁迅家用花瓶说起》	《上海鲁迅研究 · 鲁迅与江南文化》，2020 年
吴仲凯	《鲁迅遗物中的“纸塑”考证》	《上海鲁迅研究 · 鲁迅与江南文化》，2020 年
高方英	《磨墨情怀——鲁迅使用的墨与砚》	《上海鲁迅研究 · 上海鲁迅纪念馆建馆 70 周年》，2021 年
吴仲凯	《鲁迅藏广州地图的几点考证》	《上海鲁迅研究 · 上海鲁迅纪念馆建馆 70 周年》，2021 年
李浩　乔丽华　仇志琴　等	《上海鲁迅纪念馆藏文物提要》	《上海鲁迅研究 · 上海鲁迅纪念馆藏文物研究》，2021 年
高方英	《每当迁徙，大加擘画——鲁迅居上海时期的书橱》	《上海鲁迅研究 · 上海鲁迅纪念馆藏文物研究》，2021 年
郑亚	《上海鲁迅故居里的四张书桌》	《上海鲁迅研究 · 纪念鲁迅先生诞辰 140 周年》，2021 年
乐融	《鲁迅购书、译书中的马克思主义文艺》	《上海鲁迅研究 · 纪念鲁迅先生诞辰 140 周年》，2021 年
刘平	《鲁迅为何少看国产电影》	《上海鲁迅研究 · 纪念鲁迅先生诞辰 140 周年》，2021 年
北海	《闻抄三则》	《上海鲁迅研究 · 纪念鲁迅先生诞辰 140 周年》，2021 年
杨琳	《从“积铁成象”玩具说开去》	《上海鲁迅研究 · 中国新兴木刻运动九十周年》，2021 年
乔丽华	《“伍舍”同住人考——鲁迅留学后期生活史实》	《上海鲁迅研究 · 鲁迅留学日本 120 周年》，2022 年
杨琳	《鲁迅居住上海时期与亲友互赠食物考》	《上海鲁迅研究 · 鲁迅留学日本 120 周年》，2022 年
向敏艳	《〈鲁迅家用菜谱〉再研究》	《上海鲁迅研究 · 鲁迅留学日本 120 周年》，2022 年

乔丽华	《江户论交志革新——鲁迅等六人学俄文考（上）》	《上海鲁迅研究 · 鲁迅与左翼文物》，2022 年
吴萍莉	《鲁迅个人阅读史上的有正书局》	《上海鲁迅研究 · 鲁迅与左翼文物》，2022 年
吴仲凯	《鲁迅在大陆新村的顶费和房租》	《上海鲁迅研究 · 鲁迅与左翼文物》，2022 年
杨琳	《鲁迅藏书室》	《上海鲁迅研究 · 鲁迅与外国文学》，2022 年
乔丽华	《江户论交志革新——鲁迅等六人学俄文考（下）》	《上海鲁迅研究 · 鲁迅与教育》，2022 年
李荣	《鲁迅与“香烟牌子”及其他——鲁迅生活志一瞥》	《上海鲁迅研究 · 鲁迅与教育》，2022 年
杨琳	《拉摩斯公寓新探》	《上海鲁迅研究 · 鲁迅与教育》，2022 年
俞天然	《〈鲁迅与日本人偶〉再考》	《上海鲁迅研究 · 鲁迅与教育》，2022 年
姬学友	《鲁迅手稿的书法解读问题》	《上海鲁迅研究 · 鲁迅与教育》，2022 年
北海	《鲁迅笔下的春节》	《上海鲁迅研究 · 鲁迅与左联》，2023 年
杨琳	《鲁迅定居上海时期的家庭备药志——上海鲁迅纪念馆藏鲁迅药品考略》	《上海鲁迅研究 · 纪念冯雪峰同志诞辰 120 周年》，2023 年
邢魁	《把酒论当世，先生小酒人——略谈鲁迅与啤酒》	《上海鲁迅研究 · 100 辑纪念》，2023 年
丁佳园	《鲁迅与沪上影院——兼谈影院建筑保护与活化利用》	《上海鲁迅研究 · 100 辑纪念》，2023 年
邢魁	《鲁迅照的摄影者及摄影机构考（上篇：日本、杭州、北京）》	《上海鲁迅研究 · 鲁迅小说研究》，2024 年

后记

1927年，鲁迅来到上海，从此定居上海，生活、工作、战斗，在这里度过了他生命最后的10年。10年间，他因为国民党当局监视、战火波及等各种原因，先后居住于景云里、拉摩斯公寓、大陆新村。在上海这个天下美食荟萃之地，他在新雅茶室和陈望道等商谈杂志编辑，在功德林和田汉等进行文艺漫谈，在荷兰西菜室和左翼团体聚会。他爱吃糖，喜欢油炸食品，也吃冰激凌。他衣着俭朴，去华懋饭店看望远东反战大会的代表英国人马莱爵士时甚至被电梯司机拒绝承载。他常步行去书店，偶尔也会带伴侣和孩子乘出租车去电影院。直到今天，这座城市依旧保存着与他相关的许多文化遗址，上海鲁迅纪念馆则保存了一批鲁迅生活的遗物，如“鲁迅家用菜谱”“胡风所赠花瓶”“内山书店为鲁迅代办各类事项账单”等。由此，上海鲁迅纪念馆从馆藏的文物、文献、资料出发，以鲁迅在上海的日常生活为研究对象，编写出版了这本《鲁迅上海生活志》，多角度呈现鲁迅伟大而平凡的日常一面，集中展示鲁迅在上海时期的生活、工作、交游中所体现的崇高精神和价值观，也展示鲁迅如何在重重的艰难困境中殚精竭虑，在日常生活中塑造中国现代文化精神的品格。

本书图文结合，以文字描述为主，分为书房一隅、寻常烟火、休憩时刻、此中甘苦、居于沪上等5方面内容。“书房一隅”主要记载并研究鲁迅日常写作时常用的物品，涉及鲁迅印章、明信片、藏笺、藏书、墨砚、书桌、书橱、台灯等；“寻常烟火”反映了鲁迅家庭饮宴和其个人的口味嗜好，有冰箱、火钵、锅碗碟、家用菜谱、啤酒、香烟、糖果、茶等；“休憩时刻”是指鲁迅的娱乐和审美，比如家中摆放的花瓶、购买或获赠的画作、香烟画片、收藏的工艺品纸塑、居住上海时期所看的电影等；“此中甘苦”是写鲁迅的衣着和求医问药，有鲁迅衣物、照片、X光胸片、家庭备药、牙病情况等；“居于沪上”是对鲁迅上海近10年生活重点场所的介绍，有鲁迅的三处居所景云里、拉摩斯公寓、大陆新村，还包括了鲁迅的溧阳路藏书室、鲁迅四次版画展览场地、内山书店等。

《鲁迅上海生活志》是一个借助学术、业务项目培养初、中级专业技术人员学术能力的馆内课题。本书作者均为本馆在职职工，由馆内专家及青年业务人员撰写论文，对鲁迅在上海生活进行总体描述。本馆一直秉持以史料见长的特色，馆内前辈对于鲁迅的生活资料已经撰写了多篇优秀的研究文章，比如虞积华《上海鲁迅故居沿革》、王寿松《鲁迅生活的真切记录——关于〈鲁迅家用菜谱〉的说明》，以及吴长华、杨志华等老师的文章，至今仍有极高的参考价值，由邢魁、李浩辑成《〈上海鲁迅研究〉（〈纪念与研究〉）所刊相关文章目录》附于本书，以供读者参考。

本书写作、编选过程中，19位作者在各自领域辛勤探索，笔耕不辍，写出了鲁迅先生富有趣味的日常一面，按时交稿，并各自提供了高质量的图片，图文并茂，呈现鲁迅先生生活的底色。在编辑、出版方面，上海辞书出版社朱志凌先生为本书付出了艰辛的劳动，在此一并致谢！

本书匆匆成稿，或有错漏之处，希望各位专家不吝赐教，给予指正。

2024年11月

图书在版编目(CIP)数据

鲁迅上海生活志 / 上海鲁迅纪念馆编. -- 上海 : 上海辞书出版社，2024. -- ISBN 978-7-5326-6269-2

Ⅰ. I210

中国国家版本馆 CIP 数据核字第 2024DT1264 号

鲁迅上海生活志

上海鲁迅纪念馆　编

策划统筹　朱志凌
责任编辑　朱志凌
技术编辑　楼微雯
装帧设计　零贰壹肆设计工作室
图　　照　均由编者提供

出版发行　上海世纪出版集团
上海辞书出版社®(www.cishu.com.cn)
地　　址　上海市闵行区号景路 159 弄 B 座(邮政编码：201101)
印　　刷　上海中华印刷有限公司
开　　本　787 毫米×1092 毫米　1/16
印　　张　16
字　　数　290 000
版　　次　2024 年 12 月第 1 版　2024 年 12 月第 1 次印刷
书　　号　ISBN 978-7-5326-6269-2/I·585
定　　价　96.00 元